Koe 80 heeft een probleem
Boer, consument, agro-industrie en grootdistributie

D1578956

Bij EPO verschenen eveneens:

Het klimaatboek. Pleidooi voor een ecologische omslag
  Els Keytsman, Peter Tom Jones

De rattenvanger van Hameln. De Wereldbank, armoede en ontwikkeling
  Francine Mestrum

Geld doet de wereld draaien
  Barbara Garson

De kloof en de uitweg. Een dwarse kijk op ontwikkelingssamenwerking
  Marc Vandepitte

Straf de armen. Het nieuwe beleid van de sociale onzekerheid
  Loïc Wacquant

Made in China. Meningen van daar
  Ng Sauw Tjhoi en Marc Vandepitte

De cholesteroloorlog. Waarom geneesmiddelen zo duur zijn
  Dirk Van Duppen

Dirk Barrez

KOE 80

heeft een probleem

Boer, consument,
agro-industrie en grootdistributie

Omslagontwerp: Compagnie Paul Verrept
Foto voorplat: © ANP Photo BE
Foto achterplat: Via Campesina, foto van demonstratie tijdens de WTO-top in
Hongkong, 2005
Vormgeving: EPO
Druk: drukkerij EPO

Op initiatief van uitgeverij EPO
Lange Pastoorstraat 25-27, 2600 Berchem
Tel: 32 (0)3/239.68.74
Fax: 32 (0)3/218.46.04
E-mail: uitgeverij@epo.be
www.epo.be

en Global Society vzw
p.a. Kon. Astridlaan 160, 2800 Mechelen
Tel. 32(0)15/43.56.96
E-mail: info@globalsociety.be
www.globalsociety.be / www.dirkbarrez.be

Dit boek kwam tot stand met de steun van het
Fonds Pascal Decroos voor Bijzondere Journalistiek
(Info: www.fondspascaldecroos.org)
en van Vredeseilanden (www.vredeseilanden.be), DGOS en
de Europese Commissie

Isbn 978 90 6445 453 0
D 2007/2204/10
Nur 740, 940

Verspreiding voor Nederland
Centraal Boekhuis bv Culemborg

Inhoud

Inleiding – ons voedsel redden

'Ik weet het, hier is geen elektriciteit, geen water, geen riolering, geen
school, geen openbaar vervoer, niets is er.'
Ver buiten het centrum van de Hondurese hoofdstad Tegucigalpa, hoog
op de hellingen waar de krottenwijken almaar aangroeien, filmen we
Mario Nieto terwijl hij verder timmert aan een nieuw bouwsel, zijn nieuwe huis:
'In feite is het hier allesbehalve goed. Toch is dit de plaats waar ik moet
leven. Want waar ik vandaan kom, van het platteland, daar is het nog
erger, daar konden we helemaal niet leven.'

Toch geen boek over landbouw zeker? Over een sector waarin bij ons
nog amper één procent van de mensen werkt en die maar weinig toekomst heeft? Ja, toch wel, en om meer dan één goede reden. Eten moeten we allemaal, van onze geboorte tot onze dood, net als ademen en
drinken. Voedsel is onze energie. Zonder kunnen we niet leven. Evenwichtige voeding maakt ons ook gezond, veel meer dan medicijnen of
dokters. Landbouw is dus extreem belangrijk voor iedereen. Die landbouw gebruiken we hier als verzamelbegrip voor de akkerbouw, veeteelt, groente- en fruitteelt, bosbouw, en zelfs voor de visserij die in
dit boek ook enige aandacht zal krijgen. Ook al telt West-Europa niet
zoveel boeren meer, ze zorgen er wel mee voor dat we te eten hebben.
Anders moeten we meer voedsel elders in de wereld zoeken en het eigenlijk afpakken van mensen die meer honger hebben dan wij.
   Voor vrijwel de halve mensheid is landbouw nog belangrijker. Want
van de actieve wereldbevolking werken vier op de tien mensen in de
landbouw. Tel daarbij al wie toelevert aan de landbouw evenals hen die
de landbouwproducten verwerken en dan draait het om de helft.
   Landbouw verschaft hun werk en inkomen en maakt dat de inkomensverdeling in de wereld niet nog schever wordt. Hij verhindert dat
plattelandsgebieden doodbloeden.

Een gerespecteerde landbouw is in welvarende samenlevingen altijd de pijler gebleken van een gezonde economie en van een geslaagde industriële ontwikkeling. Als in zovele arme landen zelfs de steden grotendeels opeenhopingen van miserie zijn, is de oorzaak buiten de stad te vinden. Want wanneer het platteland wegkwijnt, exporteert het zijn problemen naar de stad. Welvaart of miserie gaan bij stad en platteland hand in hand.

Hoewel het niet makkelijk is, maakt respect voor de landbouw het ook mogelijk ecologisch duurzaam om te gaan met de aarde. Zo kan dat natuurlijke kapitaal ons blijven voorzien van voedsel en inkomen. En, niet te vergeten: we genieten van schitterende en rustgevende cultuurlandschappen.

Wie de schijnwerpers richt op voedsel en landbouw, werpt dus meteen licht op vele andere thema's: op het sociale thema, op milieu, op migratie, op economie, op ontwikkeling… Ze hebben allemaal in grote mate met voedsel en landbouw te maken. Wie een welvarende toekomst wil, zal dus ook de landbouw een toekomst moeten geven.

Wie zet het eten op tafel?

Maar wie kookt? Dat is de centrale vraag. Is het de boer of de boerin? Is het de agro-industrie? Of zet de grootdistributie het eten op tafel? De huidige wereldlandbouw illustreert als bijna geen andere sector hoe mank globalisering kan zijn. Van de lage prijzen die op de vrije wereldmarkt tot stand komen kan bijna niemand fatsoenlijk leven. Dit ruïneert het bestaan van een paar miljard mensen en creëert zelfs honger voor vele honderden miljoenen. Verderop in de keten vallen wel winsten te rapen, in de verwerkingsindustrie en in de distributie. Maar die winsten belanden bij almaar minder mensen. Als het over landbouw gaat, creëert ongeremde globalisering chaos. Toch kan het anders. Dan moeten boer en consument echter wel terrein heroveren op de agro-industrie en de grootdistributie.

> Mbaye Gueye is een jongen van 17, wat zwakjes maar levenslustig. Ik leer hem kennen bij het filmen van de televisiereportage *Het gezicht van de honger*. Drie maanden later zou ik hem opnieuw ontmoeten maar… twee dagen tevoren was hij overleden.

Mbaye had al meer dan een jaar geneesmiddelen nodig, de familie kocht die ook, voor zowat 60 euro. Maar dan was het geld op, en dus stierf de jongen... één van de dertigduizend jongeren, kinderen, volwassenen die dezelfde dag omkomen door vooral ondervoeding en daarmee samenhangende ziekten, door een gebrek aan inkomen dus. Ze sterven omdat we onze wereld slecht regeren - van een mondiaal sociaal economisch beleid en van inkomensherverdeling is niets te merken - en omdat we slecht omspringen met onze landbouw en ons voedsel.

Ik heb de voorbije jaren landbouwers ontmoet in vele landen, hun boerderijen, hun markten en coöperaties bezocht, zelfs het voorrecht genoten hun leven voor korte tijd te delen. Bijna altijd was het om te filmen, om in beeld vast te leggen hoe gek onze wereld wel draait en hoe onrechtvaardig wij die wereld organiseren.

Beelden geven indringender de honger weer, of het verwoestende karakter van grootschalige sojateelt, het nefaste van katoensubsidies, de verkommering van het platteland, de plattelandsvlucht, de moordende strijd om de grond, de onblusbare honger naar respect en rechtvaardigheid, het gevecht om te overleven en voor een eerlijke vergoeding van wat men verbouwt, het enthousiasme wanneer men zelf de verwerking en de verkoop van het voedsel dat men voortbrengt in handen neemt, het plezier van zijn eigen baas te zijn. Maar voor wie dieper wil graven, wie meer wil weten en beter wil begrijpen wat er fout gaat voor de halve wereldbevolking en waarom het fout loopt, biedt een boek meer mogelijkheden. En dus ben ik blij dat de film *Koe 80 nummer heeft een probleem* nu ook een boek is geworden.

Dirk Barrez

Voor hun medewerking op de meest diverse wijzen dank ik graag Gert Engelen, Saartje Boutsen, Lieve Vercauteren, Jan Vannoppen, Anne-Laure Cadji, Chris Claes, Jan Wyckaert Koen Geurts, Agnes Vercauteren, Marek Poznanski, Luc Vankrunkelsven, Souleymane Ndiaye, Thierry Kesteloot, Patrick De Buck, Ibrahima N'Diaye, Jan Van Bilsen, Ignace Coussement, Altemir Tortelli, Awa Diallo, Ndiogou Fall, René Louail, de families Balen, Roos De Witte, Frederik Claerbout, Mieke Lateir, Joseph en Maryse Templier, Saliou Sarr, Noël Devisch, Mamadou Cissokho, Eloir Grizelli, Jan Aertsen, Remy Schiffeleers, John Habets, Dirk Maes, Leen Laenens, Henk Gloudemans, Nadia Reynders, Patrick De Ceuster, Bart Bode, Els Van der Sypt, Marc Maes, Alex Danau, Samuel Féret, Louis De Bruyn, Jean-Pierre De Leener, Muriel De Pauw, Eddy De Neef, Hugo Franssen, Jessika Devlieghere, Bart Meylemans, Corine Van Kelecom, Damir Gojkov, Jan Rutgeerts, Ben Schokkaert, Ides Debruyne en, niet onbelangrijk, uitgever Jos Hennes. En zeker ook al die andere mensen die u in dit boek zult leren kennen. Dank ook aan Vredeseilanden en het Fonds Pascal Decroos voor Bijzondere Journalistiek.

Ze zijn geen van allen verantwoordelijk voor het uiteindelijke resultaat, maar hun inbreng was als zaad, water, mest, alles wat nodig is om een plant vrucht te laten dragen.

I. Huidige globalisering is chaos voor landbouw en voor mondiale samenleving

Meestal komt Senegal in het nieuws als het land waaruit almaar meer mensen in kleine bootjes de oceaan opgaan om richting Europa te varen. Maar weten we ook waarom ze willen vertrekken?

Trek naar het kleinste dorp, de wereld rond, ja het mag zelfs idyllisch ogen. De mensen leven er van het verbouwen van graan, katoen, koffie of aardnoten. Maar zelfs in dat kleinste dorp, ver weg van de hoofdstad en nog veel verder weg van de graanbeurs in Chicago of van andere landbouwbeurzen, zijn de inwoners gekluisterd aan de wereldmarkt. Net zo is het als ze van melkvee of pluimvee moeten leven. Of zelfs wanneer ze groenten of fruit telen.

De dalende prijzen op de wereldmarkt doen de inkomens drastisch dalen. Ook al zijn bv. de graanprijzen de jongste jaren aan het stijgen, op lange termijn wijst de trend wel degelijk op een forse daling. De manier waarop we de wereldeconomie laten functioneren creëert armoede en honger. Slechte globalisering verarmt deze landen en doet ongelijkheid oprukken. Ze vernietigt hun milieu en maakt er het leven kapot, ze legt een hypotheek op elke opbouw van welvaart, jaagt de mensen weg van hun land en dwingt hen tot migratie.

Een chaotische wereld

Welkom in onze globaliserende wereld waar de verwevenheid tussen alle mensen alleen maar groeit, waar dus de complexiteit hand over hand toeneemt en waar de chaostheorie er alom toe uitnodigt om toegepast te worden. Het is dan maar goed om in te zien dat bij groeiende complexiteit het zogenaamde niet-lineaire gedrag en de onvoorspelbaarheid groter worden... dat onze wereld zich meer zal kenmerken door wat men chaotisch gedrag noemt.

Als wij de mondiale complexiteit niet vlug beter doorgronden en meester worden, vormen een vernietigd milieu, een falende economie, grote inkomensongelijkheid, wanhopige migratie en felle conflicten – veel meer nog dan vandaag – onze toekomst. Dan versterken we nog de evolutie die al volop aan de gang is. Dan worden de ecologische, economische, sociale, democratische en culturele deficits waarmee wij worden geconfronteerd snel groter en vermindert de leefbaarheid voor ons allemaal.

Mag ik u uitnodigen voor een rondreis van onze wereld, voor een kennismaking met de zotheid die er regeert?

1. Lof der zotheid – de sojadriehoek

'Vindt u het normaal dat we de overschotten blijven subsidiëren in Europa wanneer die de verdwijning betekenen van de boeren in Afrika of elders?' De Franse boerenleider René Louail schuwt het debat niet.

De vlinder van Lorenz treft Afrika

'De invoer van melkpoeder kost dit land 55 miljoen euro. Als dat allemaal Senegalese melk zou zijn, kunnen daar vele tienduizenden mensen van leven.' (Awa Diallo, leidster herdersvrouwen CNCR)

'Indien ik een mooi huis wil, een mooie auto en een mooie vrouw, dan zal ik in een bootje moeten oversteken naar Europa.' (Veertienjarige Senegalese jongen)

Een eerste stop in Senegal geeft ons een inkijk in een verwoestend mondiaal agro-industrieel rad. Want het antwoord op de vraag waar de problemen voor de Senegalese boeren en boerinnen vandaan komen, is te rapen op straat, in de vele winkeltjes waar melkpoeder wordt verkocht of melk op basis van dat poeder, in de vele eetkraampjes waar mensen koffie met melk drinken en Frans stokbrood eten besmeerd met boter. Alles is ingevoerd. De onophoudelijke importstroom van tarwe en gedumpt melkpoeder ruïneert de Senegalese landbouw. De boeren en boerinnen krijgen hun gierst niet verkocht of ze krijgen er altijd minder geld voor. Net hetzelfde vertellen de veehoedsters. Ze willen maar wat graag iets aan hun melk verdienen, maar het mag niet zijn.

We treffen Awa Diallo in de weidegebieden nabij de grens met Mauritanië. Ze leidt de organisatie van de herdersvrouwen. 'De invoer van melkpoeder kost dit land 55 miljoen euro', zo vertolkt ze hun onvrede. 'Als dat allemaal Senegalese melk zou zijn, zouden daar vele tienduizenden mensen van kunnen leven.'

Op zijn kleine boerderij, zowat halfweg tussen Dakar en Saint-Louis, vertelt de boerenleider Ndiogou Fall waarom hij ongelukkig is met de vrijmaking van de wereldlandbouwmarkt: 'Het grootste probleem is de concurrentie van multinationals voor de melkverkoop. Ik produceer minder dan 100 liter melk per dag. Maar zelfs dan ondervind ik soms nog problemen om haar te verkopen. In elke winkel verkoopt men melkpoeder, afkomstig uit Europa of van waar ook. Europese boeren krijgen subsidies, wij ontvangen niets van onze staat. Als ik moet concurreren door vrijhandelsakkoorden met Europa, gaat mijn bedrijfje kapot.'

Zo stuikt de welstand op het platteland ineen, tot honger en ondervoeding de boeren en veetelers treffen en hun alle toekomst ontnemen. Ze trekken massaal naar de steden waar al evenmin veel inkomen te rapen valt. En velen migreren nog verder.

Je zal maar veehoedster of boerin zijn in West-Afrika en je afvragen: waar komt al dat melkpoeder en graan toch vandaan? Het is zoals de vlinder van Lorenz, je weet wel, één kleine vleugelslag aan de ene kant van de wereld kan weken later een orkaan teweegbrengen aan de andere kant. Zo treffen ook het melkpoeder en het graan Senegal als een tropische wervelstorm, ze overstromen het land en spoelen de hele samenleving weg.

Dat weet ook de veertienjarige jongere waaraan ik vraag of hij zoals zovelen de boot zal nemen naar de Canarische Eilanden: 'Nog niet. Maar indien ik een mooi huis wil, een mooie auto en een mooie vrouw, heb ik geen keuze, dan zal ik moeten oversteken, zelfs al is het gevaarlijk.'

Stroomopwaarts naar Europa

'Wij, duurzame boeren, krijgen slechts vijftig euro subsidie per hectare terwijl er boeren zijn die vierhonderd euro krijgen.' (Joseph Templier, Franse boer)

De oorzaak lijkt vooreerst in Europa te zoeken, in grote boerderijen waar nu ook al robots de koeien volautomatisch melken, een robot voor vijftig koeien. Daar leidt de steun van het Europese landbouwbeleid tot almaar meer productie.

René Louail, de boerenleider van de Confédération Paysanne, is daar hevig tegen en is niet te beroerd om dat te zeggen op debatten in zijn

Franse thuisbasis: 'De markt trekt de prijzen voortdurend omlaag en het enige antwoord dat we geven is almaar meer produceren. Vindt u het normaal dat we de overschotten in Europa blijven subsidiëren wanneer deze de verdwijning betekenen van de boeren in Afrika of elders? En wat zeggen zij? Jullie, Europese en Amerikaanse boeren, stop met behulp van subsidies jullie overschotten te exporteren, want die betekenen onze dood.' Toch kant René zich niet tegen subsidies: 'De steun is onmisbaar voor de landbouw. Nu wordt hij echter ingepikt door twintig procent van de Europese boeren die hem gebruiken om te concurreren en om de boeren in het Zuiden te laten verhongeren. De landbouwsteun moet beter worden verdeeld.'

Maar grote Europese boeren zoals Gilles Bedel, met honderddertig koeien, goed voor één miljoen honderdduizend liter melk per jaar, zien voor de overproductie die de prijzen doet dalen maar één oplossing: 'Voor mij is de strategie eenvoudig: de productie nog intensifiëren, een verdere verhoging van de productiviteit van de koeien.'

Het is een straatje zonder eind, een neerwaartse kringloop. Want als het enige antwoord meer produceren is, gaan de prijzen verder omlaag.

Toch kan het anders. Met zijn vijfentwintig koeien die honderdvijftienduizend liter melk per jaar leveren kiest Joseph Templier voor een duurzame landbouw: 'Intensifiëren brengt geen oplossing. De Wereldhandelsorganisatie (WTO) en de Europese landbouwpolitiek gaan helemaal in tegen duurzame landbouw. Wij krijgen slechts vijftig euro subsidie per hectare terwijl er boeren zijn die vierhonderd euro krijgen.' Zijn melk is bestemd voor de Franse markt en al het voer voor de koeien teelt hij zelf: 'Wij doen het al vijftien jaar, melk produceren met niets dan gras en proteïnen van eigen kweek, dus zonder soja uit Latijns-Amerika, de Verenigde Staten of Canada.'

Het is een levensgroot verschil met hoe het er bij Gilles Bedel aan toegaat: 'Mijn beesten krijgen één keer per dag te eten. Proteïnen hebben we in Frankrijk te weinig. De proteïnen komen vooral van de soja die uit Brazilië komt.'

Aan de Braziliaanse bron

De oorsprong van de melkoverschotten die in poedervorm over Afrika uitgestrooid raken, ligt in onze complexe wereld dus nog verder weg.

Brazilië voert jaarlijks twintig miljoen ton soja uit naar Europa. De grootschalige exportlandbouw vernietigt er het oerwoud en verjaagt er de kleine boeren.

Grootgrondbezitter Adamir Batistella spreekt dat niet tegen. De soja-oogst komt eraan en we kunnen met hem meerijden op zijn gigantische maaidorser: 'Bijna alle kleine boeren hier hebben hun boerderij verkocht om grond te kopen in het Amazonewoud in Mato Grosso. Wij bewerken nu vierhonderddertig hectare.' Daarmee is hij naar Braziliaanse maatstaven nog een kleintje maar in zijn streek in Zuid-Brazilië is hij zowat de grootste. Hij verbouwt graan, vooral soja, en bijna allemaal voor de export. Het is ironisch hoe zelfs deze grootgrondbezitter het slachtoffer is van de mondiale agro-industrie: 'Mijn oogsten verminderen, ziekten treffen de nieuwe soort, de prijs gaat almaar naar beneden.'

Erger vergaat het de vele familiale landbouwers in Brazilië, vertelt Altemir Tortelli, een kleine boer met enkele melkkoeien én vooral boerenleider van Fetraf, een organisatie van familiale boeren met zowat zevenhonderdvijftigduizend leden: 'Wanneer de importtarieven dalen tot minder dan tien procent, riskeren we dat één miljoen families verdwijnen uit de melkproductie. Wij hebben veel meer gemeen met boeren in Afrika of Azië dan met onze agro-industrie.' Ze overleven maar moeizaam, teruggedreven als ze zijn naar de meer heuvelachtige gebieden waar de industriële landbouw geen belangstelling voor heeft.

Bijna iedereen verliest

Als Tortelli en ik uitkijken over oneindige, met soja begroeide velden, weten we: hier zien we de oorsprong van wat men rustig als een verwoestend reuzenrad kan beschouwen. Kijk hoe de soja het milieu vernietigt en geen plaats laat voor mensen.

Het agro-industriële rad draait verder en voert veel van die Braziliaanse soja naar Europa. Deze industrie voedert er haar koeien en kippen mee, ze produceert melk-, graan-, vlees- en mestoverschotten en maakt de familiale landbouw kapot.

Het rad draait nog verder. Die overschotten dumpt de agro-industrie in Afrika en elders ten koste van de lokale landbouw en de lokale economie. En het gevolg? Nog minder inkomen voor de boeren, nog meer werkloosheid, armoede en migratie.

2. Een land waar geen plaats is voor mensen

Waar vroeger dorpjes waren,
zijn nu zelfs de kerkhoven ontruimd.

Brazilië is acht en een half miljoen km² groot, eindeloze en gevarieerde landschappen wisselen er elkaar af. En waar de grootschalige landbouw domineert – vooral soja en andere granen – ziet men bijna alleen dat. Mensen zie je amper, huizen dikwijls al helemaal niet. De mensen zijn verdreven. Waar vroeger dorpjes waren zijn nu zelfs de kerkhoven ontruimd. De sociale puinhoop is enorm. Mensen verliezen hun grond, hun middelen van bestaan en vluchten naar de stadsjungles om daar te proberen overleven.

En dan, in die lege uitgestrektheid, duikt een van die steden op met enkele tienduizenden, of al snel honderdduizend of nog veel meer inwoners. En altijd met opvallend veel hoogbouw, wat vragen oproept, want aan plaats toch geen gebrek?

Vanaf een hoogte tekent het antwoord zich af in de vorm van een haarscherpe grens tussen veld en stad, alsof de velden de mensen bij elkaar vegen en op elkaar dringen. In dit bijna onmetelijke land woont zevenentachtig procent van de mensen in de stad. Het is amper te geloven en toch is het zo: op het omringende land is voor mensen geen plaats.

Een land waar geen plaats is voor de natuur

In Zuid-Brazilië en steeds noordelijker, waar de wereld van het graan heerst, van tarwe, maïs en vooral soja, razen vrachtwagens af en aan, om al dat graan af te voeren. Je ziet ze van kilometers ver aankomen, amper een boom om het zicht te belemmeren, hoogstens in de dieper gelegen dalen. De grote bossen zijn al lang verdwenen, de rijke biodiversiteit is verleden tijd en heeft plaats gemaakt voor nog meer monocultuur, ditmaal van soja, bijna allemaal bestemd voor de export, o.a. om er de varkens en kippen in Europa mee te voederen. Op andere plaatsen eisen runderen alles op. Het is deze ecologische kaalslag die voortdurend verder woekert en het Amazonewoud steeds verder verwoest.

En er is de sociale kaalslag. Er blijft te weinig plaats over voor gewassen die de eigen ondervoede bevolking zouden kunnen voeden, te weinig ruimte voor Brazilianen die zelf hun voedsel willen voortbrengen of met het bewerken van de grond een inkomen willen vergaren.

Vergeet ook de culturele aanslag niet die daar het gevolg van is. Het meest zichtbaar is dat vele streekproducten moeten wijken voor hamburgers, dat traditionele feesten niet meer gevierd worden. Daarachter schuilt de vernietiging van het sociale leven.

De zoveelste aderlating… zelfs Brazilië kent honger

De grond dient voor wie geld en koopkracht heeft. In Brazilië en meer nog elders in de wereld. Het is een zoveelste aderlating* van dit land nadat al eeuwen geleden de suikerplantages hun verwoestende werk verricht hadden, en net zo ging het met cacao, goud, koffie en rubber, allemaal vergiftigde geschenken waarvan de opbrengst naar anderen ging en waaraan men ter plaatse slechts woestenij en armoede overhield. Vooral het noordoosten van dit uitgestrekte Zuid-Amerikaanse land is zo helemaal in de verdomhoek beland en likt nog altijd zijn vele wonden. Net als in vele Afrikaanse streken heerst er zware ondervoeding en zelfs honger. Nog rond 1980, toen ook in Ethiopië en andere landen in de Hoorn van Afrika, hongersnood heerste die wereldwijd de media haalde, trof hongersnood de *Nordeste*. Die ramp kreeg weinig of geen aandacht van de media. Toch wil de ironie dat er toen zowel in Oost-Afrika als in Brazilië ongeveer één miljoen mensen van honger stierven.

Vandaag lijden in het land dat met zijn soja onze koeien voedt, naar schatting minstens dertien miljoen mensen honger. Andere ramingen gaan tot zelfs meer dan veertig miljoen Brazilianen die onvoldoende inkomen hebben om voldoende te kunnen eten. Nog ironischer is dat

---

* Met dank aan Eduardo Galeano die dit veelzeggende woord opvoert in de titel van zijn meesterwerk *De aderlating van een continent*.

de Braziliaanse bodem zeker dubbel zoveel voedsel voortbrengt als de Brazilianen nodig hebben om in leven te blijven.

Globalisering treft Brazilië al vijfhonderd jaar, ook vandaag. De aderlating gaat gewoon voort, de grootschalige exportlandbouw van soja en andere granen en de agro-industrie ketenen nu ook het zuiden en de rest van het land aan de wereld op zo'n manier dat plundering van de natuur, armoede en een onvoorstelbaar grote inkomensongelijkheid daarvan de belangrijkste gevolgen zijn – van resultaten kun je in dit geval maar moeilijk spreken.

Land waar geen plaats is voor mensen, the sequel. Honduras

'De koeien leven daar beneden op vruchtbare weiden, wij arme boeren leven hierboven in de onherbergzame bergen. De koeien genieten daar van veel privileges die wij moeten missen.' (German Sorto, Hondurese landbouwer)

Het landschap is er mooi, de mensen openhartig, maar het is vooral dat ene vergezicht hoog in de bergen en die woorden die me zijn bijgebleven. Het is een uitspraak die lang door het hoofd spookt, bij vrijwel iedereen die deze paar zinnen tot zich laat doordringen: 'De koeien daar beneden genieten van veel privileges die wij hierboven moeten missen.' Want in de vlakte is het goed om te leven, boven is het koud en kil.

German Sorto weet ook waarom dat zo is. Het is de machtsverdeling in zijn land, Honduras. Zowel politiek als economisch is die verdeling extreem ongelijk. Er bestaat wel een wet die maxima oplegt aan wat grootgrondbezitters mogen bezitten. Maar die wet wordt ofwel niet toegepast ofwel op talrijke manieren omzeild. De kleine boeren willen dat er eindelijk wat verandert: 'We willen een volledige landhervorming', zegt German, 'zodat we genoeg grond hebben én aan betaalbaar krediet geraken om hem te bewerken én we willen zelf de opbrengst verkopen zonder tussenhandelaars die alle winst opstrijken.' Het is een heel programma dat de kleine boeren nastreven om hun welvaart te verhogen.

Maar alleen al de strijd om de grond is hard, keihard. We lopen naar het huis van German, waar intussen ook José Concepcion Osorio, de lokale leider van de boerenbeweging CNTC, aangekomen is. Zo'n leider is geen betaalde kracht maar een landbouwer die voor twee jaar is gekozen. José bekijkt de foto's aan de muur. Bij elk gezicht heeft hij een verhaal:

Andres Moreno is vermoord door de lijfwachten van een grootgrond-bezitter. Jesus Guerra is doodgeschoten door twee militairen in San Pedro Sula. Rafaël Carcamo is ook dood, hij is overhoop gereden door een auto. Het was zogenaamd een ongeval maar het was opgezet spel. Juan Navarrete is vermoord door een gewapende bende van een landeigenaar. Guillermo Rodriguez is ook vermoord door zulke bende in San Fransisco Morazan. In totaal zijn er tussen 1985 en 1995 zesendertig medestanders vermoord.
   – In deze streek?
   – In deze streek ja, en in het hele land wel driehonderdzesendertig.

Waar zelfs rijken niets te zeggen hebben

'Ik moet jullie de waarheid vertellen over onze armtierige politici. Honduras is arm, volledig ondergedompeld in armoede door de schuld van de regeerders.' (Marco Rodriguez, Hondurese ondernemer en landbouwer)

'Als ontwikkelingslanden hun grenzen volledig moeten openstellen, zijn de sociale gevolgen catastrofaal.' (Hondurese veearts)

Marco Rodriguez is de trotse eigenaar van drie winkels in Jutigalpa, de grootste stad in het oosten van Honduras, midden in een streek die volledig is aangewezen op de landbouw. Hij verkoopt landbouwgereedschap, verven en onderhoudsproducten, allerlei elektrische apparaten, zelfs bedden, matrassen en salons. We rijden samen de stad uit. Want een groot stuk van zijn activiteit speelt zich nog elders af, op het land: 'We hebben 350 hectare landbouwgrond. Vroeger hadden we wel duizend stuks vee, maar jammer genoeg hebben we dat moeten verkopen. De prijzen waren gedaald en de intresten waren veel te hoog. Nu verbouwen we vooral maïs maar de jongste oogsten waren slecht.'
   Deze landbouwer en ondernemer behoort tot de paar procent rijke Hondurezen. Ze halen niet de absolute top die slechts enkele tientallen

families omvat, maar zitten net daaronder. Toch hebben mensen zoals Marco Rodriguez duidelijk betere tijden gekend. Heel opvallend is dat zelfs deze welgestelde ondernemers politiek weinig in de melk te brokken hebben. Om te boeren in Honduras moet je goed gek zijn. Dure kredieten van 35 tot 40 procent per jaar vormen de zoveelste ramp. Veel meer is niet nodig om Marco Rodriguez kwaad te maken: 'De regering heeft geen enkele belangstelling voor de landbouw. Negentig procent van de politici in Honduras is corrupt. Dat zeg ik als ondernemer, ik ben ondernemer, geen politicus. Maar ik moet jullie de waarheid vertellen over onze armtierige politici in dit land. Honduras is arm, volledig ondergedompeld in armoede door de schuld van de regeerders.'

Met ons is ook veearts Carlos Arturo Cerna Munoz meegekomen met wie we nu aan de rand van de maïsvelden wandelen. Hij ziet nog meer schuldigen voor de kwijnende landbouw zoals de massaal ingevoerde Amerikaanse maïs: 'Die maïs uit de Verenigde Staten is zwaar gesubsidieerd. Het zijn hun maïsoverschotten die ze uitvoeren en verkopen tegen zeer lage prijzen. Dat is volledig oneerlijke concurrentie voor onze plaatselijke boeren. Dit voert ons naar het failliet.'

Carlos vindt dat maïs en bonen in eigen land moeten worden geproduceerd, net zoals ook Europa zijn voedsel zelf produceert. En hij waarschuwt: 'Als ontwikkelingslanden hun grenzen volledig moeten openstellen, zullen de sociale gevolgen catastrofaal zijn. Dan dreigen ondervoeding bij kinderen, kindersterfte, plattelandsvlucht en massale emigratie naar andere landen.' Intussen overvalt ons een witgrijze, soms ook bruinige rook. Het vernietigen en afbranden van bossen gaat verder. Alle problemen lijken wel samen te komen hier in het oosten van Honduras. Meer dan één is schuldig aan die ontbossing, maar volgens Carlos zit de hoofdschuldige toch in het buitenland: 'Ik denk dat onze milieuproblemen te wijten zijn aan de rijke landen die veel hout nodig hebben en er veel voor betalen, wat de ontbossing heel rendabel maakt.'

3. Het gezicht van de honger

'Ik heb zes kinderen gehad waarvan er twee gestorven zijn, een jongen en een meisje', vertelt Astou Sow. Ze getuigt in de tv-reportage *Het gezicht van de honger*, die ik samen met cameraman Jan Van Bilsen maakte in het Senegalese dorpje Boulidiama. Dat ligt amper tweehonderd kilometer van de hoofdstad Dakar vandaan. Maar zelfs daar is de kindersterfte hoog. Haar dorpsgenote Djenabo Diallo kreeg eveneens zes kinderen, waarvan er nog maar drie in leven zijn. En in het gezin waarbij we tijdens de opnamen verblijven, kreeg de vrouw acht kinderen. Vier ervan zijn intussen overleden.

Peanuts verdienen

Waar Astou en Djenabo wonen, verdienen de mensen hun brood met het verbouwen van aardnoten – pindanoten of 'apennootjes' – voor de wereldmarkt, vooral voor de productie van aardnotenolie. Maar de prijzen dalen, de opbrengsten van hun gronden zijn meer dan gehalveerd in dertig jaar tijd en een devaluatie van vijftig procent maakt het leven veel duurder doordat vele levensnoodzakelijke goederen uit het buitenland komen. Daar houdt de ellende niet mee op. Onder druk van het Internationaal Monetair Fonds (IMF) privatiseert de regering het overheidsbedrijf dat de meeste aardnoten aankoopt. Dat jaar moedigt de regering de landbouwers aan zo veel mogelijk te produceren en, samen met een goed regenseizoen, zorgt dat voor een grote oogst. Maar het nieuwbakken privébedrijf wil ineens nog maar de helft kopen van wat was aangekondigd vóór de Senegalese boeren en boerinnen beslisten om aardnoten te planten. Zo stuikt hun inkomen verder ineen. Hele bergen aardnoten zijn onverkocht blijven liggen. Het volgende jaar brengt opnieuw een ramp: door droogte mislukt de oogst bijna volledig. Op het platteland, door de overheid in de steek gelaten, heerst een ongeziene armoede.

En misschien vraagt u zich af waarom ze daar dan geen graan verbouwen, voor zichzelf en voor de lokale markt? Dat doen ze ook, ze
verbouwen gierst, geen tarwe. Maar daar valt al evenmin menswaardig van te leven. In de steden eet bijna iedereen (Frans) stokbrood,
gemaakt van vooral uit Europa ingevoerde tarwe. Het is die gedumpte
tarwe die hun markt inpikt én die de prijs van het weinige graan dat ze
kunnen verkopen nog verder doet dalen. Want wij in de rijke landen
beschermen – grotendeels terecht – onze landbouw en onze voedselproductie maar dat is net wat zij niet kunnen én niet mogen, en waar
hun politici al te weinig van wakker liggen. Die politici zijn zelden ge-
interesseerd in het bevorderen van menswaardige levensomstandig-
heden op het platteland. Als ze dat uitzonderlijk toch doen, werken
de regels van de wereldhandel hen tegen, zoals de Senegalese minister
van Volksgezondheid uitlegt: 'De regels van de Wereldhandelsorganisatie maken bescherming van onze landbouw moeilijk, maar ze staan
wel subsidiëring toe. Officieel beschermen de rijke landen hun landbouw niet, ze steunen hem. Wij zijn arm en kunnen moeilijk onze landbouw subsidiëren zodat onze kostprijs altijd hoger zal zijn.'

De vertegenwoordiger van het IMF in Dakar is bereid ons te woord te
staan. Ik leg hem een hypothetische vraag voor: 'Hoe moet het nu verder
met de slabakkende landbouw? Mag Senegal de prijzen voor zijn boeren
subsidiëren?' Een laconieke reactie volgt: 'De vraag die zich opdringt, is:
hoe gaat u het verschil financieren? Als dat kan, dan heeft het IMF geen
bezwaar.'
Het is wel duidelijk dat het IMF niet vindt dat Senegal rijk genoeg is om
zijn boeren te subsidiëren. En van het tegenhouden van gesubsidieerde
invoer of het heffen van invoerbelasting wil het niet weten, dat is niet
marktconform.

Van het IMF naar de Wereldbank, ook in Dakar is dat niet ver. Bij die Wereldbank is er wat meer begrip wanneer ik argumenteer dat landbouw en
vrije handel niet altijd elkaars beste maatjes zijn, en dat de Wereldbank
officieel toch strijd voert tegen armoede in de wereld: 'Inderdaad, voor
zulke levensbelangrijke producten als voedsel is er reden tot nadenken
over de vrijmaking van de markten.'

Nadenken misschien, maar ver geraak je daar niet mee, handelen blijft uit, nog altijd eigenlijk.

Waar wij filmden, in een land waar de wereldmarkt vrij spel kreeg en dat lang niet het armste is van Afrika, bestempelen de mensen hun goed boerende grootouders als rijke mensen: die hadden genoeg te eten, zij konden hun kinderen naar school sturen want er waren scholen en ze konden het schoolgeld betalen, indien nodig was geneeskundige verzorging vinden niet meteen een probleem en ook daarvoor verdienden ze genoeg. Kortom, zij hadden een goed leven. Maar nu zijn scholen, gezondheidsvoorzieningen en infrastructuur om de landbouw te ondersteunen in belangrijke mate verdwenen… ja, inderdaad, onder andere door de politiek die het IMF de jongste decennia opdrong. Het Fonds vindt dat een land als Senegal boven zijn stand leeft en moet bezuinigen. En de klappen vielen net in deze levensnoodzakelijke voorzieningen, begrijpe wie kan. Dus hoeft het niet te verbazen dat vele Senegalezen op het platteland nog amper een kwart of minder verdienen van wat hun ouders en grootouders dertig of veertig jaar geleden verdienden, dat het almaar achteruit gaat met hun voeding, met hun gezondheid, met hun onderwijs. Wij kunnen ons dat heel moeilijk voorstellen, maar de mensen op het platteland zien hun inkomens voortdurend verder ineenstuiken.

Pijnlijke keuzes

> Als je zonder geld zit en het eten is bijna op, dan moet je creatief zijn zoals Awa Diop: 'Ik meng veevoer door de aardnoten, en dat eten we. Wij hebben niets beter. De kinderen krijgen er diarree en buikkrampen van.'

Wie nog amper iets verdient met aardnoten of gierst staat altijd voor pijnlijke keuzes. Hou ik dit voedsel bij, om morgen nog te eten te hebben? Of zal ik nog meer verkopen om naar de dokter te kunnen gaan, het schoolgeld te kunnen betalen, kleren te kunnen kopen? Met de zekerheid dat je dan in elk geval meer honger zal hebben. En dan zwijgen we nog maar over het kunnen kopen van een nieuwe ploeg of ezel, want die zijn helemaal onbetaalbaar. Daarmee is natuurlijk ook elke kans op grotere oogsten en beter inkomen verkeken. Ontsnappen aan ondervoeding en honger zit er dan, voor wie van landbouw moet leven, niet meer in.

Nachtmerrie voor Afrikaanse katoenboeren

Het is niet anders voor wie van de opbrengst van katoen moet leven. In het begin van de eenentwintigste eeuw zakt de prijs tot ongeziene dieptepunten. Hoofdoorzaak zijn de fenomenale subsidies die de vijfentwintigduizend Amerikaanse katoentelers krijgen. Zij verdienen zelfs meer aan die subsidies dan aan wat hun katoen zelf oplevert. Hun overproductie maakt de prijzen op de wereldmarkt kapot. Maar twintig miljoen Afrikanen, velen in de armste landen van het continent, overleven van het katoen. Eén van hen is Amath Soumare: 'Al twintig jaar produceer ik katoen. Daar haal ik voordeel uit. Met de opbrengst kan ik runderen, paarden, geiten of schapen kopen, en ook kleren voor mij en het hele gezin.'

De lage prijzen halen echter alles onderuit en de Afrikaanse katoenboeren zien hun inkomen dramatisch dalen, of met de woorden van Amath: 'Je spant je in, zonder resultaat, dat doet de mensen afhaken.' Ze belanden helemaal op de rand van wat nog leefbaar is, en dikwijls zelfs over de rand. Extreme armoede, ondervoeding en honger rukken op.

Het is niet echt anders in India en in grote delen van Azië

Het zal velen misschien verwonderen want Azië is toch het continent in economische opgang? Waar China en ook India hoge tot zelfs fantastische economische groeicijfers laten optekenen? Dat is zeker zo, maar de welvaart stijgt daar niet overal en nog minder voor iedereen. Nog altijd wonen de meeste arme mensen in Azië. Nog altijd telt Azië het grootste aantal mensen die honger lijden, ruim meer dan het dubbele van Afrika. Het grote aantal Aziaten, bijna zestig procent van de wereldbevolking, heeft daar voor veel mee te maken natuurlijk.

Maar toch is de honger er hardnekkiger dan men gemakshalve aanneemt. Neem bv. India. Volgens de Voedsel- en Landbouworganisatie van de Verenigde Naties (FAO), telt dat land in 1970 ruim tweehonderd miljoen ondervoede mensen. In 2003 zijn dat er nog altijd meer dan tweehonderd miljoen. Met een groeiende bevolking is dat inderdaad een procentuele daling, maar het blijven er wel evenveel. Hoera roepen is dan wat misplaatst.

4. Kippentrafiek

In Vale de Dourado, op het mooie platteland in de buurt van de Zuid-Braziliaanse stad Erechim, tonen Paulo en Marcia Balen me hun reusachtige kippenstal.
Ik vraag Marcia of zijzelf van deze kippen eten. Het snelle antwoord is beredeneerd:
'Deze kippen bevatten veel chemische producten, hormonen om snel te groeien. Want na veertig tot vijfenveertig dagen wegen ze al drieëneenhalve kilo. Wij eten er niet van.'

Wanneer de akkerbouw door internationale concurrentie geen leefbare prijzen meer oplevert, kunnen boeren intensifiëren. Dan kiezen ze ervoor om de weg op te gaan van de veeteelt, of van het fokken van varkens of het kweken van kippen. Zo creëren ze meerwaarde in de hoop beter te verdienen. Laten we ons concentreren op de kippenfokkerij. Die is extra interessant omdat er opvallende parallellen zijn met het sojaverhaal dat we al kennen. Want ook voor kippen is de markt lang niet meer alleen lokaal, de wereldmarkt is fors opgerukt sinds het eind van de vorige eeuw.

Het verdriet van Kameroen

De ons al bekende sojadriehoek leidt niet alleen tot melkoverschotten in Europa. Uit Brazilië aangevoerde soja wordt eveneens omgezet in vlees, o. a. in kippenvlees. En, het is maar al te waar, ook die Europese vleesoverschotten worden gedumpt in tal van Afrikaanse kustlanden. In 1995 voert Kameroen amper vijfhonderd ton kippen in. Nog geen tien jaar later, in 2003, is dat marginale importfenomeen geëxplodeerd tot een berg van meer dan 22.000 ton. Er is een keerzijde, dat kon u al raden. Tussen 1997 en 2003 boert de Kameroense kippenkweek achteruit van 26.500 tot 10.500 ton, een daling van zestig procent. De sociale tol loopt nog hoger op want het land verliest ruim negentig procent van de arbeidsplaatsen in de lokale pluimveesector, meer dan honderdduizend jobs. En een werkloosheidsuitkering bestaat er niet. Eenzelfde scenario speelt zich af in Ghana, Ivoorkust, Benin en Togo. Het zijn niet toevallig allemaal landen die aan de Afrikaanse kusten liggen. Schepen kunnen makkelijk het kippenvlees aanvoeren van over zee.

Van Braziliaanse soja tot Braziliaanse kippen

Maar de wereld staat niet stil. In Brazilië willen sommigen ook wel een groter stuk van de koek. Waarom zou je enkel soja uitvoeren als het mogelijk is zelf kippen te kweken en te exporteren? In 2004 produceert het land 8,68 miljoen ton kippenvlees en exporteert daarvan maar liefst 2,42 miljoen ton, dat is ruim een kwart. In Chapecó in Zuid-Brazilië draaien Sadía en andere agro-industriële bedrijven dag en nacht op volle toeren. Altemir Tortelli wijst naar de vele vrachtwagens: 'Met honderden en honderden rijden ze over de snelwegen van Brazilië om de productie van onze landbouwbedrijven aan te voeren. De vrachtwagen die eraan komt is voor het transport van kippen en kalkoenen. 'Paulo en Marcia Balen kweken zulke kippen. We ontmoeten hen in hun kippenstal die zowat de afmetingen van een vliegtuighangar heeft. Met handen en voeten hangen ze vast aan die exportgerichte agro-industrie, daar laat Paulo geen twijfel over bestaan: 'We werken voor een groot bedrijf, een integrator. Zij leveren de kuikens, het voer en alle technische ondersteuning. Wij leveren de arbeid en de installaties en alles wat nodig is om de kippen te kweken.' 'Als alles goed loopt, is de opbrengst redelijk', vult Marcia aan, 'als er niet te veel dood vallen. Want wij worden vergoed voor de hoeveelheid vlees die we leveren.'

Werknemers zonder contract

Zoveel is duidelijk: het zijn de boeren die de risico's dragen, niet het bedrijf. Dat beseft Paulo ook: 'Ons inkomen daalt jaar na jaar. Produceren voor de lokale markt garandeert een zeker inkomen. Wanneer het voor de export is, ligt het veel moeilijker. Als bv. de kippengriep woedt, ligt de verkoop van kippenvlees stil. Het bedrijf eist nu nieuwe investeringen en die zijn heel duur. Het zijn dus zware risico-investeringen.

Eigenlijk zijn we volledig aan de kant gezet, want we hebben niets te zeggen, we kunnen enkel jaknikken. Maar als de investeringen te hoog worden, overwegen we te stoppen en misschien enkele melkkoeien te kopen. Dan ben je veel zekerder van een inkomen dan met de export.' De boerenleider Tortelli vat het boerendrama samen: 'Wij zijn eigenlijk werknemers zonder contract. De geïntegreerde varkenskwekers, kippenboeren of andere boeren hebben een inkomen maar dat is helemaal niet in verhouding met wat de grote bedrijven binnenhalen die het hele proces controleren. Wij zijn gereduceerd tot grondstoffenleveranciers. Als we bruikbaar zijn en ons aanpassen aan het productiemodel en de bijbehorende technologie, zijn we geïntegreerd. Is dat niet meer zo, dan worden we uitgesloten. De productie groeit, maar met minder gezinnen, en honderdduizenden worden uitgesloten. Dat is de logica, daarop zijn imperia gebouwd zoals Sadía en vele andere agro-industrieën.'

Concurrentie voor Europa

'Sommige agro-industriële bedrijven zijn als speculanten die met het plakken van één etiket evenveel of meer verdienen dan ik met het drie maanden kweken van een kip.' (René Louail, boerenleider Confédération Paysanne)

Intussen werkt dus ook de kippenindustrie mondiaal. Europa voert jaarlijks Braziliaanse kippen in voor een klein half miljard euro.

Zacht spreekt René Louail in zijn stal vol kuikens. Het is dezelfde boerenleider die we al kennen van zijn forse uitspraken over het misbruik van Europese subsidies door de exporterende agro-industrie en zijn afwijzing van de sojadriehoek: 'Dit zijn kuikens die traag groeien. In de agro-industrie kweekt men een kip van anderhalve kilo in veertig tot tweeënveertig dagen. Deze zullen twee kilo wegen, maar pas na tachtig of zelfs negentig dagen. Ze zijn vooral bestemd voor de markt van de kwaliteitslandbouw, de biologische sector, andere labels of van gecontroleerde oorsprong.' Al zijn de kippen van René een biologisch kwaliteitsproduct bestemd voor de lokale Franse markt, toch zit ook hij in de greep van de agro-industrie: 'Jammer genoeg leveren de contracten die we hebben met de industriëlen steeds minder op. De kosten verhogen en de prijzen verminderen. We moeten uit dat industriële systeem uitstappen. Die industriëlen controleren ook de labels en dat is niet normaal. We moeten bereiken dat de labelproducten in een volledig onafhankelijk circuit belanden.' En wat dan met de vermindering van de prijzen? Ook daar heeft René een oplossing voor: 'Een lonende minimumprijs verhindert dat ze in Brazilië kippen gaan kopen om de prijzen hier te breken, dat moeten we stoppen. Hoe minder tussenpersonen, hoe minder parasieten er zijn, bedrijven die als speculanten met het plakken van één etiket evenveel of meer verdienen dan met het drie maanden kweken van een kip.'

Veel marktplezier

We begonnen dit hoofdstuk met een opsomming van de rampen die de Europese vleesoverschotten voor Afrikaanse kippenfokkers aanrichten. Dit kon maar gebeuren door de vrijmaking van de Afrikaanse markten voor de Europese kippenindustrie halverwege de jaren negentig van de vorige eeuw.

Ik vind dat mensen de kans moeten krijgen om welvaart voort te brengen, of het nu om eetbare kippen of gsm's gaat. En ik ben een vurig verdediger van de vrije markt, altijd wanneer die maatschappelijk de beste resultaten oplevert. Maar of de mondiale vrije markt voor landbouwproducten de beste resultaten garandeert en onze beste koop is, daar kan makkelijk twijfel over bestaan. Want waar zal die vrije wereldmarkt hier toe leiden? Heel wat Europese boeren zullen het moeilijk krijgen om mee te blijven draaien in de mondiale agro-industrie, ze zullen de concurrentie uit vooral Brazilië niet aankunnen. Adieu dus vele boerenfamilies in Frankrijk, België, Nederland en andere landen. Zijn hun Afrikaanse collega's daar dan bij gebaat? Wat zou het, natuurlijk niet. Want in dat geval zal de stroom van Europees kippenvlees opdrogen en komt er een al even verwoestende Braziliaanse stroom opzetten. En winnen de gewone Braziliaanse boeren daar dan bij? Al evenmin, want de vereiste grootschaligheid, in de sojateelt en in de kippenindustrie, dringt de meesten van hen uit de landbouw. En wie overblijft is volledig overgeleverd en zelfs geketend aan de enige winnaar, de Braziliaanse en internationale agro-industrie. Zonder veel overdrijving mag men spreken van een *moderne* slavernij.

5. Fruit en groenten, vers van overal

Gezond zijn ze wel, groene boontjes. Maar of ze ecologisch gezond zijn? Wanneer je ze 's winters koopt, hebben ze er al een kerosinerijke vliegtuigreis op zitten die massa's energie heeft gekost.

Een andere manier om lage prijzen voor graan en andere gewassen van de akkerbouw te ontlopen is intensifiëren in groente- of fruitteelt. Vooral in de buurt van grote steden zoals Amsterdam stappen boeren al heel lang over op het kweken van groenten. In Vlaanderen was de streek rond Mechelen, tussen Brussel en Antwerpen, toonaangevend. In een tijd dat transport moeizaam verloopt en de kost ervan zwaar doorweegt, genieten boeren een groot voordeel wanneer ze dicht bij hun afnemers zitten, bij de consumenten.
Maar de tijden veranderen.

Van Guinee-Bissau helemaal naar India, en dan helemaal naar de VS

Tachtig tot negentig procent van de bevolking van Guinee-Bissau is voor haar inkomen op de een of andere manier afhankelijk van de verkoop van cashewnoten. De Portugese kolonisatoren voerden de cashewnoot in uit Zuid-Amerika. Omdat er geld mee te verdienen viel, verwaarloosden boeren dikwijls hun rijstvelden. Rijst is nochtans het basisvoedsel in het arme Guinee-Bissau. Het is waar, zij verdienden eraan, maar allerminst grote sommen. Officieel bedraagt de prijs voor een kilo cashewnoten in Guinee-Bissau ruim een halve euro. In Groot-Brittannië betaalt de consument tweeëntwintig en een halve euro voor een kilo biologische cashewnoten. De grote winst is dus voor de kilometervreters van de wereldhandel. Traditioneel kopen tussenhandelaars de cashewnoten op in de dorpen om ze dan te verschepen naar India, tienduizend kilometer oostwaarts. Daar worden de ruwe noten op industriële schaal bewerkt en met een veel hogere marktwaarde weer geëxporteerd, duizenden kilometers westwaarts naar Europa, of nog vele duizenden kilometers verder naar de Verenigde Staten, de halve aardbol rond. Maar de vraag naar cashewnoten daalt op de wereldmarkt. Vooral in de VS, de grootste importeur, is de noot in een slecht daglicht komen te staan nadat voedingsspecialisten een verband legden met het voorkomen van bepaalde voedselallergieën. De boeren van Guinee-Bissau betalen nu een hoge prijs voor hun afhankelijkheid van hun exportproduct. De officiële prijs mag dan wel een goede halve euro zijn maar de handelaars willen er dikwijls maar vijftien cent of zelfs minder dan tien cent voor geven. Massa's noten blijven onverkocht in de dorpen liggen omdat de prijzen historisch laag zijn. Vroeger kon een boer met de opbrengst van één kilo noten één kilo rijst kopen, nu moet hij minstens vier keer zoveel noten verkopen voor eenzelfde hoeveelheid rijst.

In 2006 leeft één derde van de bevolking in een situatie die het Wereldvoedselprogramma omschrijft als 'hoge kwetsbaarheid inzake voedselzekerheid'. In mensentaal, ze leven op de rand van de hongersnood.

Een weids plaatje...

Ook voor groenten en fruit is het belangrijk om het wereldwijde plaatje te overschouwen.

Drieënzeventig miljoen ton! Zoveel verse groenten en fruit worden in 2003 internationaal verhandeld, dat is zowat vijf procent van de volledige wereldproductie. De ontwikkelingslanden tekenen voor de helft van dat volume, maar slechts voor een derde van de waarde. Nagenoeg de helft van alle groenten wordt geteeld in China, en zestien procent van al het fruit. Daarvan wordt procentueel heel weinig geëxporteerd, slechts één procent van de groenten en twee procent van het fruit. Maar de groeicijfers zijn indrukwekkend, in 2003 maar liefst dertig procent meer export van verse groenten en fruit. Daardoor stijgt China nu al naar de tweede plaats onder de ontwikkelingslanden wat de uitvoer van appels en peren betreft.

... maar geen mooi plaatje

Kenia bezet de mondiale koppositie voor de export van groene bonen. Ook passievruchten worden massaal geëxporteerd. Na thee leveren groenten en fruit Kenia het grootste inkomen op. Niet te verwonderen want de uitvoer van groenten stijgt in tien jaar van zesentwintigduizend tot zesenveertigduizend ton en voor fruit evolueert hij van elfduizend naar twintigduizend ton. De uitvoer van landbouwopbrengsten zorgt zo voor meer dan de helft van het exportinkomen. Maar er is een keerzijde. Kleine boeren vallen uit de boot. In 1992 waren ze nog goed voor driekwart van die export, zes jaar later amper nog voor een vijfde. Dit fenomeen van de marginalisering en uitstoot van kleine producenten doet zich wereldwijd voor. Een verwant fenomeen is dat van de concentratie. Almaar minder en steeds grotere bedrijven beheersen de hele keten, van productie tot handel en verkoop. En wat daarmee samengaat is een neerwaartse druk op de prijzen, vooral voor de armste en kleinste producenten.

Er is nog een donkere rand aan de wereldhandel in groenten en fruit. Het zijn vliegtuigen die de boontjes, asperges, passievruchten en mango's aanvoeren. Dat is een zware milieubelasting. De ingevlogen groenten vreten bijna dubbel zoveel energie dan de kasgroenten uit onze regio, en zelfs tot honderdmaal meer dan de groenten die boeren hier in de volle grond telen.

6.   Waar zijn de vissers van Saint-Louis?

'Waar zijn de vissers van Saint-Louis?'
'Ze oefenen op dit ogenblik niet langer hun beroep uit, druk als ze zijn
met het overvaren van West-Afrikanen naar de Canarische Eilanden.'

Zo luidt het laconieke antwoord van een inwoonster van Saint-Louis
aan de monding van de Senegalrivier. Maar er schuilt meer achter. Voor
de Senegalese vissers is het leven de jongste jaren geen pretje. Buitenlandse vissers scheppen de zee zowat leeg.

De eerste maal dat ik dit probleem van dichtbij leer kennen, is via een
omweg. Op het strand, vlak bij de Senegalese hoofdstad Dakar, tref-
plaats en marktplaats van de vissers, hebben we een afspraak met Saliou
Gueye, de vader van de overleden jongen Mbaye uit de inleiding: 'Ik
probeer hier wat bij te verdienen om mijn gezin van eten te voorzien.
Want als je niets doet, komt het zover dat je je gezin niet langer kunt
voeden en dat je geen geld meer hebt voor andere noodzakelijke uitgaven. Als je de vissers helpt om hun vangst aan land te brengen, betalen
ze je met vissen. Die vis verkoop ik en dat is wat ik verdien. Dat ik hier
in Dakar ben stoort het werk thuis niet. Daar werken de kinderen voort
terwijl ik hier iets zoek om ons eten te betalen.'

Jammer voor Saliou en talloze anderen, maar het gaat op zee al even
slecht als op het land. We varen mee met een vissersboot. Aan boord
is ook Aliou Sall van het Centrum voor Visserijtechnologie, een kleine
spraakwaterval: 'De visvangst door de Nederlanders voor onze kust is
nefast voor ons. We bekritiseren al langer de Europese visvangst, maar
dit is nog erger. Want zij jagen op oppervlaktevissen en dat is ons voedsel. Voor onze voeding is dit heel slecht.'
    En daar blijft het niet bij. Aliou vertelt niet echt een opwekkend ver-
haal: 'Die vis wordt vermarkt door bedrijven en niet door de traditio-

nele vissersvrouwen. Dus op het culturele vlak is dit verkeerd want er is voortdurend uitstoting van de vrouwen uit de vishandel. En op het economische vlak is het nefast want er wordt aan dumping gedaan. Er wordt te veel vis op onze markten gebracht voor te lage prijzen, en dat is concurrentie voor de traditionele vissers die minder en minder vis vangen.'

Het ene probleem brengt het andere mee: ook ecologisch loopt het fout. Daar laat Aliou Sall geen twijfel over bestaan: 'Vroeger ging een visser een halve dag of hoogstens een hele dag op zee om een boot vol vis te vangen. Nu vertrekt hij voor minstens een week. Hij doet dat niet omdat hij graag zijn gezondheid schaadt. Hij doet dat omdat de situatie zo verslechterd is. Er is geen vis meer en hij lost dat op door meer tijd op zee door te brengen.'

Of de vissers zoeken naar alternatieve inkomsten, zoals in Saint-Louis. In plaats van de verdwenen vis na te jagen, zijn ze overgestapt op het overvaren van West-Afrikaanse migranten. Of ze proberen zelf te migreren naar Europa via de Canarische Eilanden.

Waar zijn de vissen?

> Begin jaren zeventig van de vorige eeuw nemen de vangsten van ansjovis in Peru een forse duik van naar schatting wel achttien miljoen ton tot een paar miljoen ton.

> Omstreeks 1990 is het de beurt aan de kabeljauw voor de kusten van Newfoundland in Oost-Canada om vrijwel te verdwijnen.

We zijn al lang gewaarschuwd voor de kwalijke gevolgen van overbevissing. De meeste zeeën en oceanen zijn zwaar overbevist. En als je een ecosysteem kraakt, zoals in Newfoundland, dan weet je nog wel hoe het eens is geweest, maar niet of die mooie tijd ooit terugkeert. De Canadezen kunnen nu alleen nog maar heel hard hopen dat de kabeljauw zich weet te herstellen want dat wil niet zo best lukken. Aan commerciële visvangst op kabeljauw kunnen ze op dit ogenblik zelfs helemaal niet denken.

Al te langzaam leren we van onze fouten. In de Noordzee gaat het evenmin goed met de kabeljauw, en ook wijting, schol en schelvis happen driftig naar adem. Er zijn wel de visquota van de Europese Unie maar die volstaan niet om de overbevissing tegen te gaan.

Sleepnetten, erger dan motorzagen

Net als op het land eist de industriële aanpak ook op zee een zware tol. Sleepnetten veroorzaken op de oceaanbodem meer verwoestingen dan de motorzagen in het tropisch oerwoud. Na de doortocht van zo'n vissersboot zijn de sponsachtigen en de schelpdieren voor minstens enkele tientallen jaren vrijwel verdwenen. Daarmee raakt de hele voedselketen ontwricht en daalt ook de hoeveelheid consumptievis.

II. Wat leert de geschiedenis?

1. Voedsel en landbouw scheppen bloeiende samenlevingen

Het oude Rome voerde per jaar alleen al uit Spanje tot vijfenvijftigduizend amforen olijfolie aan, zowat vier miljoen kilogram.

Egypte, China, het Romeinse en het Azteekse rijk, allemaal konden ze zich maar ontplooien omdat ze de landbouw heel goed onder de knie hadden kregen.

Tarwe vormde het belangrijkste gewas in het oude Egypte en het oude Rome. In de Romeinse samenleving leverde die de energie die mens en dier aandrijft en in staat stelt om te werken. Al in het oude China draaide het leven in grote mate om rijst. Grote dijken, dammen, kanalen, irrigatiesystemen: ze vormen de basis van de rijstbouw en zo van het succes van dit land, eeuwenlang het meest geavanceerde en machtigste land ter wereld. Ook de Azteken waren kanalenbouwers en pasten irrigatie toe. Hun topgewas was maïs. Een hoge productie van gewassen als tarwe, maïs, rijst of andere granen leidde tot een toename van de bevolking die men ook zonder al te grote problemen kon blijven voeden. Dat was een merkwaardige prestatie. Meer zelfs, de landbouw was zo efficiënt dat lang niet iedereen meer nodig was om voor voedsel te zorgen. Hij maakte het mogelijk om veel mensen vrij te stellen, in het Romeinse rijk van de 1ste eeuw naar schatting wel 60 procent van de actieve bevolking. Dat was cruciaal, want zij bouwden de beschavingen waar wij nog altijd vol verwondering naar kijken en kennis van nemen. Hoeft het gezegd dat ze ook legers vormden om hun rijken uit te breiden? Beschavingen laten niet alleen een positieve balans na. Hier is echter vooral belangrijk dat landbouw samenlevingen de kans biedt

om sterker te staan en meer welvaart te creëren. Die productieve landbouw maakt het ook mogelijk een bloeiende stadscultuur uit te bouwen
met grote steden als Rome, Bagdad, Beijing of Tenochtitlan (Mexico).
Zonder sterke landbouw vallen die steden gewoonweg niet te voeden.

2. Geen industriële revolutie zonder landbouwrevolutie

De rijstbelasting op de Taiwanese boeren bracht vele jaren meer op dan de inkomensbelasting. Die rijstbelasting verschafte de overheid na de Tweede Wereldoorlog de middelen om mee te investeren in de industrialisering van het land.

Dat landbouw doorslaggevend is voor het welslagen van de oude beschavingen, is makkelijk aan te nemen. Maar de landbouw speelt ook een belangrijke rol in de landen die zich in de 18de en 19de eeuw succesvol wisten te industrialiseren. En zelfs in de 20ste eeuw is dat niet anders.

Als Groot-Brittannië zich als eerste land industrialiseert, profiteert het daarbij volop van een zeer efficiënte landbouw. Die maakt het mogelijk dat er arbeidskracht vrijkomt, eerst voor ambachtelijke activiteiten, dan voor de fabrieken en ook voor de diensten die de nieuwe samenleving nodig heeft. Hij presteert het ook om voor al die werknemers altijd voldoende voedsel te produceren. Dat is geen geringe prestatie want honger is een van de traditionele plagen.

Cruciaal voor alle landen die zich industrialiseren – van Groot-Brittannië tot West-Europa en de andere welvaartsstaten van de twintigste eeuw zoals de Verenigde Staten en Japan – is dat hun landbouwproductie sneller groeit dan hun bevolking. Om dat te realiseren is er eerst een revolutie nodig die de rentabiliteit van de landbouw omhoog jaagt. Pas dan kan er een industriële revolutie plaatsgrijpen. Hun succesvolle landbouw biedt net de kansen en de middelen – het surplus in economische termen – om te kunnen investeren en uit te groeien tot geïndustrialiseerde welvaartsstaten. En voor de opkomende industrie is een bloeiend platteland vervolgens de belangrijkste afzetmarkt. Het is niet anders voor de nieuwe industrielanden als Taiwan en Zuid-Korea die zich in de tweede helft van de twintigste eeuw aandienen. Ook dit zijn samenlevingen die eerst hun landbouwrevolutie kenden en hun landbouw blijven respecteren. Zo kunnen zij de winsten uit die sector gebruiken voor hun industriële ontwikkeling waarbij ze het evenwicht met het platteland en de plattelandseconomie voor ogen blijven houden. Ook andere industrialiserende Aziatische economieën, zoals China, bewandelen die weg. Om het verhaal en de sterke relatie tussen landbouw en industrie volledig te maken: alle rijke landen steunden niet alleen op hun landbouw voor hun industrialisering, ze hebben zich allemaal geïndustrialiseerd door, zeker in de beginfase, handig gebruik te maken van afgeschermde thuismarkten om er hun producten te verkopen, van Groot-Brittannië tot Zuid-Korea en China.

3. Globalisering van de voedselproductie is niet nieuw

In de tweede helft van de negentiende eeuw voeren stoomschepen het Amerikaanse graan naar Europa. Voor België gaat het om vijftigduizend ton in 1850. Veertig jaar later is dat een stortvloed van één miljoen zeshonderdduizend ton.

Het verschuiven van de productie naar waar het goedkoopst om te produceren is, internationale arbeidsverdeling of delokalisatie, het is niet nieuw. Ook meer dan honderd jaar geleden leidden deze vormen van globalisering tot prijsinstortingen, economische crises, armoede op het platteland en groeiende ongelijkheid. Het is in die periode dat zich in Europa de opkomst van boerenbewegingen manifesteert, het is ook dan dat in Vlaanderen de Boerenbond wordt gesticht. Maar pas na de Tweede Wereldoorlog gaan de overheden in Europa en de Verenigde Staten zich echt bemoeien met de landbouwprijzen en landbouwmarkten. Zo konden de Europese boeren in hoge mate werken binnen een afgeschermde Europese markt. Zij slaagden er dus in om de landbouw grotendeels buiten de wereldeconomie te houden. Het is daarom dat ik, met enige overdrijving, wel eens heb beweerd dat de boerenbeweging de succesrijkste antiglobalistische sociale beweging is, alvast in de rijke landen.

4. Alle rijke landen beschermen hun landbouw

Maar de belangrijkste vaststelling, de meest cruciale les uit de geschiedenis, is er een andere. Alle rijke landen beschermden en beschermen nog altijd hun voedselproductie en hun landbouw. En dat heeft hen nooit verhinderd om welvarend te zijn.

We zagen al hoe de rijke landen zich wisten te industrialiseren o. a. op basis van een sterke landbouw. Zo bouwden ze een sterke welvaartsmachine uit. Vervolgens konden ze zich succesvol op de internationale en zelfs de wereldhandel storten. Die handel draagt bij aan hun welvaart. Vergeet echter niet dat die rijke landen eerst hun economie ontwikkelden en sterk maakten achter gesloten grenzen, en zich dan pas op handelspad begaven. Het omgekeerde lukt niet. Vrijhandel en open markten kunnen zwakke economieën niet in sterke omtoveren.

Maar nu mag dat dus niet meer. In het huidige tijdperk van de globalisering moeten de markten en de handel volledig vrij zijn. Daar mogen geen uitzonderingen op zijn, zeker niet in het voordeel van arme landen. Die liberalisering geldt volop voor industrieproducten, meer en meer ook voor landbouwproducten. Hoe wil je dan dat arme landen in die omstandigheden ooit hun landbouw en industrie hand in hand laten gaan en een goed presterende welvaartsmachine uit de grond stampen? Hoe kunnen ze nu nog zelf een leefbare economie creëren met welvaart, werk en inkomen voor iedereen?

III. Wat vertellen de cijfers?

1. Wie zijn ze, de boeren?

Altemir, Awa, George, Kamala, Nadia, Ndiogou, Niphaporn, Rosangela, René, Saliou, het zijn maar tien van de zowat één miljard driehonderd-vijftig miljoen boeren en boerinnen in onze wereld... 1.350.000.000

Of u van cijfers houdt is me niet bekend. Maar ik beleef er wel eens plezier aan. Want goed gekozen cijfers bezorgen je een brede blik en dieper inzicht. Ze beantwoorden bijvoorbeeld de vraag naar het belang van de landbouw voor de wereld.*

De halve mensheid

Het zal velen misschien wel verrassen hoeveel mensen er leven én werken op het platteland. Al te makkelijk nemen we als referentiepunt onze eigen samenlevingen waarin de boeren gereduceerd zijn tot een kleine minderheid. Laten we eens kijken naar de onderstaande tabel die licht werpt op hoeveel mensen leven op het platteland en hoeveel van hen landbouwer zijn.

Tabel 1: wereldbevolking – plattelandsbevolking – aantal landbouwers (x 1000)

	1980	1990	2000	2004
Wereldbevolking (x 1000)	4.435.172	5.263.049	6.070.378	6.377.646
Plattelandsbevolking (x 1000)	2.698.102	2.990.159	3.213.369	3.271.630
% van wereldbevolking	61 %	57 %	53 %	51 %
Aantal landbouwers (x 1000)	1.068.168	1.219.487	1.317.924	1.347.283
% van actieve bevolking	52 %	49 %	45 %	43 %

bron: FAO

---

* Meer gegevens over voedsel en landbouw zijn in de eerste plaats te vinden op www. fao.org

Nog altijd woont dus, ondanks alle migratie en plattelandsvlucht, de helft van alle mensen op het platteland. Dat leren deze gegevens van de Voedsel- en Landbouworganisatie van de Verenigde Naties overduidelijk.

Nog altijd probeert maar liefst drieënveertig procent van de werkende mensen hun boterham, kom rijst of maïskoek te verdienen met het beoefenen van landbouw – toch nog even herhalen dat we dat begrip hier in de ruimste betekenis hanteren, inclusief bosbouw en visserij. De Internationale Arbeidsorganisatie (IAO) komt met verschillende cijfers over de bezigheden van wie economisch actief is. Ze verschillen niet fundamenteel maar zijn meer dan interessant genoeg om ze onderstaand te vermelden:

Tabel 2: verdeling van werkende mensen over de economische sectoren

Jaar 2005	Landbouw	industrie	diensten
Hele wereld	40 %	21 %	39 %

bron: IAO

Als mensen belangrijk zijn

Welke bron we ook raadplegen, de resultaten zijn meer dan eenduidig genoeg zodat één conclusie zich opdringt. Als mensen belangrijk zijn, dan is het belang van de landbouw en van het platteland immens.

'Ja maar', kan worden aangevoerd, 'dat belang is toch aan het afnemen'. Dat is waar, het percentage landbouwers vergeleken met dat van de volledige actieve bevolking en van de plattelandsbevolking vergeleken met dat van de totale wereldbevolking daalt inderdaad. Meer zelfs, we beleven unieke tijden.

We schrijven geschiedenis: voor het eerst meer stadsmensen

Op dit ogenblik schrijft de mensheid geschiedenis. In de beginjaren van de 21ste eeuw zal voor het eerst meer dan de helft van de wereldbevolking in de stad wonen. Sommigen dachten dat het al in 2006 zover zou zijn, anderen menen dat 2008 het keerpunt is.

Natuurlijk ontstonden de eerste steden duizenden jaren geleden en is Europa al bijna duizend jaar een continent van steden. Maar wereldwijd zijn de grote stormloop en massale verstedelijking van veel recentere datum, zelfs vooral van de jongste tientallen jaren. Die snelle verstedelijking situeert zich nu vooral in de ontwikkelingslanden. Daar zal de stadsbevolking tussen 2000 en 2030 van bijna twee tot vrijwel vier miljard mensen toenemen.

Nog een historisch keerpunt: landbouw ingehaald door diensten

We zagen al hoe volgens de Voedsel- en Landbouworganisatie (FAO) drieënveertig procent en volgens de Internationale Arbeidsorganisatie (IAO) veertig procent van de werkende mensen in de landbouw actief zijn. Dat is nog amper meer dan in de dienstensector, volgens IAO goed voor negenendertig procent. Voor het eerst in vele duizenden jaren, sinds de landbouw – vooral dan de akkerbouw – economisch belangrijker werd dan pluk, jacht en visvangst, zullen de landbouwers algauw niet langer de meerderheid van de beroepsbevolking vormen. En voor het eerst in de menselijke geschiedenis zal de dienstensector op nummer één komen.

Boeren blijven even talrijk

Zijn die historische evoluties nu een reden om het belang van landbouw en boeren te minimaliseren? Dat is te vroeg gesproken. Al zullen vooral Afrika en Azië nog sterk verstedelijken en zullen er in 2030 om en bij de vijf miljard stadsbewoners op aarde zijn, daarom vermindert de plattelandsbevolking nog niet in absolute cijfers. Die blijft ongeveer stabiel op een slordige drie miljard mensen. Dus, als mensen belangrijk zijn, zal ook morgen de aandacht voor landbouw hard nodig zijn.

2. Wat oogst de boer?

Wat komt er op het bord, op het bananenblad, of in de hand? Hoe we eten verschilt nogal naar gelang van de samenleving of de cultuur.
Op het stuk van wat we eten zijn de overeenkomsten veel groter, zelfs frappant.

Om te weten waarmee we ons voeden, kunnen we het best nagaan hoeveel de landbouwers produceren. De onderstaande tabel geeft ons voor de hele wereld de cijfers voor de belangrijke voedingsproducten graan, groenten en fruit, vlees en vis. Nog interessanter is dat plaatje als we niet alleen de resultaten voor de jongste jaren presenteren, maar ook enkele decennia teruggaan in de tijd.

Tabel 3: evolutie wereldproductie graan, groenten en fruit, vlees en vis
          1970-2004 (x miljoen ton)

	1970	1980	1990	2000	2003	2004
Granen	1.193	1.550	1.952	2.061	2.088	2.272
Groenten en fruit	490	630	813	1.208	1.345	1.384
Vlees	101	137	180	235	253	260
Vis	65	72	98	131	132	*

bron: FAO
* Nog geen FAO gegevens voor 2004

Granen blijven hét basisvoedsel

Ook al neemt de productie van groenten, fruit en vlees sneller toe, toch vormen graangewassen zoals rijst, tarwe, maïs, gierst of sorghum ook vandaag hét basisvoedsel van de mens. Vele mensen eten bijna niets anders dan granen. Vragen of we genoeg te eten hebben is vooral vragen of er genoeg graan verbouwd kan worden. Des te meer omdat ook de productie van heel wat vlees, melk, boter, kaas, eieren en ook die van vis steunt op de beschikbaarheid van granen. Sinds 1990 neemt de landbouwopbrengst elk jaar met gemiddeld 2,2 procent toe. De wereld-bevolking vermeerdert in diezelfde periode jaarlijks met 1,4 procent. Die verhouding oogt wel goed.

Toch is er een vervelende vaststelling. De productie van graan, meest cruciaal voor onze voeding, haalt slechts één procent groei en kan dus dat tempo niet volgen. Van de voorbije zeven jaar waren er zes waarin de wereld minder graan produceerde dan er geconsumeerd werd. De graanvoorraden zijn nu het laagst sinds de vroege jaren zeventig van de vorige eeuw. De dertig miljoen vissers slagen erin om het aanbod van vis te verhogen, maar de jongste jaren lukt hen dat minder makkelijk. Belangrijker is wat deze cijfers verbergen. De eigenlijke visvangsten nemen qua volume af. Het is de sterk groei-ende viskweek die dat gat moet vullen. Over hoe duurzaam of hoe weinig duurzaam onze productie van voedsel wel is kun je lezen in hoofdstuk IV.3.

Dit smaakt naar meer. We hebben nog meer recente mondiale pro-ductiecijfers verzameld. Tabel 4 geeft die weer voor de groepen voe-dingsgewassen en tabel 5 voor de belangrijke gewassen afzonderlijk. Hoeveel daarvan voor de uitvoer is bestemd wordt verderop onthuld in tabel 7.

Tabel 4: wereldproductie per groep van voedingsgewassen 2004 (x miljoen ton)

	Wereldproductie
Granen	2.272
Groenten en meloenen	875
Wortelen en knolgewassen	719
Melk	619
Fruit (excl.meloenen)	512
Vlees	260
Plantaardige olie (olie-equivalent)	134
Vis	132 (2003)
Eieren	63

bron: FAO

Tabel 5: wereldproductie van belangrijke voedingsgewassen 2004 (x miljoen ton)

	Wereldproductie
Suikerriet	1.332
Maïs	725
Tarwe	633
Rijst	606
Aardappelen	330
Suikerbieten	249
Sojabonen	206
Oliepalm	163
Gerst	154
Tomaten	124
Varkensvlees	100
Kippenvlees	79
Rundvlees	63
Bananen	73

bron: FAO

Deze cijfers geven je een goede kijk op waar het om draait in de landbouw. Daarbij springen ook enkele eigenaardigheden in het oog. Suikerriet is met voorsprong het meest geproduceerde gewas. Toch vindt FAO het niet nodig om onder de groepen voedingsgewassen ook de groep 'suikers' op te nemen. Als je suikerbieten optelt bij suikerriet kom je alvast aan minstens duizend vijfhonderdeenentachtig miljoen ton. Dat is, na granen, de tweede belangrijkste groep, zelfs voor groenten en fruit indien je die samen zou nemen. En ja, meloenen zijn verrekend bij de groenten. Goed om te weten, FAO vindt het trouwens noodzakelijk om die meloenen daar expliciet te vermelden, misschien om misverstanden te voorkomen.

Meer dan voedsel alleen

Onze magen varen wel bij wat landbouwers, tuinders, veetelers of vissers presteren. Maar de landbouw – inclusief de bosbouw – presteert nog meer, zoals blijkt uit tabel 6. Hij levert onafgebroken industriële gewassen en grondstoffen zoals katoen, rubber, hout, papier, jute en almaar meer energiegewassen. Hij zorgt ook voor de bloemen in huis en de planten in de tuin.

Tabel 6: wereldproductie van enkele belangrijke niet-voedingsproducten 2004

	Wereldproductie
Rondhout of onbewerkt hout (bron FAO)	3.418 miljoen kubieke meter
Brandhout (bron FAO)	1.772 miljoen kubieke meter
Papier en karton (bron FAO)	354 miljoen ton
Rubber (bron FAO)	8,9 miljoen ton
Katoenpluis (bron FAO)*	70 miljoen ton
Katoenvezels (bron Unctad)*	25 miljoen ton
Jute en verwante vezels (bron FAO)	3,25 miljoen ton

* Katoenpluis wordt ontpit om er de vezels van over te houden. Die zijn veruit het meest waard. De pitten dienen vooral als veevoer.

3. Waar gaat de oogst naartoe?

Rijst, soja, bananen, koffie, zelfs heel wat kippenvlees, ze bereiken ons allemaal uit het buitenland. Dan dringt zich al vlug de conclusie op dat de landbouw heel sterk exportgericht is. Maar dat is een te snelle conclusie zoals tabel 7 ons leert.

Tabel 7: exporthoeveelheid van belangrijke voedingsgewassen 2004 (x miljoen ton)

	exporthoeveelheid	% van totale productie
Granen	275,2	12,1
Tarwe	118,8	18,8
Maïs	83,1	11,5
Sojabonen	57,6	28,0
Rijst	29,0	4,8
Oliepalm	23,2 (palmolie)	14,2
Gerst	23,1	15,0
Bananen	15,8	21,6
Kippenvlees	9,7	12,3
Varkensvlees	9,4	9,4
Aardappelen	9,1	3,0
Rundvlees	8,1	12,9
Tomaten	4,9	3,9

bron: FAO

Bovenaan de lijst van exporthoeveelheden staan de verzamelde granen. Zij zijn dus in kwantiteit het belangrijkste exportproduct. Dat komt natuurlijk doordat de landbouw in de eerste plaats granen voortbrengt. De tweede cijferkolom brengt de nodige nuancering aan. Ze geeft aan welk deel van de volledige productie de uitvoer vertegenwoordigt. Van alle granen is maar twaalf procent bestemd voor de export, dat is minder dan een achtste. Het overgrote deel is dus bestemd voor verkoop op de lokale markt.

Voor vlees is de verhouding min of meer dezelfde.

Exportkampioenen in deze lijst zijn bananen en sojabonen. Meer dan een vijfde van alle bananen wordt in het buitenland genuttigd, soja verlaat voor bijna drie tienden het land van oorsprong.

Vergeet de interne markt niet

Onze blik is sterk gericht op de wereldmarkt. En als het op prijsvorming aankomt, is daar alle reden toe zoals in deel IV zal blijken. Al te makkelijk overschatten we het belang van internationale handel en van de wereldmarkt. Ook nu de globalisering overal verder oprukt, blijft de lokale markt de belangrijkste markt voor landbouwproducten. Het zijn de inwoners van elk land die veruit het meest verorberen of verbruiken van het voortgebrachte voedsel.

4.   Wat is de oogst waard?

Kwantiteit zegt niet alles

Hoe interessant ook, een volledige kijk geven de voorgaande tabellen niet. De hoeveelheid die men voortbrengt zegt bijvoorbeeld niets over welke prijs je ervoor krijgt, over wat een product waard is op de markt. En als je voedingsgewassen rangschikt volgens hun voedingswaarde krijg je nog een andere rangorde.

Onderstaande tabel geeft alvast weer wat er op de wereldmarkt wordt verdiend aan landbouwproducten. Ze zijn verzameld per groep.

Tabel 8: evolutie waarde uitgevoerde landbouwproducten, per groep
1980-2004 (in miljard dollar)

	1980	1990	2000	2003	2004
Fruit en groenten	27	51	67	90	101,5
Grondstoffen	39	51	54	71	79,6
Granen en bereidingen	44	46	53	65	76,0
Vlees en vleesbereidingen	21	34	44	55	61,1
Andere landbouwexport	13	23	37	49	*
Dranken	11	22	36	47	55,6
Melkproducten en eieren	14	21	27	34	40,0
Koffie, thee, cacao, kruiden	23	21	29	33	38,8
Dierlijke en plantaardige olie	11	13	19	30	36,3
Tabak	8	18	22	22	24,0
Suiker en honing	17	17	15	19	20,7
Levende dieren	6	9	9	10	*
TOTAAL	**234**	**326**	**412**	**522**	**604,9**

bron: FAO
* Nog geen afzonderlijke FAO gegevens voor 2004

Groenten en fruit staan hier afgetekend aan de kop. Op twee staan de grondstoffen en als derde granen en bereidingen. Vijfentwintig jaar geleden was het diezelfde top drie maar dan in omgekeerde volgorde. Toen was de handelswaarde van 'granen en hun bereidingen' het grootst. 'Vlees en vleesbereidingen' stijgen met stip. En 'andere landbouwexport' is samen met 'dranken' de grootste stijger. 'Koffie, thee, cacao, kruiden' verliezen wel vier plaatsen.

Een volgend rondje cijfers geeft de exportwaarde aan van enkele producten, ditmaal afzonderlijk.

Tabel 9: exportwaarde van belangrijke landbouwproducten 2004 (in miljoen dollar)

Varkensvlees	22.175
Rundvlees	20.322
Tarwe	19.293
Sojabonen	15.575
Kippenvlees	13.791
Maïs	11.740
Suiker	11.262
Palmolie	10.489
Rijst	8.953
Koffie	7.057
Bananen	5.127
Tomaten	4.442
Schapenvlees	3.532
Gerst	3.282
Thee	3.273
Aardappelen	2.212

bron: FAO

Wie er niet genoeg van krijgt, raden we aan eens te surfen naar www.fao.org. Op diverse plaatsen wacht je daar een stortvloed van cijfers, het lijkt wel een bulkproduct.

5. Wat zijn onze landbouwers waard?

Belangstelling voor de landbouw blijkt extra wenselijk voor wie stilstaat bij de volgende tabel. Die vertelt je namelijk wat de waarde is
van wat de verschillende sectoren in de wereldeconomie voortbrengen,
zowel voor de hele wereld als ook afzonderlijk voor de rijke landen, de
arme en degene daar tussenin.

Tabel 10: vergelijking waarde wereldproductie van landbouw, industrie en diensten
2004

Jaartal 2004	Landbouw	Industrie	diensten
Hele wereld	4 %	28 %	68 %
Lage-inkomenslanden	23 %	28 %	49 %
Middelmatige inkomenslanden	10 %	37 %	53 %
Hoge-inkomenslanden	2 %	27 %	71 %

bron: Wereldbank 2006

Vooral interessant is er ook de gegevens van tabel 2 bij te halen inzake de verdeling van de werkgelegenheid over landbouw, industrie en
diensten. Want dan merk je dat de veertig procent mensen die in de
landbouw werken maar vier procent voortbrengen van de mondiale
welvaart. De vrucht van hun inzet is dus in vergelijking met die van de
industrie of de dienstensector zeer veel lager dan je op basis van hun
aantal zou kunnen vermoeden.

Verschil in waardering

Zeker voor wat de industrie betreft, is er een goede reden voor dat
waarderingsverschil. De inzet van machines heeft de productiviteit
van de werknemers drastisch verhoogd. Voor de diensten is dat minder
evident, want het is vanzelfsprekend niet zo dat kapsters of horecaper-
soneel, leerkrachten of politici nu veel productiever zouden zijn dan

pakweg honderd of tweehonderd jaar geleden. Toch vertellen de cijfers dat die dienstensector absoluut en in verhouding de meeste waarde creëert. Misschien is er meer aan de hand met onze waardering voor de landbouw in vergelijking met de andere sectoren.

6. Geen eerste prijs voor de boeren

Lage prijzen of onvoorspelbare prijzen?
Wie boert, kan niet kiezen uit deze twee kwalen, hij krijgt ze allebei.

'In 1978 kreeg ik voor een bushel* maïs 2,25 dollar, al heel wat minder dan de ruim drie dollar in het begin van de jaren zeventig. Als je met de inflatie van driehonderd procent sinds 1978 rekening houdt, zou de maïsprijs 6,75 dollar moeten bedragen. Maar in 2005 ontving ik daar amper 1,35 dollar voor of soms nog minder. En zelfs met alle vormen van steun erbij is het nog maar 2,25 dollar. In echte dollars verdien ik dus drie keer minder dan in 1978 per bushel maïs'. (George Naylor, boerenleider National Family Farm Coalition, Verenigde Staten.)

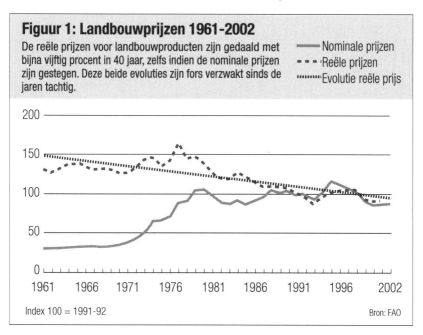

Figuur 1: Landbouwprijzen 1961-2002
De reële prijzen voor landbouwproducten zijn gedaald met bijna vijftig procent in 40 jaar, zelfs indien de nominale prijzen zijn gestegen. Deze beide evoluties zijn fors verzwakt sinds de jaren tachtig.

——— Nominale prijzen
– – – Reële prijzen
·········· Evolutie reële prijs

Index 100 = 1991-92

Bron: FAO

---

*   bushel = inhoudsmaat van 35,24 liter

Wat krijgen de boeren voor hun inspanningen, welke prijzen halen hun producten?

Heel wat mensen houden niet van grafieken of figuren. Sommige zijn toch echt niet moeilijk te begrijpen. Zo illustreert figuur 1 overduidelijk twee grote en vervelende eigenschappen van de landbouwprijzen.

Altijd maar minder

De figuur geeft heel duidelijk de neergaande beweging aan van de reële prijzen van de landbouwproducten op lange termijn. De jongste veertig jaar zijn ze zowat gehalveerd.

Even interessant maar niet zichtbaar in de figuur – die dan een te groot kluwen zou worden – is hoe de achteruitgang heel ongelijk is verdeeld over diverse productgroepen. De zwaarste klappen zijn onder andere voor de vitale granen, voor de toch ook cruciale oliehoudende gewassen zoals sojabonen of aardnoten, en zeker ook voor tropische dranken als koffie en thee. Voor groenten, fruit, vlees en zuivel is de neergang veel minder uitgesproken.

Grilligheid is troef

Zelfs deze figuur die de evolutie van de landbouwproducten in het algemeen weergeeft, vertoont al zichtbare bokkensprongen. De op en neer gaande curve weerspiegelt het veelvuldig op en af gaan van de prijzen. Deze algemene curve verbergt echter nog een grotere grilligheid. Want wie opsplitst per productgroep of per product zal pas echt de sterke fluctuaties van de prijzen te zien krijgen, dan worden de curves nog veel grilliger. Het kan de wereld blijkbaar weinig schelen, onze landbouwers moeten maar zien te leven met die onvoorspelbaarheid van hun inkomen, maar makkelijk is dat voor hen nooit.

7. Een nieuwe agrarische revolutie creëert ongelijkheid

28 miljoen tractoren voor 1.350 miljoen landbouwers

Marcel Mazoyer is een gedreven agronoom en professor aan het Franse Landbouwinstituut. Ik ontmoet hem op het Wereld Sociaal Forum in Porto Alegre. Hij is ervoor geknipt om mondiaal nog meer reliëf te geven aan de boerenstiel: 'De een miljard driehonderdvijftig miljoen landbouwers beschikken nu over achtentwintig miljoen tractoren. Dat betekent dus dat er maar ongeveer één boer op de vijftig beschikt over een tractor. Verder zijn er tweehonderdvijftig miljoen werkdieren. Daar zijn een op de vijf landbouwers mee geholpen voor het zware veldwerk. Maar alle anderen, ruim een miljard boeren, moeten het doen zonder tractoren en zelfs zonder hulp van paarden, ossen, ezels of welk trekdier ook. Zij werken met een hak, een sikkel, een spade of een machete.' En daar blijft het niet bij, Marcel Mazoyers woordenvloed is moeilijk te stoppen: 'De helft van de boeren kan geselecteerd zaaigoed inzetten en dus betere resultaten behalen. Zij beschikken ook over mest, pesticiden en verbeterde dierenrassen. Maar aan de andere kant zit je met ruim een half miljard boeren dat niets maar dan ook niets heeft om meer te kunnen produceren.'

Ik bedenk, een beetje tot mijn verbazing, dat mijn gesprekspartner het probleem van het grondbezit niet aanraakt, toch een doorslaggevende productiefactor. Maar dat is te snel gedacht: 'Het is zelfs nóg erger. Van deze boeren heeft nog eens de helft zelfs geen eigen grond om te bewerken.'

Na de Tweede Wereldoorlog beleven we dus een nieuwe agrarische revolutie, een ronduit indrukwekkende groene revolutie. Daar waar de landbouw zich 'industrialiseert' zijn de stijgingen van de productiviteit heel groot. Bij Marcel Mazoyer vinden we sprekende cijfers. In de jaren vijftig van de vorige eeuw schommelt de kostprijs van een ton graan rond zeshonderd euro. In het begin van de eenentwintigste eeuw is die kostprijs teruggevallen tot honderdzestig euro in West-Europa, honderddertig euro in de Verenigde Staten, honderd en tien euro in Canada en Australië en amper tachtig euro in het zuiden van Latijns-Amerika en Oekraïne. Maar even opvallend is dat deze productiviteitsrevolutie heel elitair is, de meeste boeren kunnen daar amper of helemaal niet in meespelen.

Je kunt rustig spreken van een landbouw met twee totaal verschillende snelheden.

De economie van het dagelijks brood

Het verschil in productiviteit dat uit al die ongelijkheden voortvloeit is enorm. De rijkste boeren, miniem in aantal, slagen erin om op hun uitgestrekte velden soms tot duizendmaal meer voort te brengen dan wie tot de massa van de allerarmste boeren behoort. De inkomensongelijkheid is navenant. Het labeur van die laatste groep vertegenwoordigt maar een luttel procentje van het wereldinkomen – en dat is vooral wat zijzelf opeet.

Zeker voor rijke mensen in de welvarende samenlevingen is dat een bijna verwaarloosbaar deeltje van de wereldeconomie. Maar daar draait wel het leven om van een paar miljard mensen. Voedsel is hun leven, hun overleven, voedsel is hun gezondheid, voedsel is hun werk. Voor velen is die 'onooglijke' economie van het dagelijks brood het verschil tussen overleven en sterven.

IV. Wat is er aan de hand? Dieper spitten

Zelfmoord in Cancun

> Hoe krijg je de mondiale verhandeling van rijkdom en armoede in beeld? Bij het samenstellen van het televisiejaaroverzicht 2003 dringt het beeld zich op: boeren betogen heftig tegen de Wereldhandelsorganisatie (WTO) die vergadert in het Mexicaanse Cancun. Een man klimt op de hekken en steekt zich een mes dwars door het hart.
> Lee Kyun Hae is een Zuid-Koreaanse boerenleider die zelfmoord pleegt voor het oog van de wereld. Hij laat een verklaring na waarvan hier de essentie volgt: 'Ik heb grotendeels gefaald. Nu de vrijhandel heerst zijn we onmachtig tegen zijn golven die onze boerengemeenschappen vernietigen. Haal de landbouw weg uit het WTO systeem. Want onze inkomens verdwijnen, we gaan bankroet, de boeren trekken naar de stad of plegen zelfmoord. De WTO doodt de boeren.'

1. Waarom vrijhandel en wereldmarkten slecht of zelfs niet werken voor de landbouw

Van schommelende prijzen, kleine elasticiteit en het leven

> Zelfs de slechtste econoom weet dat voedsel geen gewoon product is.

> 'De landbouw is iets heel anders dan de auto-industrie, het is een levens-belangrijke sector die niet thuishoort in de Wereldhandelsorganisatie.'
> (Ndiogou Fall, boerenleider Roppa)

Voedsel en landbouwproducten zijn iets aparts, dat weten we allemaal. Denk maar even aan de sterk schommelende prijzen van de meeste landbouwproducten. Die prijzen komen zoals het grootste deel van de economie tot stand op de markt. Daar worden vraag en aanbod met

elkaar geconfronteerd. Maar wat zien we? Is er te weinig geoogst, dan
schieten de prijzen omhoog, is er wat te veel geoogst, dan nemen ze
een duik of storten zelfs ineen. Dat komt doordat net voedsel weinig
prijselastisch is, het is niet omdat appelen heel goedkoop zijn dat we er
plotseling veel meer van kunnen eten. En wanneer aardappelen peper-
duur zijn, is het natuurlijk niet zo dat we er best zonder kunnen.

Daar komt nog een vervelend verschijnsel bij. Je kunt niet even in de
boomgaarden gaan vertellen dat er minder – of meer – appelen moeten
zijn en de productie op de velden stopzetten of opdrijven zoals dat in een
autofabriek wel kan. In de landbouw is het dus moeilijk om het aanbod
af te stemmen op de vraag. En er is nog een ander existentieel verschil.
We kunnen wel leven zonder auto's – de meeste mensen doen dat trouwens – maar niet zonder voedsel. De harde realiteit is dat nu net voor dit
levensnoodzakelijke product de prijzen zo onvoorspelbaar zijn… en die
onvoorspelbaarheid beslist over het leven en dikwijls zelfs over de dood
van honderden en nog eens honderden miljoenen mensen.

De markt laat ons in de steek

Voedsel en landbouwproducten in het algemeen zijn dus geen economische producten zoals vele andere. We kunnen er niet omheen: als het de
bedoeling is alle mensen aan genoeg, voldoende gevarieerd en betaalbaar voedsel te helpen en als het de bedoeling is al diegenen die voor dat
eten zorgen een fatsoenlijk inkomen te bezorgen, dan is de werking van
de markt minstens 'suboptimaal'. Dat is een eufemisme om te zeggen dat
de markt ons in de steek laat. Om de honger uit te roeien en welvarende
gemeenschappen op te bouwen, komen we er niet met de markt, of zeker niet met de markt alleen. En als de prijs op de wereldmarkt wordt
gevormd, en niet lokaal of regionaal, schept dat nog meer problemen.

Dalende prijzen, dalende inkomens

> Want laten we niet vergeten dat de meeste boeren hun inkomen achter-
> uit zien gaan.

Laten we zeker niet vergeten dat van de achthonderdvijfenzestig miljoen ondervoede mensen op onze aarde er zeshonderd miljoen boeren en (vooral) boerinnen zijn.

Of het nu gaat om boeren in India, Frankrijk, Brazilië, Honduras of Senegal, of ze nu rijst, tarwe, soja, maïs of gierst produceren, hun inkomen moeten ze dus grotendeels verdienen op de markt. En zelfs als dat fysiek gesproken een kleine markt is in het dichtstbijzijnde dorp of stadje, gebeurt de prijszetting ook voor hen op de wereldmarkt.

Dat is niet zo evident. Neem als voorbeeld de granen. Zij vormen veruit het belangrijkste landbouwproduct. Dat is niet verwonderlijk want granen zijn het basisvoedsel voor de meeste mensen. En arme mensen eten dikwijls amper iets anders. Welnu, achtentachtig procent van al het graan in de wereld wordt lokaal verhandeld en belandt nooit op de wereldmarkt. En toch is het de wereldmarkt waar de beslissing valt over de prijs van het graan.

De jongste jaren mogen de graanprijzen dan wel stijgen (zie het volgende hoofdstuk), maar op lange termijn dalen ze vooral. Zo daalden de prijzen van granen, en ook voor soja en andere oliehoudende gewassen, in de tweede helft van de vorige eeuw met tachtig procent of zelfs nog met meer.

Hoe komt dat? We weten al dat de landbouwrevolutie, vooral in de jongste zestig jaar, de meest performante landbouwers tot duizend maal meer laat produceren dan het half miljard boeren dat het zonder trekdier en zelfs zonder geselecteerde zaden moet stellen. Wat gebeurt er dan op de wereldmarkt? De prijzen richten zich op de kostprijs van de meest productieve boeren en storten dus ineen. De meeste boeren, veel meer dan we denken, hebben de landbouwrevolutie echter geheel of gedeeltelijk aan zich voorbij zien gaan. Zij kunnen niet werken aan de prijs van de meest begunstigde landbouwers in de wereld. Daarvan kunnen zij onmogelijk leven.

Als het over landbouw gaat, creëert de wereldmarkt honger

Wat is dan het verband tussen deze twee fenomenen, tussen de dalende prijzen op de mondiale markten en arme, hongerige boeren? Wel, arme landbouwers zijn zo arm (gemaakt) dat ze eenvoudigweg niet kunnen investeren om meer te produceren. Als de prijs van hun product in enkele decennia terugvalt op bijvoorbeeld een derde, verdienen ze dus alleen al daardoor drie keer minder. En als erosie, of droogte, of gebrek aan zaaigoed, mest, trekdieren of werktuigen hun schaarse opbrengsten nog verminderen, jaagt dat hun inkomen nog verder naar beneden. We kunnen het niet genoeg herhalen. Het één miljard arme boeren en boerinnen heeft zelfs geen trekdier, laat staan een tractor. Dikwijls hebben ze zelfs geen eigen grond. Wie dan durft vertellen dat de oplossing erin bestaat dat ze op de wereldmarkt beter moeten kunnen concurreren, die dwaalt. Je kunt hen niet laten concurreren met de paar tientallen miljoenen boeren die over de meeste en de beste gronden beschikken, over een tractor en andere machines, over de beste zaden, over mest, over krediet, zelfs over subsidies en marktbescherming, allemaal zaken die zij niet hebben. Dat is alsof je een voetbalwedstrijd zou laten spelen tussen het wereldelftal van Milaan en een duiveltjesploeg uit jouw eigen gemeente, dat is geen eerlijke wedstrijd.

Moordende concurrentie

Op een conferentie over globalisering spreekt de Senegalese boerenleider Mamadou Cissokho tot de Belgische eerste minister: 'Als ik u goed begrijp, moeten wij stoppen met het telen van rijst in de delta van de Senegalrivier en Thaise rijst invoeren, want die is goedkoper. Zo profiteren wij van de wereldmarkt. Maar wat moeten die tweehonderdduizend mensen dan doen die daar nu leven van de rijstbouw?'

En wanneer de eerste minister niet meteen met een antwoord komt, vervolgt hij: 'Weet u wat ze moeten doen? Dan moeten ze naar België trekken, naar Europa, want dat is de enige plaats waar ze een leefbaar inkomen kunnen verdienen.'

De wereldmarkt kan inderdaad veel, zij is prima voor auto's, voor gsm's, voor computers, voor tal van zaken, maar niet voor onze landbouw en onze voedselzekerheid. Op dat gebied leidt ze tot een economische kaalslag. Daar is de concurrentie op de wereldmarkt om meer dan één reden werkelijk moordend, en dat is in dit geval echt niet alleen figuurlijk bedoeld. Daaraan herinneren ons de paar tienduizenden hongerdoden van elke dag, de talrijke mensen ook die hun overtocht naar de Canarische Eilanden, hun bootreis over de Middellandse Zee of hun tocht door de woestijn tussen Mexico en de Verenigde Staten met de dood moeten bekopen.

Het loon van de boer

Als vandaag meer dan twee en een half miljard mensen leven met minder dan twee dollar of zowat anderhalve euro per dag, zijn dat vooral plattelandsbewoners. We begrijpen nu waarom dat zo is. Er is weinig waardering op de wereldmarkt voor hun inspanningen.

Want we vinden het maar normaal dat een arbeider, een leerkracht, een warenhuisbediende, een softwareontwikkelaar, zelfs een professor een fair loon of salaris verdient en dat er zoiets bestaat als minimumlonen. Maar blijkbaar begrijpen velen niet dat de prijs die de boer krijgt voor zijn product eigenlijk zijn loon is.

Mensen zonder rechten

Als sommige politici opkomen voor een vrijwel ongeremde liberalisering van de wereldlandbouw, wil dat eigenlijk zeggen dat ze de boeren hun fundamentele mensenrechten ontzeggen, dat ze hun recht op een menswaardig inkomen, zelfs hun bestaansrecht ontkennen. Ze moeten dringend nog eens de Universele Verklaring van de Rechten van de Mens lezen, en dan vooral de artikelen drieëntwintig en vierentwintig. Dat eerste artikel vermeldt uitdrukkelijk dat 'een ieder, die arbeid verricht, recht heeft op een rechtvaardige en gunstige beloning die hem en zijn gezin een menswaardig bestaan verzekert'. En het tweede artikel houdt de wereld voor dat 'eenieder recht heeft op een levensstandaard die hoog genoeg is voor de gezondheid en het welzijn van zichzelf en zijn gezin'.

De professor economie die zo zelfverzekerd doceert dat boeren wereldwijd zonder bescherming moeten uitgeleverd worden aan de concurrentie op de wereldmarkt, verdient misschien wel het provocerende
antwoord dat we in India of elders wel betere collega's kunnen vinden
die bereid zijn om met een lager salaris genoegen te nemen. Want waarom zou hij dan niet de mondiale concurrentie moeten aangaan?

De dalende ruilvoet... wat is dat?

'Wie vroeger aardnoten verkocht, had geld genoeg om het nodige te kopen. Nu zijn de goederen zo duur dat de opbrengst van de aardnoten niet
volstaat om alle behoeften te dekken.' Dit is de economische wijsheid van
Saliou Gueye, een boer uit het oude aardnotenbekken van Senegal.

Voor het fenomeen van de ongelijke handelsverhoudingen op de wereldmarkt bestaat al lang een begrip, de dalende ruilvoeten. Talloze
boeren krijgen te weinig betaald voor hun producten, volledige gemeenschappen en zelfs hele landen scheuren hun broek aan de verkoop van hun landbouwproducten. Dat is ook het geval met heel wat
grondstoffen, zeker op lange termijn bekeken, en zelfs voor industriële
goederen met verwaarloosbare winstmarges. Maar wij concentreren
ons natuurlijk op de landbouw.

Wat is daarmee aan de hand? De huidige wereldhandel doet rijkdom
systematisch belanden in de regio's die hun producten duurder kunnen
verkopen. Niet toevallig zijn dat de rijke landen en leven daar ook veruit
de meeste rijke mensen. Arme landen daarentegen komen doorgaans
maar bekaaid uit de internationale handel. Voor hun exportproducten,
dikwijls landbouwproducten zoals koffie, bananen of katoen, krijgen
ze over langere termijn bekeken almaar lagere prijzen. Dat is zeker zo
vergeleken bij de machines en andere goederen die ze invoeren uit de
rijke industrielanden, en waarvoor ze relatief altijd meer moeten betalen. Dit voor arme landen nadelige fenomeen, waarbij de prijzen voor
hun producten achterblijven bij de prijzen van producten uit de rijke
landen, noemt men dus de verslechtering van de ruilvoeten.

Figuur 2 toont aan hoe tussen 1961 en 2001 de armste ontwikkelingslanden de gemiddelde waarde van hun verkochte landbouwproduc-

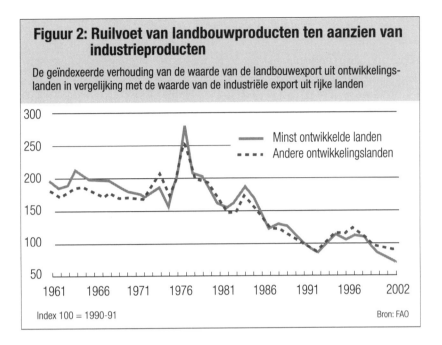

Figuur 2: Ruilvoet van landbouwproducten ten aanzien van industrieproducten

De geïndexeerde verhouding van de waarde van de landbouwexport uit ontwikkelingslanden in vergelijking met de waarde van de industriële export uit rijke landen

— Minst ontwikkelde landen
···· Andere ontwikkelingslanden

Index 100 = 1990-91   Bron: FAO

ten met zeventig procent zagen dalen in verhouding tot de prijs van de industriële goederen die ze kopen. Ze moeten dus ruim drie keer meer exporteren om dezelfde import te kunnen betalen. De andere ontwikkelingslanden zijn iets minder zwaar getroffen. Zij moeten 'maar' tweemaal zoveel exporteren voor dezelfde import, hun ruilvoet is met de helft gedaald. Dat vele arme landen voor hun inkomsten sterk afhankelijk zijn van een of slechts enkele exportproducten, en dat de prijzen daarvan de neiging hebben fel te schommelen, maakt hun situatie nog hachelijker. Het is dus niet verwonderlijk dat de grote massa van arme mensen in die arme landen woont waarvan de rijkdom sterk afgeroomd raakt en naar het buitenland verhuist.

De IMF-afgevaardigde in Dakar houdt de moed erin: 'Heel dikwijls raakt men pessimistisch gestemd doordat men op korte termijn denkt. Ik zeg u: ik geef u rendez-vous over vijf eeuwen.'
'Maar dat kun je toch niet antwoorden aan hen die sterven van de honger?'
(stilte)
'Neen, dat kun je niet zeggen.'

2. Kapers op de wereldmarkten, oude en nieuwe

Er is geen overproductie, integendeel

> Die zogenaamde overproductie is een wrange grap van de wereldmarkten, een fata morgana.
> 865 miljoen mensen zijn ondervoed en hebben honger.

Met anderhalve euro of nog veel minder doe je niet veel. Het vraagt weinig verbeelding om te beseffen dat die twee en een half miljard mensen met zo'n klein inkomen te weinig hebben om zich evenwichtig te voeden. Zij kunnen simpelweg geen evenwichtig en dus gezond eten kopen. Voor achthonderd vijfenzestig miljoen onder hen is het nog veel erger, zij eten niet alleen onvoldoende gevarieerd, zij eten gewoon te weinig. Ze zijn ondervoed en lijden honger. Wie dan beweert dat er overproductie van voedsel zou zijn, slaat de bal lelijk mis. De trieste werkelijkheid is dat er te weinig voedsel wordt geproduceerd om de zes en een half miljard mensen behoorlijk te voeden. Volgens de Franse agronoom Marcel Mazoyer moeten we zelfs dertig procent meer voedsel produceren. De honger, de ondervoeding en de onevenwichtige voeding die twee op de vijf aardbewoners treffen, leveren het ultieme bewijs van het falen van de markt als het om voedsel gaat.

Wie eet, en wie niet?

Ietwat academischer luidt die vraag: voor wie produceert de markteconomie? En het antwoord kan heel simpel zijn: goederen en diensten gaan naar wie geld heeft.

In meer economische taal: in behoeften, zelfs de elementairste behoeften, die niet gedekt zijn door koopkracht, wordt niet voorzien. Zo kan het gebeuren dat Ethiopiërs van honger omkomen terwijl hun land voedsel exporteert naar andere landen.

Het is niet wat de meeste rijke mensen willen. Maar het is wel zo dat het geld van die welvarende consumenten zich al lang op de wereldmarkten beweegt als kapers zonder genade. Want om aan die koopkrachtige vraag te voldoen, kaapt de agro-industrie – direct of indirect – wereldwijd de beste weiden en de beste gronden weg. Daar wordt veel van het voedsel gekweekt en geteeld waarmee de rijke wereld zich voedt.

En hoe zit het dan met onze overschotten?

'Maar in de rijke landen zit de landbouw toch met overschotten? Laten we die geven aan wie honger heeft.'

Het is een redenering die regelmatig te horen valt, vroeger meer dan nu. Vooral de Verenigde Staten overstelpen de wereld met hun *voedselhulp*. Daar bezorgen ze hun eigen boeren en landbouwindustrie wel een inkomen mee, maar voor de boeren in de ontvangende landen is het bijna altijd een ramp. Ze worden weggeconcurreerd, de dalende prijzen halen hun inkomen onderuit. Zo ontberen ze helemaal de middelen om zelf productiever te worden. Zo ondermijnen de voedselhulp en de exportsubsidies voor overschotten, die een vergelijkbare perverse invloed hebben, de landbouw in vele ontwikkelingslanden. En in plaats van hun landen van voldoende voedsel te voorzien en de welvaart te stimuleren, slagen hun landbouwers daar almaar minder in, en doen die *hulp* en subsidies ontwikkelingslanden en hun landbouwproductie nog verder achteruitboeren.

Dat de wereld dus geen overproductie van voedsel kent en wel overschotten in bijvoorbeeld de Verenigde Staten en ook nog Europa is dus globaal genomen een valse tegenstelling. Want die overproductie in de rijke landen leidt nu tot een veel te lage productie in vele ontwikkelingslanden, een verlies dat veel hoger oploopt dan de vermeende overproductie.

In combinatie met de falende wereldmarkt en de moordende concurrentie waarover we het hadden in het vorige hoofdstuk, vormt deze overschottenpolitiek een nog dodelijker cocktail.

Oude kapers op de wereldmarkt

Nog altijd treffen we vervelende erfenissen uit de koloniale tijd aan op vele plekken. Tot vandaag zijn hele streken en zelfs landen afhankelijk van de geërfde monoculturen als katoen, aardnoten, koffie of thee. Die zijn goeddeels bestemd voor de export.

Bekijk dat plaatje nu uit een andere hoek. De grond waar die gewassen op groeien is niet beschikbaar om er voedsel op te kweken voor de lokale markt en de plaatselijke behoeften, en vooral in Afrika zijn die immens.

Al lang zien we in bijvoorbeeld een land als Brazilië de verwoestende effecten van de om zich heen grijpende sojateelt, grotendeels bestemd voor het buitenland.

Daar bovenop komt de geïntensifieerde zoektocht, in feite meer een rooftocht, naar weideland om vlees te produceren voor de export. De Braziliaanse armen daarentegen ontbreekt het aan inkomen om zich te laten gelden. Zelfs hun behoeften aan voeding kunnen ze niet stillen.

Nieuwe kapers: van vleeseters en energiegewassenvreters

De wereldgraanmarkten vormen meer en meer het strijdtoneel tussen de rijken van deze wereld die brandstof willen tanken en de armsten die voldoende willen eten.

Er zijn nog meer en zelfs heel nieuwe kapers op komst. Het aantal vleeseters op onze planeet stijgt snel. Vleesconsumptie doet zijn intrede op vrijwel onbetreden paden. Neem nu Azië, het veruit meest bevolkte continent. De Chinezen die met één miljard driehonderd miljoen zijn, voedden zich traditioneel met granen en ook met wat groenten. Hun vleesverbruik was altijd nogal gering. Maar nu explodeert het. Die mondiale vraag naar vlees zal niet zonder gevolgen blijven. Ze komt van de koopkrachtigste consumenten en dus zal dat leiden tot het in gebruik nemen van meer weiland en meer graanareaal voor de grootschalige productie van dat vlees. En we weten al wie daar niet beter zal van worden: wie zonder geld zit, de kleine boer die aan de kant wordt geschoven, de landlozen.

Het is beter te spreken van energiegewassen dan van biobrandstoffen. Die benaming is tot nu meer gebruikt maar schept verwarring. Ze wekt de indruk dat het om producten van de biologische landbouw zou gaan wat zelden of nooit het geval is. Integendeel, het gebruik van bijvoorbeeld pesticiden ligt vaak hoog.

Ook de keuze voor energiegewassen heeft zo haar consequenties. En het is zeer de vraag of die allemaal goed zijn ingeschat. Zo doen de Verenigde Staten voor het distilleren van hun ethanol vooral een beroep op granen. Maar blijkbaar lopen de schattingen over hoeveel graan daar straks voor nodig is heel erg uiteen.

In 2008 is er volgens het Ministerie van Landbouw zestig miljoen ton maïs nodig in de ethanolfabrieken. Maar het Earth Policy Institute waarschuwt dat die schatting veel te laag is omdat blijkbaar niemand goed bijhoudt hoeveel productiecapaciteit wordt gebouwd. Zelf heeft het Earth Policy Institute berekend dat er maar liefst honderdnegenendertig miljoen ton nodig is, veel meer dan het dubbele dus.

In 2006 bedraagt de Amerikaanse maïsexport vijfenvijftig miljoen ton, en dat is bijna een kwart van de mondiale graanuitvoer. Het massale gebruik van maïs voor de productie van ethanol verhoogt drastisch de maïsprijs, en ook die van tarwe en rijst omdat ze onderling in hoge mate verwisselbaar zijn. Daar komt nog bij dat die sterke vraag samenvalt met een slabakkende graanproductie. Er tekent zich een levensgroot probleem af. De wereldgraanmarkten vormen snel het strijdtoneel tussen de rijken van deze wereld die brandstof willen tanken en de armsten die voldoende willen eten. Landbouwers zullen tevreden zijn met hogere prijzen, en ze verdienen die ook. Maar niet te vroeg juichen. De jacht op winstgevende grond voor de teelt van energiegewassen dreigt de familiale, en vooral de kleine, arme landbouwers onder hen uit de grondmarkt te verdrijven. De overgrote meerderheid zal daardoor tot verliezer worden gemaakt. En ook voor landlozen is er in de gemechaniseerde en grootschalige akkerbouw maar weinig werk als loonarbeider.

3. De landbouw raakt zijn (ecologische) duurzaamheid kwijt

'Daar begint al het areaal waar de vliegtuigen hun gifstoffen sproeien en ons beestenvoer vergiftigen.' (Nadia Demboski, Braziliaanse landbouwster)

Vervlogen droom

De boerderij van Nadia Demboski ligt ingesloten tussen onmetelijke Braziliaanse sojavelden. Haar verhaal verrast ons niet. Al meer dan eens hebben we de sproeivliegtuigen 'hun werk' zien doen, hun pesticidenvracht zien uitstorten over de groeiende gewassen. Maar het blijft een beklemmend gezicht.

Nadia troont ons mee naar een van haar weiden en vertelt intussen over haar vervlogen droom: 'Wij wilden melk produceren op ecologische wijze, hier op deze hoeve, melk zonder enig giftig of chemisch product. Maar ons grootste probleem was om de grens te trekken tussen ons en de grote bedrijven die sproeien en onze productie vergiftigen. Want dat was het eten voor onze beesten en dus was ook de melk verontreinigd. Daardoor is het ons niet gelukt ecologische melk te produceren.'

Intussen hebben we de rand van haar gronden bereikt: 'Ons terrein eindigt waar de maïs droger is. Daar begint al het areaal waar de vliegtuigen hun gifstoffen sproeien.'

We koesteren onze aarde niet

Wie na een hevige regenbui door de heuvelachtige Brabantse leemstreek rijdt, zal merken dat de wegen op vele plaatsen geelbruin kleuren door de modder die van de velden stroomt. Meer dan eens is die modderbrij op de weg ettelijke centimeters dik.

'Deze grond is uitgeput. Vroeger, toen hij nog vruchtbaar was, kon je hier meer dan een ton aardnoten oogsten op een hectare. Nu kun je op een hectare geen vijfhonderd kilo meer oogsten.' De ecologische wijsheid van Saliou Gueye, dezelfde boer uit het oude aardnotenbekken in Senegal.

Dat we onze aarde niet koesteren mag nogal letterlijk worden genomen. We gooien onze vruchtbare aarde met bakken tegelijk weg: we laten haar eroderen, verstuiven, 'verwoestijnen'; we irrigeren haar kapot en laten haar verzilten; we putten haar uit of overbemesten haar; we zetten haar onder water met reuzenstuwdammen en dumpen er ons huiselijk en industrieel afval op; we vergiftigen haar met insecticiden, herbiciden en zware metalen. De misbruiken zijn eindeloos. En dan is er nog die verslavende neiging om vruchtbaar land te bedekken met hopen asfalt, om er immense huizen op te zetten, parktuinen van te maken, er onze industrieën op in te planten en er golfvelden op aan te leggen.

De teloorgang van bossen en weiden

Het valt moeilijk te geloven. Er zijn hier amper bomen te bespeuren en toch spreekt Mayaram nog altijd over een bos, wat het tot veertig jaar geleden ook was, vol met jakhalzen zelfs en andere wilde dieren: 'In onze kindertijd was het woud veel dichter. Er waren grote en kleine bomen, je kon echt niet ver zien. Wanneer je op een kleine plek twee of vijf kilo zaaide, had je wel honderden kilo's opbrengst, zelfs nog veel meer. En je moest daarvoor alleen de grond los harken waarna anderen er de graantjes ingooiden. Onze ouders hadden een beter leven, ze moesten niet zo hard werken. Dat was een periode van grote welvaart.'

De jongste decennia hebben velen gewaarschuwd tegen de kaalslag van talrijke bosgebieden. Toch gaat het kappen en afbranden maar door, met ontbossing als resultaat. In het begin van de 21ste eeuw verdwijnt elk jaar tussen een half en een procent van het tropische regenwoud. En waar men de bossen wil laten bestaan, gebeurt de ontginning en de aanplanting te dikwijls op ondoordachte wijze, vaak in monocultuur.

Minder bekend, maar al even spectaculair, is het lot van de vele weidegronden op onze aardbol. Zowat driekwart van het grasland heeft aan kwaliteit verloren door overbegrazing. Er graast met andere woorden meer vee dan deze gebieden kunnen (ver)dragen. Grote delen veranderen in woestijn of lopen de kans woestijn te worden. Heel nijpend is dat bijvoorbeeld op vele plekken in de Sahelstreek.

Leeggeschepte visgronden

Uit de meeste zeeën en oceanen wordt al een paar decennia meer vis gehaald dan ze kunnen verdragen. Een visvangst van bijna honderd miljoen ton, zoals die van 2000, zou het maximum zijn. De opbrengst per persoon kan dus niet anders dan afnemen.

We vissen té veel op wel zeventig procent van de visbestanden. Zo denkt alvast de Voedsel- en Landbouworganisatie (FAO) erover. Een blik op de cijfers van de mondiale visopbrengst leert veel.

Tabel 11: evolutie mondiale visopbrengst 1961-2003 (x miljoen ton)

	1961	1970	1980	1990	2000	2003
Totaal	39	65	72	98	131,0	132
Gevangen vis	*	*	67	85	95,5	90
Gekweekte vis	*	*	5	13	35,5	42

bron: FAO
* geen afzonderlijke gegevens

Want wat blijkt? Alleen de viskweek kan de totale opbrengst op peil houden. De visvangsten zelf zijn over hun hoogtepunt heen. De toestand is nog erger dan het lijkt. Want onder *gevangen vis* zit zowel de visvangst op het land – in rivieren en meren – als wat uit zee of oceaan komt. Wat tabel 11 verbergt is dat de vangsten op het land nog altijd stijgen en die op zee of oceaan flink achteruitgaan. De omslag in de zeevisserij komt in het midden van de jaren negentig van vorige eeuw. In 1996 en 1997 halen we nog drieënnegentig miljoen ton, in 1998 is dat teruggevallen tot zevenentachtig, een jaar later zelfs tot nog maar vierentachtig miljoen ton.*

---

* Schoonheydt Robert en Waelkens Siska (red.), *Voedsel voor 9 miljard mensen*, p.154-155

De toekomst oogt zo mogelijk nog somberder. Eind 2006 publiceert het wetenschappelijke tijdschrift *Science* een ophefmakende internationale studie. Een derde van de wereldwijde visscholen is teruggevallen tot minder dan een tiende van wat ze ooit waren op hun hoogtepunt. In klare taal: ze zijn praktisch verdwenen. Maar de slechtste boodschap moet nog volgen. Als we zo voortdoen, raken alle visvoorraden in de loop van de volgende vijftig jaar uitgeput.

Is het kweken van vis dan een valabel alternatief? Als die vissen voor een groot deel worden gevoed met voer dat van het land komt, schieten we daar niet echt mee op. Het is dan wel degelijk een verlies indien de visvangst op zee en oceaan teloor zou gaan.

De tragedie van de 'commons'

De mondiale visserij illustreert als geen andere sector het probleem van onze gemeenschappelijke hulpbronnen. Ze zijn vrij beschikbaar, iedereen mag er vrij gebruik van maken. En iedereen gaat tewerk alsof ze onuitputtelijk zijn. Iedereen gelukkig dus?

Ja, zolang we in een wereld leven waar de economie binnen de biofysische grenzen van de aarde blijft en haar draagkracht niet overschrijdt. Maar wanneer de economie overmatig groeit, en vooral wanneer ze vergeet dat ze deel uitmaakt van het ecosysteem aarde en de ecologische grenzen doorboort, ontstaan er problemen. Almaar meer en grotere vissersboten zorgen eerst voor recordvangsten. Maar dan is het mooie liedje algauw uit, niet omdat er niet genoeg boten zouden zijn, wel omdat er geen voldoende vis meer is.

Doordat iedereen vrij gebruik mag maken van het gemeenschappelijke of publieke goed, in dit geval de zeeën en oceanen met hun visvoorraden, voelt niemand zich verantwoordelijk voor het in stand houden van dat goed. Het resultaat is dat iedereen erbij verliest, niemand heeft nog genoeg vis. Vandaar de tragedie van de *commons*.

Moderne landbouw niet zo milieuvriendelijk

De industriële landbouw kan indrukwekkende productieresultaten voorleggen. Die komen er niet vanzelf: de milieukosten zijn aanzienlijk. De gulzigheid van de moderne landbouw kent immers haast geen grenzen. Hij is vooreerst gulzig naar water, waarvan hij er overmatig veel gebruikt, meer dan de aarde kan verdragen. Op talrijke plaatsen in de wereld zakken de watertafels, onheilspellend volgens velen. Dikwijls is de grond misbruikt en eisen erosie of verdroging hun tol.

De moderne landbouw heeft ook grote honger naar chemische meststoffen en naar pesticiden. En hij springt daar vaak onzorgvuldig mee om. Daar komt overbemesting van, vervuiling van het grond- en drinkwater, verzuring ook. Eigenlijk zijn dit de milieulekken die zijn veroorzaakt doordat de grotendeels gesloten kringlopen van de vroegere landbouw doorbroken zijn. Meststoffen, bestrijdingsmiddelen, veevoeder, het komt allemaal van elders. En de productie vertrekt naar verre oorden. We zijn ver weg van een redelijk gesloten ecologische kringloop waarin bijvoorbeeld amper voedingsstoffen of mineralen binnenkomen of verdwijnen.

Verder is de energie-efficiënte van deze landbouw niet goed. Soms is die zelfs allerbelabberdst, denk maar aan de boontjes uit Kenia of groenten uit serres in koude dagen. Een industriële landbouw die de efficiëntie ten top drijft, vormt regelmatig een zware aanslag op de cultuurlandschappen die vele mensen zo erg appreciëren. De moderne landbouw staat ook niet op vriendelijke voet met de natuur. Waar hij het pleit wint, bulldozert hij de natuur meestal weg. Al is het natuurlijk ook waar dat een heel productieve landbouw net meer ruimte kan laten voor de natuur. Het is opletten met veralgemeningen. En ten slotte, ja, de landbouw draagt eveneens bij aan de opwarming van de aarde.

Genetische erosie

> Volgens de meeste schattingen verdwijnen dieren en planten zowat 1000-maal sneller dan de natuurlijke uitstervingssnelheid. We vergooien dus onze biodiversiteit. (Citaat uit het boek *Terra Incognita*).

Ook genetische erosie is milieuvernietiging. Maar we behandelen die hier toch afzonderlijk om er wat extra aandacht aan te schenken.

Ons voedsel is afkomstig van plant en dier, de zogenaamde cultuurgewassen en het vee. Het spreekt vanzelf dat alles wat we vernietigen nooit meer nuttig kan zijn voor de mens. Stel u maar even voor dat de aardappel verdwenen was voor we hem konden aanplanten: de ontwikkeling van Europa zou er zogoed als zeker heel anders hebben uitgezien, en misschien waren de Europeanen dan wel nooit zo welvarend geworden. Levensvormen beschermen is dus zoveel als investeren in de toekomst.

In het begin van de negentiende eeuw groeiden er in India zowat dertigduizend rijstvariëteiten. Daarvan blijven er eind twintigste eeuw nog maar vijftig over, en binnenkort zouden nog maar tien soorten instaan voor driekwart van de oogst.

In de Verenigde Staten rest er nog maar drie procent van alle groentesoorten die bij het begin van de twintigste eeuw geregistreerd waren door het Ministerie van Landbouw.

En het kan nog erger en riskanter. In diezelfde VS zou de volledige sojateelt gebaseerd zijn op het genetisch materiaal van amper vier planten.

Zelfs als we denken voldoende te hebben aan de bestaande cultuurgewassen, is het aangeraden even stil te staan bij het verregaande verlies aan biodiversiteit in de moderne landbouw, de zogenoemde genetische erosie. Sinds de groene revolutie zweert de landbouw bij hoogproductieve gewassen, waarvan vaak maar één variëteit op grote oppervlakten wordt geteeld. Die monocultuur is efficiënt en zorgt voor hoge opbrengsten.

Traditionele landbouwers verafschuwen die monocultuur vanwege de torenhoge risico's. Want wat als er iets misloopt met dat ene gewas? Dan zit je meteen in een bijzonder kwetsbare situatie. Zo ging in 1970 een vijfde van de Amerikaanse maïsoogst verloren door een schimmelziekte, en wat later vernietigde een virus zowat de hele rijstoogst op de Filippijnen – en rijst is daar hét basisvoedsel.

De biotechnologie: een vloek voor biodiversiteit?

Biotechnologie, en vooral gentechnologie, zouden sterke perspectieven bieden om de voedselproblemen van de wereld op te lossen. Maar de vrees bestaat dat biotechnologie en biodiversiteit met elkaar in strijd zijn. De biotechnologie leeft van een brede genetische basis van planten en dieren, maar is vooral geïnteresseerd in interessante genen, in commercieel interessante genen. De biotechnologie ligt dus zeker niet wakker van een grote biodiversiteit.

Daarenboven zal ook de gentechnologie zich toespitsen op de vermeende succesnummers in de nieuw gecreëerde planten- en dierenvariëteiten. En dan zullen we vlug het oude verhaal van de groene revolutie herkennen: het massale gebruik van een beperkt aantal genetisch gemanipuleerde gewassen of dieren zal de genetische erosie nog sneller doen verlopen.

Genetisch gewijzigd voedsel

> Er stierven tweemaal zoveel kuikens die een genetisch gewijzigde maïssoort aten dan kuikens die gewone maïs kregen. In april 2002 ontdekt de BBC dat deze negatieve testresultaten voor genetisch gewijzigde maïs over het hoofd zijn gezien toen die soort zes jaar daarvoor werd toegelaten. Die toestemming kwam er toen omdat 'er geen gevolgen zijn voor mens en milieu'.

Er is nog meer discussie en protest over biotechnologie. Want de nieuwe technieken kunnen een enorme invloed uitoefenen op de landbouw, de veeteelt, de bosbouw en de visserij: op heel de voedingssector dus. Enkele vragen dringen zich dan ook onontkoombaar op. Kunnen genetisch gewijzigde planten of dieren de gezondheid schaden? En brengen vreemde genen risico's mee voor het leefmilieu? Die vragen zijn niet vrijblijvend. Canadese en Amerikaanse boeren telen massaal genetisch gewijzigde soja en maïs, die ook naar Europa is verscheept en hier in levensmiddelen is terechtgekomen. De Chinese rijst is straks wellicht ook voor een belangrijk deel genetisch gewijzigd, en dat zou kunnen gebeuren zonder voldoende onderzoek naar de risico's voor de gezondheid en het milieu. Toch mogen we er niet gerust in zijn, ook al zijn de biotechnologen dolenthousiast over de voordelen. Genetisch gewijzigde gewassen kunnen voor allergische reacties zorgen bij sommige mensen; een gewijzigde plant kan heel anders reageren dan voorzien, veel vruchtbaarder zijn bijvoorbeeld; zijn eigenschappen zouden kunnen overspringen op andere planten, met onoverzienbare gevolgen; de gevolgen voor insecten en vogels zouden heel anders uit kunnen pakken dan verwacht. Zo ontdekten wetenschappers in 1999 dat genetisch gewijzigde maïs gevaarlijk is voor de larven van de monarchvlinder. We kunnen ons dus gewoon niet veroorloven te denken dat we de natuur in onze macht hebben, daarvoor is die te onvoorspelbaar.

Ecologische overshoot

Als we de vernietiging van het milieu op onze aarde niet ernstig aanpakken, verliezen we over dertig jaar zeventig procent van de natuurlijke rijkdommen op het land.
(Milieuprogramma van de Verenigde Naties, mei 2002)

Ons grootste kapitaal om economische rijkdom voort te brengen is ongetwijfeld de aarde. Als we er duurzaam mee omspringen, is het een onuitputtelijke bron van zuiver water, voedsel, energie en grondstoffen. Maar we verknoeien en vergooien onze biomassa. We verliezen planten en dieren in een ongezien tempo. Het is wel ironisch om vast te stellen dat ons economische systeem die aarde zwaar miskent en dus eigenlijk zeer antikapitalistisch tekeergaat. We leven niet langer in een open wereld waarin de mens zich zowat alles kan veroorloven omdat zijn activiteiten amper opvallen in de quasi onmetelijke natuur. We zijn in de loop van de vorige eeuw aanbeland in een gesloten wereld waarin ons economisch handelen de aarde aanvreet. Dat tast onze toekomstige welvaartsproductie aan.

Ecologische schuld

Het huidige economische systeem functioneert in het voordeel van de rijke landen zoals de dalende ruilvoet aan het verstand bracht (zie twee hoofdstukken eerder). Het legt daarenboven een onrechtmatig hoog beslag op de natuurlijke rijkdommen van vele ontwikkelingslanden. Alleen al het overmatig aantal exportgewassen die op hun gronden groeien, veroorzaken een ecologische kaalslag. Meer nog, dat beslag is zo groot dat die hulpbronnen gedeeltelijk of zelfs volledig vernietigd worden. Denk bijvoorbeeld aan de ontbossing en de overbevissing die natuurlijke rijkdommen als bossen en wateren bijna onherstelbaar beschadigen. Zo verliezen ze zelfs hun natuurlijk kapitaal. Meer en meer raakt voor deze relatie de term ecologische schuld ingeburgerd. Dat is de in de loop van vele jaren opgebouwde verantwoordelijkheid van de rijke industrielanden tegenover de ontwikkelingslanden omdat die voor een groot deel hun ontwikkeling en hun welvaart hebben gefinancierd. Over de afbetaling van die ecologische schuld praat niemand terwijl die veel groter is dan de financiële schuldenlast van de ontwikkelingslanden.

Milieuvernietiging veroorzaakt armoede

> De groeiende armoede op het platteland is op onze economische kaarten de achterkant van de maan, een blinde vlek.

Economen twisten nogal over armoedecijfers en ongelijkheid. Ze raken het er niet makkelijk over eens of die stijgen of dalen. Wel groeit alvast de consensus dat de ongelijkheid niet afneemt. Wat armoede betreft tasten ze volgens mij grotendeels in het duister. Het belangrijkste kompas dat ze hanteren, de meetlat van het bnp, is heel bedrieglijk, zeker als men daarmee de welvaart of de armoede op het platteland probeert te meten. De groeiende armoede raakt er niet vertaald in de cijfers. En ik ben ervan overtuigd dat ze ernstig is onderschat. Eén reden daarvoor is de snel oplopende ongelijke verdeling van de welvaart binnen bijna alle landen. Die duikt maar met veel vertraging op in de cijfers. De voornaamste reden voor de zware onderschatting is echter dat het immense verlies van natuurlijk kapitaal van de jongste decennia niet verrekend geraakt. Het verlies of de kwalitatieve achteruitgang van landbouwgrond, zoetwatervoorraden, bossen, visgronden en grasland tast echter onmiddellijk de welvaart en het inkomen aan van al wie daarvan moet leven. Dat zijn niet toevallig de armste mensen in de wereld. Vele honderden miljoenen mensen eten bijvoorbeeld wat hun gronden opleveren. Ze voorzien grotendeels zelf in hun behoeften met wat die natuurlijke hulpbronnen hen opleveren. Maar als die hulpbronnen minder voortbrengen, hebben ze minder te eten, raken ze moeilijker aan drinkbaar water, valt er geen hout meer te vinden of worden de kuddes uitgedund, ze worden dus armer. Men kan opmerken dat de opbrengsten van die zelfvoorziening ook vroeger niet verrekend raakten in het bnp. Dat is juist. Maar de fundamentele vaststelling is dat de niet getelde opbrengsten van de natuur voor zelfvoorziening vroeger veel hoger waren dan wat de natuur nu nog maar oplevert. Het inkomen en de levensstandaard van al die mensen gaan er daardoor wel degelijk fors op achteruit.

4. Sociale kaalslag

De chauffeur van de 4x4 geeft gas, veel gas. Het komt er op aan snel genoeg de rivier te doorsnijden om zonder haperingen op de andere oever omhoog te rijden. Een beetje verderop wil Walter Cominetti ons het verlaten dorp tonen: 'Heel de oever was vroeger bewoond. Deze parochie telde 52 families, er leefden in totaal 200 personen in deze gemeenschap. Toen het land niets meer opbracht door verarming en erosie van de grond, zijn alle jongeren naar de stad vertrokken.'

In Hongkong spreekt de Indiase wetenschapster en activiste Vandana Shiva tot een tv-camera. Ze houdt niet op te vertellen hoe erg slechte globalisering wel kan zijn: 'In India pleegden vierhonderdduizend boeren zelfmoord in die gebieden waar de geglobaliseerde landbouw het snelst oprukt.'

Gaat het werkelijk zo slecht?
– Voor het eerst sinds de onafhankelijkheid beginnen we ons echt zorgen te maken. In vele dorpen zijn er geen jongeren meer. (Antwoord van een leerkracht van vijfenvijftig, Senegal)

Er is niet alleen de economische en ecologische kaalslag. Al even erg is de sociale kaalslag van het platteland die er het gevolg van is. We herinneren er even aan dat de huidige wereldlandbouw dalende prijzen, lagere inkomens, armoede en werkloosheid veroorzaakt. Het is een economische neergang die ongelijkheid, honger en ziekte voortbrengt, zoals we duidelijkst zagen in *Het gezicht van de honger*, hoofdstuk drie van het eerste deel. Uit diverse hoeken van de wereld horen we ook hoe dit leidt tot voortdurende stress, ja zelfs zelfmoord. Vaak vallen op het platteland, onder de boeren, de hoogste zelfmoordcijfers te noteren.

Plattelandsvlucht

Nabij Chennai, het oude Madras, ontmoeten we enkele migrantenvrouwen. We verwerken hun verhaal in de korte documentaire *Short Cuts Of India*:

'We komen uit dorpen in Andra Pradesh, we zijn met vijfenveertig. We werken zes dagen per week, niet elke dag is er werk voor ons. Soms is er zes dagen werk, soms maar vier, soms zelfs een hele week niet. Ons inkomen is juist genoeg om te kunnen eten. Een ander inkomen is er niet.'

'Wij komen naar hier om onze kost te verdienen. Wanneer we ons loon krijgen, komen de lokale bandieten eraan. Ze persen ons geld af. Als we dat niet geven, vragen ze om onze meisjes. We hebben zo weinig en dan pakken ze het ons nog af.'

Die kaalslag is er de reden van dat zoveel mensen in de arme landen naar de grote steden trekken. Zo telde de Senegalese hoofdstad Dakar honderdduizend inwoners na de Tweede Wereldoorlog, een halve eeuw later is dat aantal aangegroeid tot tweeëneenhalf tot drie miljoen inwoners, en Dakar is lang niet de snelst groeiende stad ter wereld. Die migranten van het platteland zoeken werk, ze zoeken een inkomen. Maar heel dikwijls zullen ze dat niet vinden. Want in veel van die steden kwijnt de industrie weg en worden fabrieken gesloten, er is desindustrialisering. Dan is er natuurlijk ook minder behoefte aan diensten voor die industrie. Ook overheden, scholen, klinieken hebben minder volk nodig – denk aan de door het IMF opgedrongen besparingen – en kunnen dus niet investeren in een betere toekomst. Alleen de zogenaamde informele sector van diverse ateliertjes, klusjesmannen en straatverkopers, soms bijna wandelende supermarkten, groeit sterk. Maar het is vrijwel ondoenbaar om een leefbaar inkomen te verdienen wanneer je sigaretten per stuk moet verkopen.

Evenwicht stad – platteland verbroken

Er is nog een andere schaduwzijde aan deze invasie van arbeid in de steden waarbij de nieuwe werknemers concurreren met de stedelijke werknemers. Het stuwt de inkomens naar beneden. Hoe dat komt? De laagste lonen in de steden zijn iets hoger dan het inkomen van de armste boeren, dat lokt hen naar de stad. Wanneer nu de koopkracht van de armste boeren daalt, zijn ze bereid om voor minder geld in de stad te gaan werken en zullen dus ook daar de lonen dalen. Eigenlijk bepalen dus de minimuminkomens van de armste boeren het minimumloon in de stad. Wie denkt dat stad en platteland los van elkaar staan, vergist zich. Uiteindelijk is het voor hen samen uit, samen thuis. De stad kan het zich niet veroorloven om het platteland langdurig te verwaarlozen. Wanneer vakbonden en al wie ijvert voor menswaardige lonen zich dus afvragen van waar die neerwaartse druk op de lonen in de steden blijft komen, kennen ze nu het pijnlijke antwoord. Ze kunnen hun acties niet voeren alsof de armoede van de boeren niet hun zaak is. Alliantievorming tussen vakbonden en boerenbewegingen is de beste weg om hun gezamenlijke belang – een menswaardig inkomen – te verdedigen.

Een samenleving danst niet op één landbouwbeen

'Hoe moet het nu verder met het land?' vraag ik de vertegenwoordiger van het Internationaal Monetair Fonds (IMF) in Senegal.
'Tja, met landbouw alleen kom je er niet, maar iets anders is niet mogelijk, want de mensen zijn niet opgeleid.'
Ik repliceer dat het IMF een grote verantwoordelijkheid draagt in de terugval van het onderwijs. Maar dat mag ik niet vragen, geen vragen over het verleden. Heel veel mensen willen nochtans uitgerekend dat antwoord kennen, zeker weten.

'We willen niet enkel katoen uitvoeren. We moeten zelf het katoen verwerken en stoffen fabriceren. Zo bouwt men een industrie op.' (Mamadou Cissokho, erevoorzitter Roppa, West-Afrikaanse boerenleider)

Welke rol het IMF ook speelt, die ene opmerking is terecht. Hoe belangrijk de landbouw ook is, er is meer nodig voor een welvarende samenleving. Er zijn leerkrachten nodig en verplegend personeel. Een mens leeft niet van brood alleen. Hij heeft kleding nodig, een huis, vervoer, hij wil zich informeren. Daardoor komt het dat welvarende landen zich hebben geïndustrialiseerd en een heel gevarieerde dienstensector hebben ontwikkeld, zo hebben ze een welvaartsmachine uitgebouwd. Hoe anders verloopt het nog altijd in vele landen van het Zuiden. Zie maar eens naar wat er gebeurt met het katoen uit West-Afrika. In de ontkorrelfabriek zien we hoe de vezels gescheiden raken van de korrels.

'Dat is zowat alles wat hier qua verwerking gebeurt', vertelt directeur Bachir Diop, 'Wij verscheepten vorig jaar achtennegentig procent van het Senegalese katoen naar het buitenland omdat de lokale garenfabrieken zo weinig katoen kunnen verwerken.'

Verwonderlijk is dat, want de Senegalezen dragen katoenen kleren. Die moeten ze echter allemaal invoeren. De directeur is ronduit gekant tegen de export van katoen en hij pleit voor het recht op een eigen industrie. Ook de landbouwers zijn daarvoor gewonnen zoals boerenleider Mamadou Cissokho van de Senegalese boerenorganisatie CNCR me laat verstaan: 'Onze ministers die naar de Wereldhandelsorganisatie gaan moeten beseffen dat wij niet uitsluitend katoen willen uitvoeren. Dat is de strijd die wij hier in Afrika moeten voeren. Men moet de tweedehandskleding uit Europa die ons overspoelt, verbieden. We moeten zelf het katoen verwerken en stoffen fabriceren. Zo bouwt men een industrie op.'

Hij grijpt zijn hemd vast als overtuigend argument: 'Dit is katoen uit Burkina, geweven door Burkinese wevers. Daarom kies ik ervoor, dit is de toekomst van ons katoen.'

Ook directeur Diop draagt katoenen kleren en weet waarom: 'Ik heb gezworen nooit een kostuum met das te dragen, zelfs niet als het de wereldnorm is. Die norm moet weg. Wij kleden ons met Afrikaans katoen.'

Vaarwel succesvol economisch en welvaartsmodel

Waarom doen ze dat dan niet, hun eigen fabrieken bouwen? Tja, begin er eens aan, probeer maar een industrie uit de grond te stampen die meteen de concurrentie moet aangaan op volledig open markten met al die volwassen bedrijven uit landen die zich twintig, dertig of nog veel meer jaren geleden hebben geïndustrialiseerd. Dat is gewoon onmogelijk. Geen enkel land is daar ooit in geslaagd. Alle rijke landen hebben zich geïndustrialiseerd achter min of meer gesloten grenzen, van Groot-Brittannië tot Zuid-Korea en China. Maar nu mag dat dus niet meer. De Wereldhandelsorganisatie zweert bij markten die altijd volledig open moeten zijn. En de wereld laat zich meeslepen, ook als de open wereldmarkt niet de meest adequate oplossing biedt en de gevolgen zelfs desastreus zijn. Want dat zijn ze voor arme landen. Voor hen betekent dit vooreerst dat zij hun eigen landbouwmarkten niet mogen beschermen waardoor de levensstandaard op hun platteland, waar nog altijd de meeste mensen wonen, ineenstuikt. Bovendien is het hen feitelijk onmogelijk gemaakt om hun eigen fabrieken te bouwen en ze te mogen beschermen – zeker in de beginfase – wat alle industrielanden vroeger wel konden.

We zijn de les van de geschiedenis dus vergeten. Alle rijke landen hebben hun landbouw productiever gemaakt. De vrijgekomen mensen en middelen – het zogenaamde surplus – hebben ze gebruikt om te industrialiseren. En de eigen samenleving, zeker ook het eigen platteland dat van een beperkte koopkracht kon genieten, diende als eerste afzetmarkt. Welke oorzaken er nog allemaal zijn dat vooral Afrika in de armoede ploetert, de belangrijkste ervan is dat dit allemaal niet meer kan. Wie volgens het boekje van WTO, IMF en Wereldbank moet werken – en heel veel landen zijn daartoe verplicht geweest de jongste decennia – zegt vaarwel aan het meest succesvolle welvaarts- en economische model, in West én Oost, in Noord én Zuid.

Op zoek naar een beter leven

Enkele jaren geleden trof ik, nabij het Colosseum in Rome, twee Afrikanen met een handeltje aan. Ik sprak hen aan, uit nieuwsgierigheid vooral. Ze kwamen uit Senegal.

Meer dan vijfentwintig jaar geleden passeerden we de grens tussen het Californische San Diego en het Mexicaanse Tijuana. Ook toen al was die muur er, om 'hen' tegen te houden, de Mexicanen, de Hondurezen, de Colombianen en al die andere migranten.

Om te ontsnappen aan de armoede investeren Senegalese families intussen in een familielid dat migreert, meestal naar Europa, om er te werken en het gespaarde geld te bezorgen aan de achtergebleven familie. Je kunt hen bijvoorbeeld vinden in de straten van de Italiaanse binnensteden, waar ze van alles en nog wat verkopen. Dit is de dynamiek die vandaag de wereld regeert, eenzelfde verhaal van verarming en crashende inkomens op het platteland in Senegal en in bijna heel Afrika, Honduras en het grootste deel van Midden- en Zuid-Amerika, zelfs in grote delen van Azië – vooral in Zuid-Azië –, Rusland en Oost-Europa. En overal in het Zuiden migreren de mensen naar de steden, overvolle steden die niet in staat zijn om in de groeiende behoeften aan werk en diensten te voorzien; en de mensen trekken verder, naar de plaatsen in de wereld waar ze hopen wat te kunnen verdienen: Noord-Amerika, Europa, Oost-Azië, Zuid-Afrika.

5. De weg van de agro-industrie

In Hongkong betogen boeren uit de hele wereld tegen wat de Wereld-handelsorganisatie voor hen in petto heeft. De Braziliaanse boerenleider Altemir Tortelli stelt scherp in op de inzet: 'We zijn een strijd aan het voeren tussen twee landbouwmodellen. Er is de agro-industrie en er is het model dat wij verdedigen waarin de landbouw en de familie centraal staan, waarin de landbouwers voedsel produceren voor zichzelf en vooral voor de Brazilianen.'

De landbouw in onze wereld is inderdaad een andere weg uitgegaan dan Altemir Tortelli wil en de meeste boeren en hun organisaties willen. We weten intussen hoe weinig geschikt de wereldmarkt is voor de landbouw en al wie ervan moet leven. De boeren kunnen maar slecht of helemaal niet meer leven van hun opbrengsten. Honger is geen bijproduct maar zelfs een hoofdproduct van de wijze waarop we nu voedsel voortbrengen.

De groteren eten de kleineren op

Het is de logica van die wereldmarkt die in de landbouw domineert. Inwerken op de prijs of op het aanbod is geen optie, de markten mogen hun gang gaan, zij 'beslissen'. Dat woord staat hier bewust tussen aanhalingstekens. Want in de praktijk komt het erop neer dat de wereld behoort aan wie het best het spel van de markten kan beheersen. Lees: zij gaan lopen met de meerwaarde, met de winst. De oorzaak daarvan is heel eenvoudig. Wie op slecht werkende markten weigert tussen beide te komen in het voordeel van de zwakkeren, organiseert in werkelijkheid de macht van de sterkeren. Alle gedaas over de noodzaak van liberalisering en deregulering van de landbouwmarkten kan geen enkele overheid ontslaan van haar verantwoordelijkheid tegenover haar burgers, evenmin van de Wereldhandelsorganisatie ten aanzien van alle mensen. Zij hebben allemaal het recht om humaan te leven en dus is er een optreden en regelgeving nodig wanneer de markt onrechtvaardigheid veroorzaakt. Voorlopig zitten we er echter mee, en waarschijnlijk nog voor een hele poos. Wat gebeurt er dan binnen die marktlogica? De groteren eten de kleineren op.

De vloek van het grootgrondbezit

> Eind vorige eeuw weet de grootste Braziliaanse bouwmagnaat een gebied te bemachtigen dat zo groot is als Nederland en België samen: zeven miljoen hectare. De drie miljoen kleinste landeigenaars van Brazilië bezitten dan samen negenenzestig miljoen hectare grond. En voor bijna vijf miljoen gezinnen van landarbeiders is er helemaal geen grond.

Als de boerenstiel geen fair inkomen garandeert, komt het eropaan meer te produceren.

Dat is in de eerste plaats afhankelijk van het bezit van voldoende vruchtbare grond. Grond is dus een cruciale productiefactor. Akkoord dat het niet zo efficiënt is wanneer vijftig of zelfs zeventig en meer procent van de actieve mensen in een land landbouwer zijn. Maar het is een heel ander verhaal als maar een paar procent of nog minder van de beroepsbevolking in de landbouw overblijft. Dit verhaal kleurt donkerder wanneer zelfs daarvan een grote meerderheid, veelal familiale landbouwers, economisch ten dode opgeschreven is. En de meest donkere kant is het fenomeen van het grootgrondbezit, een ontzettend grote concentratie van landbouwgrond in handen van een klein aantal, soms maar een handvol grootgrondbezitters. Dat is zeker zo in Centraal- en Zuid-Amerika, maar ook in enkele Afrikaanse en Aziatische landen. Denk vooral niet dat de jacht op de beste gronden is afgelopen. De exploderende vraag naar energiegewassen zal daar nu flink aan bijdragen. Ze maakt grond interessant voor het vele geld dat op de mondiale financiële markten op zoek is naar winstgevende bestemmingen. Nog altijd concentreert landbouwgrond zich in almaar minder handen. Dat resulteert onvermijdelijk in meer ongelijkheid. Grootgrondbezit leidt ertoe dat de meeste plattelandsbewoners geen of maar heel weinig land bezitten of kunnen bewerken. Meteen zitten ze ook bijna zonder middelen van bestaan: met zo weinig grond en zeker zonder grond is het onmogelijk om aan voldoende inkomen en voedsel te geraken. We kennen de gevolgen: armoede, ondervoeding – en soms zelfs hongersnood – , migratie en plattelandsvlucht.

De industrialisering van de landbouw

'De twee robots om de koeien te melken hebben me tweehonderdduizend euro gekost. Met alle bijkomende kosten is het een investering van tweehonderdvijftigduizend euro.' (Jean-François Cordon, Franse landbouwer)

Zo veel mogelijk grond in handen krijgen is niet de enige sleutel tot een grotere productie. Vooral na de Tweede Wereldoorlog is de industriële landbouw aan een opmars begonnen. Hij verovert heel de rijke wereld. Ook in de rest van de wereld dringt de groene revolutie door maar daar blijft ze in grote mate beperkt tot de grotere en rijkere boeren. Die industrialisering komt er in feite op neer de productie op alle mogelijke manieren te verhogen.

Om bij het begin te beginnen: er is geselecteerd zaaigoed. Die verbeterde zaden zorgen voor een hogere opbrengst. Mest doet groeien, dat weten we allemaal. De natuurlijke mestproductie krijgt nu zware versterking: de chemische industrie produceert volop meststoffen.

Om de tere gewassen te beschermen tegen zogenaamd onkruid, ongedierte en ziekten komt opnieuw die chemische industrie op de proppen met o. a. pesticiden. Ploegen, zaaien, planten, bemesten, spuiten, oogsten of rooien: er is veel werk in de industriële landbouw. Om al dat werk gedaan te krijgen is er een overaanbod van allerhande machines.

Ook de tuinbouw ondergaat die sterke technologische veranderingen. Bovendien komen uit de constructiesector immense serres met alles erop en eraan aanwaaien. Zij intensifiëren en optimaliseren het hele productieproces. Het lijken verkooppraatjes maar het is wel de richting die men is uitgegaan. Men creëert de beste groeivoorwaarden. Zo is de opbrengst hoger en wordt het mogelijk om het jaar rond te telen. Voor de veehouders, varkensfokkers en kippenkwekers zijn er reusachtige sleutel-op-de-deurstallen. Het aantal dieren stijgt mee, tientallen, honderden, soms duizenden en meer op een bedrijf. Die dieren zijn productiever dan vroeger, daar zorgt veredeling of verbetering voor. Dat zijn meer en meer industriële en technologische snufjes. Veevoer hoeft geen zorg van de boer meer te zijn. De veevoedersector krijgt overal vleugels en levert maar wat graag. De stallen van vroeger evolueren tot heuse fabrieken. Zoals in de industrie worden de grondstoffen – het voer – aangeleverd. De fabricage – het voederen – gebeurt automatisch. Men laat robots aanrukken die de koeien melken. En het verwijderen van de mest? Ook al automatisch. Zowat alles is er computergestuurd, daar kunnen sommige andere economische sectoren nog een puntje aan zuigen.

Om dat alles te betalen is krediet een wondermiddel. Het is vaak ook het lokmiddel om de boer de wondere nieuwe wereld van *altijd meer* en *steeds intensiever* in te loodsen. Vooral voor de boeren in de rijke wereld is de kredietloper wijd uitgerold. En hun bedje naar de nieuwe wereld lijkt helemaal gespreid met subsidies, andere steunmechanismen en soms ook marktbescherming.

Of: dat bedje leek gespreid...

Vele boeren en nog meer ex-boeren weten het nu wel zeker. Niet dat ze de technologie of de vernieuwingen afwijzen, zeker niet. Maar de beweringen en de praatjes dat ze daarmee een mooie toekomst kopen, dat is pijnlijke oogverblinding gebleken.

Koe 80 heeft een probleem

> In zijn *cleane* bureau kan de bedrijfsleider door het glas de productiehal zien. Maar hij kijkt meer naar de gegevens op zijn computerscherm: 'Ziedaar, koe nummer 80 heeft een probleem. Ze is niet volledig gemolken geraakt door de robot.' (Jean-François Cordon, Franse landbouwer)

De productie verhogen leidt niet noodzakelijk naar een rozige toekomst. Het kost handenvol geld aan investeringen. Maar de prijzen op de wereldmarkten voor vele landbouwproducten zakken nog sneller dan de duur betaalde productiviteitsstijgingen kunnen compenseren.

De industriële landbouw kiepert de zwakkere landbouwers overboord. Altijd opnieuw blijken er nog zwakkere landbouwers te zijn die eruit moeten. Maar zijn de overblijvers dan de sterkeren? Hartstochtelijk storten ze zich op de vrijgekomen grond, lenen zich te pletter om meer opbrengsten te realiseren, gooien zich op de export, alleen maar om vast te stellen dat ze nog altijd zwak zijn.

'De prijs gaat almaar naar beneden. Het is de graanbeurs in Chicago die daarover beslist, ik begrijp dat zelf niet zo goed...' (Grootgrondbezitter Adamir Batistella)

Zelfs de grootgrondbezitter die massa's soja van zijn velden haalt is een kleintje op de wereldmarkten. Hij is al even afhankelijk van de markten als de kleinste boer. De macht zit elders, is al lang verder verhuisd.

Grootmachten van de landbouwhandel

Wie over Braziliaanse wegen rijdt, kan niet naast de silo's kijken. Als het reuzensilo's zijn zie je vaak de namen 'Cargill' of 'Bunge'.

Samen met ADM en Louis Dreyfus vormen Cargill en Bunge niet eens een handvol bedrijven die de wereldhandel in sojabonen beheersen. Of neem de graansector. De wereldgraanmarkt is zo mogelijk nog meer geconcentreerd. Maar drie bedrijven, Cargill, ADM (allebei uit de Verenigde Staten) en Louis Dreyfus (Frankrijk) tekenen voor meer dan tachtig procent van de mondiale handel in granen. Hun quasi monopoliesituatie geeft deze bedrijven heel veel economische macht. Laat daar geen twijfel over bestaan. Zij dicteren de prijzen die de boeren krijgen. Toch is zelfs hun macht relatief. Want granen zijn nu, net als melk en nogal wat andere producten, zogenaamde bulkproducten, grondstoffen eigenlijk. Ze worden niet echt gewaardeerd op de markt. Veel toegevoegde waarde is er niet, de kansen op superwinsten zijn dus wat beperkt. Maar de trend is duidelijk. Almaar minder mensen en bedrijven controleren almaar meer productie, of beter, de verhandeling van die productie. En ze strijken met plezier de winst op die ze daarmee kunnen maken.

De agro-industrie: om de keten is het te doen

We staan met Altemir Tortelli voor de poorten van Sadía in Chapecó: 'Wij, de landbouwers, brengen de grondstoffen voort, wij creëren de rijkdom. Maar de opbrengst van die rijkdom wordt ingepikt door de eigenaars van deze agro-industriële bedrijven.'

De graanmultinationals staan in de pikorde veel hoger dan de grootgrondbezitters, dat is al duidelijk. Maar er is meer macht weggelegd voor bedrijven die actief zijn in meer schakels van de voedsel- of landbouwketen. Want het is een lange keten voordat iets van het veld of uit de stal op ons bord belandt:
- van de ontwikkeling, productie en aanlevering van zaden, plantgoed, voeder, meststoffen en pesticiden tot zaaien, planten, bemesten, voederen, sproeien en spuiten;
- van het oogsten en het transport tot de opslag of van dierentransport tot slacht; er zijn dikwijls de tussenverkopen, van boer naar opkoper naar graanmultinational, vandaar naar de voedselindustrie;
- van de industriële bewerking of verwerking en al wat erbij hoort tot kant-en-klaarproducten voor de consument;
- van de verkoop en de levering aan de distributie tot de consumenten.

Integreren

Wie diverse activiteiten in deze lange keten verricht haalt daar meestal voordeel uit. Van zulke ondernemingen zegt de economie dat ze hun productieproces kunnen 'integreren'. Zo verwerven ze een sterkere positie, soms zelfs een bijna monopoliepositie op sommige deelmarkten. Dat maakt het hen mogelijk om meer winst te maken, meer toegevoegde waarde op zak te steken. Dat hebben bedrijven als Cargill en Bunge trouwens ook begrepen. Al lang zijn ze niet alleen graanhandelaars meer die opkopen en verkopen. Ze verzekeren ook de opslag en zorgen voor financiering. Een bedrijf als Bunge levert meststoffen, veevoeder, voedingsproducten zoals olie, margarine, mayonaise en natuurlijk allerlei gemalen granen, en energiegewassen. Daarvoor zorgen tweeëntwintigduizend medewerkers in tweeëndertig landen. Bunge is o. a. de mondiale leider in de verwerking van oliezaden. Cargill, veel groter nog dan Bunge, presenteert zichzelf als 'een internationale leverancier van agrarische producten en diensten, voedingsmiddelen en risicobeheer'. Het bedrijf stelt honderdnegenenveertigduizend mensen tewerk in drieënzestig landen en wil de afnemers gerieven via vijf productgroepen: landbouwgewassen en vee; voedingsmiddelen waaronder dranken, vlees, melkproducten en snacks; gezondheids- en farmaceutische producten; financieel management en risicobeheer; producten voor de industrie waaronder energiegewassen. Jaarlijks vervoert de eigen transportafdeling vijfendertig miljoen ton landbouwproducten naar alle plekken in de wereld.

De Braziliaanse onderneming Sadía noemt zich een wereldspeler op het vlak van gekoeld en diepvriesvoedsel, en is dat ook. Rijen vrachtwagens vol kippen, kalkoenen, varkens of runderen rijden een van de twaalf grote Braziliaanse fabrieken van het bedrijf binnen. De verwerking levert een productie op van een miljoen driehonderdduizend ton. Daarnaast staat Sadía ook voor pasta, margarine en nagerechten. Al die producten raken verkocht via een van de zeventigduizend verkoopplaatsen in Brazilië of belanden in alle hoeken van de wereld via een van de tweehonderd buitenlandse afnemers.

Bijna de hele bananenketen

> Het is er donker, stoffig, stil en verlaten. Een verschrikkelijk snerpend geluid weerklinkt wanneer Elva Rodriguez aan de machine draait: 'Hier werkte ik: fruit selecteren, inpakken, wegen... Mijn man en ik deden dat 20 jaar maar we zijn ons werk kwijt. Na de doortocht van de orkaan Mitch wilde Chiquita maar tien van zijn vierentwintig plantages weer opstarten. Onze wereld stortte in. Ik weet niet wat ik ga doen. De textielfabrieken bieden alleen werk aan wie geen dertig is.'
> Het is onwezenlijk hoe diep grote bedrijven in de levens van mensen kunnen kerven. Maar het ís de werkelijkheid.

Een ander voorbeeld dus, bananen. Dit fruit haalt moeiteloos de subtop van de waardevolle landbouwproducten en is wat de pot schaft voor miljoenen mensen. Bij ons ooit héél exotisch fruit, nu al met de paplepel verorberd. Ruim twintig procent van de bananenoogst belandt op de wereldmarkt. In 2003 verhandelden maar vijf bedrijven achtenzeventig procent van die handel, te weten Dole, Chiquita, Del Monte, Fyffes en Noboa. De eerste drie vormen al tientallen jaren de top en ze slagen erin om hun dominantie nog te vergroten. In 1966 zijn Dole, Chiquita en Del Monte goed voor zevenenveertig procent marktaandeel, in 2003 is dat uitgegroeid tot zestig procent. Interessant om te zien is hoe ze bijna de hele keten beheersen, van de productie tot de distributie. Lange tijd was dat een riante, heel profijtelijke positie. Maar zelfs voor bedrijven van die schaal, zelfs voor de grootste productiemultinationals brengt de toekomst onrust en onzekerheid. Ook voor hen brengen tijden van vernieuwde globalisering niet noodzakelijk verbetering. Er zijn kapers op de kust, zoals we nog zullen zien.

6. Een wurgende omhelzing: landbouwers gekneld tussen de multinationals van input en van output

Een landbouwer is een vrij mens, pardon, was een vrij mens.

Voor mensen in een hoogindustriële samenleving zoals de onze is het misschien ongewoon om te horen. We achten onszelf vrij, ook al zijn we door de band economisch erg gebonden aan een arbeidscontract met een werkgever. Maar in feite betekent dit grote economische afhankelijkheid en dus onvrijheid.

Van onafhankelijkheid en vrijheid, de dingen die voorbijgaan

Zonder te willen idealiseren en zeker zonder te pleiten voor een terugkeer naar de agrarische samenleving van onze voorouders, is het een feit dat de autonomie van zelfstandige landbouwers een ongelooflijk grote bevrijdende kracht is. Ze hebben hun eigen grond en weiden, eigen zaden en plantgoed, eigen mest, eigen vee en eigen kweek, eigen huis en stallen, het nodige materieel, ze hebben hun werkkracht en ze beschikken over water en hout. In de mate dat ze dan voor zichzelf en voor de lokale markt voedsel, energie, kleren en allerlei diensten voortbrengen en leveren zijn ze economisch onafhankelijk. Ze hebben werkelijk greep op hun bestaan en zijn in die zin vrije mensen. De werkelijkheid is dat de voorbije eeuw en vooral de jongste decennia die economische vrijheid vrijwel totaal verloren is gegaan. Dat is op twee manieren gebeurd.

Ten eerste heeft de wereldmarkt overal de prijzen van de meest concurrentiële landbouwers op aarde opgedrongen. Dat ineenklappen van de prijzen maakt het voor vele honderden miljoenen onmogelijk op de vertrouwde manier voort te boeren. Van wat zij nog krijgen voor hun werk kunnen ze niet meer leven. Zij worden algauw zo arm dat ze zelfs niet kunnen instappen in de gemoderniseerde landbouw. Zij hebben niet het geld om verbeterde zaden, pesticiden en kunstmest te kopen, om te investeren in landbouwmachines of irrigatiesystemen, om over te schakelen op teelten die wat meer opleveren aan de kassa. Hun wacht ofwel armoede, ofwel moeten ze vaarwel zeggen aan de landbouw en naar de stad of zelfs naar een ander land migreren om daar hun geluk te beproeven. Wie overblijft is alvast niet arm genoeg om meteen te stoppen. Die proberen op de trein van de industriële landbouw te springen. Die willen mee zijn met de groene revolutie. Het is niet zeker of die tweede manier een zoveel beter lot met zich meebrengt. Juist de industrialisering van de landbouw en vooral de ontwikkeling van de agro-industrie maken deze boeren almaar afhankelijker. Want voor bijna alles wat ze nodig hebben – hun *inputs* in het economische jargon – moeten ze hun toevlucht zoeken in het aanbod van multinationale bedrijven. Die zijn altijd meer internationaal, altijd groter, altijd minder talrijk, altijd machtiger.

De inputpotentaten

> Eenennegentig procent van de genetisch gewijzigde sojabonen en zelfs zevenennegentig procent van de genetisch gewijzigde maïs komen van Monsanto. Voor genetisch gewijzigd katoen is het 'maar' drieënzestig en een halve procent.

'Niet overdrijven, geen slogantaal alsjeblieft.' Wie die reactie heeft bij het lezen van het woord *inputpotentaten* reageert gezond. Overdrijvingen en slogans overtuigen niet. Maar als het om de aanbieders gaat van wat landbouwers allemaal nodig hebben, is elk ander woord al snel een versluiering van de realiteit. Neem de zaden, die zijn in 2004 een mondiale markt ter waarde van zowat eenentwintig miljard dollar. De grootste tien bedrijven zijn goed voor de helft van die omzet. De concentratie in de zaadsector verloopt snel. Twee jaar eerder had de top 10 nog maar een marktaandeel van een derde. Helemaal bovenaan staan Monsanto en Dupont. Met hun tweetjes beheersen ze een kwart van de hele wereldzaadhandel. Op nummer drie staat Syngenta met zes procent. Voor maïs heeft Monsanto eenenveertig procent van de markt in handen, voor sojabonen een kwart. Monsanto neemt dan begin 2005 Seminis over waarmee het uitgroeit tot de nummer één. Met die overname verzekert Monsanto zich ook van een sterke en zelfs dominante aanwezigheid op de markt voor groenten- en fruitzaden met eenendertig procent voor bonen, achtendertig procent voor komkommers en een kwart voor tomaten en uien. Voor genetisch gewijzigde gewassen, intussen goed voor een kwart van de totale zaadomzet, is het overwicht van Monsanto verpletterend: eenennegentig procent van de genetisch gewijzigde sojabonen en zelfs zevenennegentig procent van de genetisch gewijzigde maïs; voor genetisch gewijzigd katoen is het 'maar' drieënzestig en een halve procent. Ook al is de zaadmarkt niet de grootste, toch kan het belang ervan moeilijk te hoog worden ingeschat. Want wie deze markt domineert, beheerst het begin van de hele voedselketen.

Neem bv. pesticiden. De agro-chemische industrie verkoopt in 2004 wereldwijd voor vijfendertig miljard vierhonderd miljoen dollar aan onkruidverdelgers of herbiciden, insecticiden en de schimmeldoder fungicide. De concentratiegraad van de industrie steeg licht, het marktaandeel van de grootste tien bedrijven groeide van tachtig tot vierentachtig procent tussen 2002 en 2004. Maar dat marktaandeel ligt dan ook al héél hoog. Wie zijn hier de grote producenten? Bovenaan vinden we Bayer met zeventien procent marktaandeel. En jawel, op dezelfde hoogte ook Syngenta, de ons al bekende zaadproducent. Samen hebben ze dus meer dan een derde van de markt in handen. Dan volgen BASF met twaalf en Dow met tien procent.

Vervolgens duiken opnieuw twee bekenden op. Monsanto controleert negen procent van de pesticidenmarkt en Dupont zes procent. De top zes is samen goed voor eenenzeventig procent, ruim twee derde. Het toverwoord is integreren, overal zo sterk mogelijk staan. Syngenta haalt tweemaal de top drie. Monsanto behaalt een eerste en een vijfde plaats. Ook al concentreert het zich de jongste jaren vooral op zaden, het bedrijf heeft ook de best verkochte onkruidverdelger in zijn aanbod. Omgekeerd is pesticidentopper Bayer ook nummer acht in de zaadindustrie.

De toekomst zal bijna zeker nog meer concentraties te zien geven. Zogenaamde industriële analisten voorspellen dat in 2015 alleen nog Bayer, Syngenta en BASF zouden overblijven, de drie grootste van vandaag. Toch maar afwachten of het echt zo'n vaart loopt.

Neem bv. de farmaceutische industrie voor dieren. Bijna twee derde van haar verkoop aan geneesmiddelen, vaccins en allerlei additieven is bestemd voor runderen, varkens of pluimvee, voor ons voedsel dus. Het is een markt van eenzelfde omvang als de zaadmarkt, een goede twintig miljard dollar in 2004.

De top 10 harkt samen vijfenvijftig procent van die totale omzet binnen. Pfizer staat aan de kop met tien procent. De ons al bekende Bayer en BASF bekleden plaats vijf en zes met een aandeel van respectievelijk vijf en vier en een half procent.

De boeren zijn in een netelige situatie verzeild, zoveel is duidelijk. Voor bijna alles wat ze nodig hebben, zijn ze afhankelijk van leveranciers die economisch oneindig veel sterker staan. Hoeft het gezegd dat zij weinig of geen invloed kunnen uitoefenen op de prijzen die worden aangerekend? Ze hebben maar netjes te betalen of te lenen.

De outputgiganten

'Wie rijk wordt en winst maakt ten nadele van het werk van de boeren zijn die grote bedrijven.' (Altemir Tortelli, Braziliaans boerenleider)

Dan breekt de tijd aan van het oogsten. Hoe zit het dan met de afzetmarkten? Waar kunnen landbouwers naartoe met de opbrengst, met hun *output*?

Wel, veel keuze is er voor hen dikwijls niet. We kennen maar drie grote spelers in de wereldgraanhandel, Cargill, ADM en Louis Dreyfus, en amper vier in de sojamarkt, hetzelfde trio aangevuld met Bunge. Het is ook zo als je bij verwerkende bedrijven moet aankloppen. We ontdekten al een bedrijf als Sadía, heel belangrijk in de Braziliaanse vleesverwerking.

We hoorden in de kippentrafiek over integrators, bedrijven die landbouwers contractueel aan zich binden. Dan is hun keuzevrijheid zelfs tot nul gereduceerd. 'Dat systeem is heel stevig ingeplant in Zuid-Brazilië', vertelt Altemir Tortelli, 'Traditioneel ging het om grote Braziliaanse agro-industriële bedrijven, nu zijn er ook veel multinationals bij. De boer krijgt alles toegeleverd, kuikens, grondstoffen, om het even wat, en heel het productieproces verloopt onder de strikte controle van de integrator, tot en met later, ook de verwerking en de verkoop. De boeren leveren in het beste geval hun arbeid, want de voortdurende centralisatie kost duizenden boeren hun werk en inkomen.'

Wie deze ratrace overleeft, is daarom nog geen winnaar. Tortelli formuleert het zo: 'Wie rijk wordt en winst maakt ten nadele van het werk van de boeren, zijn die grote bedrijven.'

Ook in de voedselverwerkende en de drankindustrie zijn het de grote bedrijven die het voor het zeggen hebben, de Nestlés en Unilevers. De voeding- en drankverkoop van de grootste tien bedroeg in 2004 tweehonderdzevenennegentig miljard dollar, goed voor vierentwintig procent van de totale markt van verpakt voedsel. Helemaal bovenaan de lijst vinden we Nestlé, met vijf procent marktaandeel. Met een kleine drie procent treffen we op de tweede plaats een oude bekende aan, ADM, dat zich heeft verpopt van handelaar tot grote verwerker van o. a. granen en cacao. Op de derde plaats staat Algria Group met ruim twee en een halve procent. Als die naam u niet veel zegt, dan toch wel die van Kraft en Philip Morris die hier allebei thuishoren. Bekender zijn Pepsico en Unilever, de nummers vier en vijf, die allebei goed zijn voor twee en een halve procent. Een andere oude bekende, Cargill, treffen we aan op nummer zeven, meteen gevolgd door Coca-Cola. Danone haalt net de top 10.

Klein zijn ze niet, de verwerkers.

Maar de grootste omzetten zijn voor de distributiereuzen, de uitbaters van honderden en duizenden supermarkten. De volledige distributiemarkt in onze wereldeconomie is in 2004 naar schatting 3.500 miljard dollar waard. Daarin halen de grootste tien een gezamenlijke verkoop van achthonderdveertig miljard dollar. Net als bij de verwerkers is dat goed voor een marktaandeel van vierentwintig procent. Drie jaar tevoren was dat nog maar achttien procent. Ook hier is een sterke concentratiebeweging aan de gang. Nummer één en veruit de grootste is het Amerikaanse Wal-Mart. In zijn eentje haalt het bedrijf meer dan acht procent binnen van de mondiale distributie. Het Franse Carrefour bezet de tweede plaats met bijna drie procent, en het Duitse Metro AG de derde plaats met ruim twee procent. Ook al zijn dit groeiende wereldspelers, het valt op hoe ze hun omzet nog altijd in de eerste plaats in hun historische thuismarkten realiseren. Wal-Mart verkoopt zelfs voor tachtig procent in de 'eigen' Verenigde Staten. Op plaats vier en vijf volgen dan Ahold uit Nederland en Tesco uit Groot-Brittannië, allebei goed voor ongeveer twee procent marktaandeel.

Doodgekust en platgewalst

> 'Wij helpen boeren succesvol te zijn.' (Website Monsanto)
> 'Ons partnership met de boerengemeenschap is essentieel.' (Website ADM)

Multinationals afficheren graag dergelijke ambities of principes. Misschien zijn ze oprecht. Misschien menen de auteurs dit echt. Het heeft echter geen zin een intentieproces te maken. Het is beter om naar de feiten te kijken. En die vertellen ons dat de vele miljoenen boeren gekneld raken tussen hun leveranciers en hun afnemers. Dat is het resultaat van twee belangrijke veranderingen.

Ten eerste maakt de evolutie naar industrialisering de landbouwers meer afhankelijk van de buitenwereld. Ze raken eraan vastgeketend want ze telen geen eigen zaad meer en verkopen niet langer rechtstreeks aan consumenten. En ten tweede worden ze dan geconfronteerd met bedrijven die almaar meer economische macht verwerven. Die mikken voluit op groei, ze kopen andere bedrijven over, ze gaan fusies aan, alles doen ze om meer marktaandeel te verwerven en de markt te domineren.

Het zijn die multinationals van de *input* en de *output* die de boeren nu platwalsen. Ze gebruiken hun economische macht om de marges te vergroten ten nadele van de afhankelijk gemaakte boeren die geen kant op kunnen. De leveranciers verhogen hun prijzen. En de afnemers verlagen hun prijzen, ze drukken op de verkoopsprijzen die de boeren kunnen krijgen. Het trieste resultaat is dat de boeren de zeggenschap over hun bestaan, over hun leven verliezen. Je zult maar landbouwer zijn in de eenentwintigste eeuw.

Soms kan men verwonderde reacties horen: 'Vele van deze grote bedrijven spreken toch over maatschappelijk verantwoord ondernemen en beweren de boeren te respecteren? Ze beklemtonen toch het belang van de mensen en van de aarde, van het sociale en het ecologische?'

Dat zal wel – op papier en op de website. Maar zolang bedrijven in de eerste plaats worden afgerekend op hun financiële resultaten, zullen ze er alles aan doen om die winst te verhogen. De rest is ondergeschikt of zelfs van geen tel. Het is de tol die we betalen voor de grillige en vrijwel ongeremde macht van het financiële kapitaal over de wereldeconomie en dus over al wie daarvan afhankelijk is om te leven.

7. It's the distribution, stupid

'Tien jaar geleden streden wij met onze vakbonden tegen Chiquita om een menswaardig loon, vandaag gaan we samen met Chiquita lobbyen bij de supermarkten in Europa.' (Gilbert Jiménez, vakbondsleider bananenarbeiders, Costa Rica)

Van Chiquita en Carrefour

Tot nu toe hebben we vooral een onderscheid gemaakt tussen leveranciers en afnemers, tussen de inputpotentaten en de outputgiganten. Dat is normaal want we kijken vanuit het perspectief van de boer. Aan de kant van de output hebben we wel al gemerkt dat er een verschil is tussen de verwerkers en de distributeurs. Het is belangrijk om dieper in te gaan op de tegenstelling tussen die twee. Want op de wereldmarkten speelt zich vandaag een intense machtsstrijd af, niet enkel tussen verwerkers en distributeurs onderling, maar ook tussen die twee bedrijfsgroepen.

De distributeurs zijn de jongste jaren duidelijk aan de winnende hand. De economische macht verschuift volop in hun richting. Dat kan niet beter geïllustreerd worden dan door de ervaringen van Gilbert Jiménez. Hij leidt Sitrap, de vakbond van bananenarbeiders in het Midden-Amerikaanse land Costa Rica: 'Tien jaar geleden streden wij met onze vakbonden tegen Chiquita om een menswaardig loon, vandaag gaan we samen met Chiquita lobbyen bij de supermarkten in Europa opdat ze genoeg betalen zodat Chiquita ons een fatsoenlijk loon kan betalen. In tien jaar tijd is de macht helemaal verschoven.'

De verklaring voor die verschuiving naar de vraagzijde is de snel stijgende aankoopkracht van de distributie. Figuur 3 zegt in haar eenvoud alles.

Om hun producten bij de consumenten te krijgen moeten de boeren niet enkel passeren bij de verwerkers. Ze moeten met hun aanbod vooral door de nauwe trechter van de supermarktketens, en de nog nauwere trechter van de inkoopcentrales zien te raken. Voor de zowat zeshonderd Europese supermarkten zijn er in het begin van de 21ste eeuw nog maar iets meer dan honderd aankopers. Dat is heel weinig volk op het kruispunt van ruim drie miljoen boeren en wel honderdzestig miljoen consumenten.

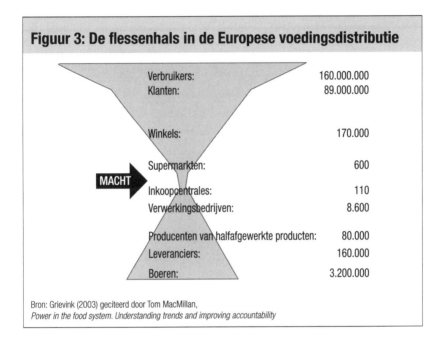

Figuur 3: De flessenhals in de Europese voedingsdistributie

Verbruikers:	160.000.000
Klanten:	89.000.000
Winkels:	170.000
Supermarkten:	600
Inkoopcentrales:	110
Verwerkingsbedrijven:	8.600
Producenten van halfafgewerkte producten:	80.000
Leveranciers:	160.000
Boeren:	3.200.000

MACHT

Bron: Grievink (2003) geciteerd door Tom MacMillan, *Power in the food system. Understanding trends and improving accountability*

Ik wil de grootste zijn. Nestlé of Wal-Mart?

> Ik wil altijd de grootste zijn
> Ik wil de grootste hebben
> (Raymond van het Groenewoud)

Het zijn niet alleen de boeren die de almacht van de supermarktketens ondergaan. De getuigenis van Gilbert Jiménez illustreert dat zelfs een multinational als Chiquita onvoldoende gewicht in de schaal kan leggen om de prijsdruk van de distributeurs te weerstaan.

Ook de grootste verwerkers, zelfs Nestlé of Unilever, staan voor de sluis die de toegang beheerst tot de consumenten en die volledig wordt beheerst door de distributeurs. De enige manier om hun producten massaal te kunnen verkopen is ze in de rekken leggen van de grootwarenhuizen. Maar of ze daarin geraken, en vooral aan welke voorwaarden, daarover beslissen zij niet. Die sleutel hebben zij niet in handen. Wie zich dus afvraagt wie van beide het sterkst is, Nestlé of Wal-Mart, kent nu het antwoord. De macht ligt bij de verkopers, niet bij de producenten. Meer en meer zijn het Wal-Mart en Carrefour die de lakens uitdelen. Zij beslissen eigenlijk over wat er wordt geproduceerd, waar dat gebeurt en zelfs hoe. Zij dicteren hun verwachtingen aan de verwerkers. Die zijn niet echt gewend om zo gecommandeerd te worden en zoeken naar uitwegen. Nog groter worden lijkt een mogelijkheid. Dat zal zeker de economische concentratie nog doen toenemen. Maar het is weinig waarschijnlijk dat de verwerkers daarmee het evenwicht kunnen herstellen. De jongste jaren is hun situatie nog verslechterd. Ze zijn in de ietwat curieuze situatie beland dat hun afnemers ook hun concurrenten zijn geworden. De supermarktketens breiden immers hun aanbod van eigen huismerken stelselmatig uit, een regelrechte aanval op de gevestigde merken.

Wal-Mart, geen kleine kruidenier, wel een lastpak

De grootste werelddistributeur, Wal-Mart, is veroordeeld voor het niet-betalen van overuren van 187.000 werknemers.

Tachtig procent van de zesduizend fabrieken die Wal-Mart bevoorraadt ligt in China.

De dominantie van Wal-Mart is zo immens dat het noodzakelijk is er wat langer bij stil te staan. Het is 's werelds grootste voedselverschaffer, er werken één miljoen negenhonderdduizend mensen en elke week krijgt Wal-Mart zowat honderdzesenzeventig miljoen kooplustigen over de vloer. Grootste verkoopsargument zijn de bodemprijzen die Wal-Mart kan afdwingen door zijn vernietigende aankoopkracht. In 2006 bedroeg de omzet driehonderdvijfenveertig miljard dollar. Maar of dat ook tot winst leidt? Allerminst tot sociale winst. De maatschappelijke balans van het bedrijf oogt weinig fraai. We kennen al de enorme druk op de leveranciers, een last die zich voor de voedselproductie vertaalt in nog meer druk op de prijzen voor de boeren.

Er zijn nog meer mensen die werken voor Wal-Mart en daar niet veel geluk voor kopen. In september 2005 wordt er namens een half miljoen werknemers in Bangladesh, China, Swaziland, Indonesië en Nicaragua een klacht ingediend wegens onaanvaardbare arbeidsomstandigheden bij de toeleveranciers.

En er is nog meer.

Het bedrijf betaalt schandalig lage lonen uit die een vijfde tot zelfs bijna een derde lager liggen dan bij de concurrenten. Af en toe zakken die lonen zelfs nog lager. Begin 2007 was er in de VS nog een loondaling van 2,5 tot 4,8 procent. In 2004 had de gemiddelde Wal-Mart-werknemer met een gezin van drie personen een inkomen onder de armoededrempel. Meer dan de helft van de werknemers kan zelfs de goedkoopste gezondheidsverzekering van het bedrijf niet betalen.

Nog erger kan ook, want overuren kloppen doen de werknemers al te dikwijls zonder dat ze ervoor worden betaald. Daar stak een rechter in 2006 een stokje voor. Wal-Mart moet aan honderdzevenentachtigduizend werknemers achtenzeventig en een half miljoen dollar betalen voor hun onbetaalde overuren. Maar Wal-Mart is hardleers... en gaat in beroep.

Een groot probleem is natuurlijk dat de sociale dumping van Wal-Mart dreigt overgenomen te worden door de concurrenten die geen andere uitweg zien om de concurrentie aan te kunnen. Zich verzetten is niet makkelijk voor het personeel. Wie bij een vakbond wil, wordt verzocht daarvan af te zien of wordt ontslagen. Meer dan eens is een filiaal waarvan de werknemers zich syndicaal organiseerden simpelweg gesloten, bv. onder het mom van 'niet rendabel'.

8. Van succesrijk, falend en slecht beleid

'De grote meerderheid van de landbouwers in de wereld is tegen de WTO-regels gekant.' (Ndiogou Fall, boerenleider Roppa)

De landbouw heeft zich altijd aangepast.

Een blik op de Europese landbouw zegt in dit verband genoeg. Wanneer op het eind van de negentiende eeuw de massale graanimporten uit Noord- en Zuid-Amerika eraan komen, verschuift de landbouw naar andere activiteiten, naar veeteelt en groenteteelt. Sinds die periode is er ook altijd gekozen voor modernisering: men spreekt niet langer van een boerderij maar van een landbouwbedrijf, ook al zijn het in de praktijk lange tijd bijna uitsluitend kleine gezinsbedrijven. In Europa geniet de landbouw ook van bescherming, vooral na de Tweede Wereldoorlog. Na die oorlog komt het er vooral op aan voldoende eten voort te brengen en de Europeanen voedselzekerheid te garanderen tegen niet al te hoge prijzen. En de boeren moeten er fatsoenlijk van kunnen leven. Herinner u de grillige en op lange termijn dalende landbouwprijzen die het boerenbestaan erg onzeker maken. In die periode zijn het nog de nationale staten die de nodige maatregelen nemen om de markt te beschermen, ook met richtprijzen en premies.

Weg met de 'kleintjes'

Vanaf 1960 verschuift het landbouwbeleid van de afzonderlijke landen naar het Europese niveau. Niet alleen modernisering is het doel, Europa kiest ook voluit voor schaalvergroting. De kleintjes moeten eruit. Maar wat is klein? Uiteindelijk resten van een landbouwbevolking die tientallen procenten uitmaakt van de beroepsbevolking maar enkele procenten. Dat leidt in nogal wat regio's van dit continent tot een leegloop van plattelandsgebieden. Vele dorpen in Frankrijk, Italië en Spanje verliezen hun vitaliteit, sterven uit of zijn volledig verlaten. Nog altijd walst het Europese landbouwbeleid heel veel kleinere boeren in Zuid-Europa uit hun beroep.

Van lagere prijzen en grotere overschotten, geen sprookje

Ook de Europese landbouwpolitiek legt een beschermende bodem in de markt met interventieprijzen, als bescherming tegen de al te lage prijzen op de wereldmarkt. Ter aanvulling zijn er invoerheffingen tegen al te goedkope import. En er zijn ook zogenaamde uitvoerrestituties die de uitvoer ondersteunen. Maar laat er geen misverstand bestaan. De prijzen gaan toch naar beneden en dwingen dus tot grotere productie voor wie in de landbouw wil overleven. De resultaten leiden tot op z'n minst gemengde gevoelens. De productie wordt sterk verhoogd en leidt tot immense overschotten van boter, melkpoeder, graan, vlees en olijfolie. Vooral de kostprijs daarvan wordt scherp aangevallen want die bedraagt, stel u voor, de helft van de Europese begroting. Dat is een valse voorstelling van zaken omdat het landbouwbeleid en -budget vrijwel volledig Europees zijn, terwijl onderwijs, gezondheidszorg, publiek transport, openbare werken of landsverdediging dat niet zijn. Als je de publieke bestedingen van de Europese landen op alle bestuursniveaus samentelt, valt het aandeel van de landbouw niet echt uit de toon.

Voor wie de winst, en wie zit op de blaren?

> In 1987 krijgt elke kilo zachte tarwe die Europa verlaat een bonus mee van bijna dertien cent, op een verkoopwaarde van eenentwintig cent. Dat is een subsidie van ruim zestig procent. In de eerste helft van de jaren tachtig weet Europa zijn mondiale marktaandeel in tarwe te verhogen van dertien tot achttien procent. (Uit *100 jaar boeren*)

Niet zozeer de hoogte van de landbouwuitgaven doet de wenkbrauwen fronsen, als wel de bestemming ervan. Eigenlijk profiteren vooral de grote boeren ervan en de groothandel die de opslag en verkoop verzekert. Het is ook in de eerste plaats de agro-industrie die de vruchten plukt van de exportsubsidies, die wel héél zure vruchten dragen voor de landbouwers in de ontwikkelingslanden. Ze doen de prijzen op de wereldmarkten verder dalen met desastreuze gevolgen overal waar de landbouw veel minder of niet wordt beschermd. De boeren in Senegal en in zoveel andere landen die hun inkomens drastisch zien verminderen, kunnen er van meespreken.

Ook al volgen de Europese prijzen op afstand de wereldprijzen, ze dalen evengoed. Dit beleid leidt tot overproductie… althans op het eerste gezicht. Herinner u wat we in hoofdstuk IV.2 vertelden over overschotten. Bij nader toezien zijn die er alleen voor de koopkrachtige mensen die echt geen behoefte hebben aan nog meer voedsel, misschien wel aan gezondere voeding. Want elders in de wereld waar de vrije markt veel erger huishoudt in de landbouw eten achthonderdvijfenzestig miljoen mensen veel te weinig en zien een paar miljard mensen de bodem onder hun leven uit gehaald. En de Europese overschotten die daar o. a. belanden met exportsubsidies maken het alleen maar erger.

Het is hetzelfde trieste liedje in de Verenigde Staten. Ook daar worden de boeren ondersteund op een manier die de landbouw in tientallen ontwikkelingslanden ontwricht, heel dikwijls dan nog via zogenaamde *voedselhulp*. Deze politiek van lage, lagere en laagste prijzen, en een alles verstorende overproductie in sommige regio's van onze wereld, is een doodlopende weg.

Europa snijdt een bocht aan

> Europese exportsubsidies dalen tussen 1990 en 2001 van zevenendertig naar acht procent van de landbouwuitgaven.

> Europees marktaandeel in mondiale tarwehandel daalt tussen 1990 en 2001 van negentien naar tien procent.

Langzaam rijpt dat besef in Europa, het is tijd om een bocht te maken. Europa kiest ervoor om het aanbod van de landbouw te beperken. Daarom moet de prijssteun voor landbouwproducten in grote mate wijken voor inkomenssteun aan de landbouwers. En ook voedselveiligheid, voedselkwaliteit, milieubescherming, plattelandsontwikkeling en dierenwelzijn komen in beeld in het Europese landbouwbeleid.

En de exportsubsidies? Die verminderen. In 1990 bedragen de exportsubsidies negen miljard vierhonderd miljoen euro. Ze peuzelen zevenendertig procent op van alle uitgaven voor de landbouw. In 2001 zijn die subsidies gedaald tot drie miljard vierhonderd miljoen euro, nog maar acht procent van het volledige landbouwbudget van dat jaar. Zuivel en suiker zijn elk goed voor ongeveer een derde van de subsidies. Zo daalt het aandeel van Europa in de werelduitvoer van tarwe, van nog negentien procent in het begin van de jaren negentig tot maar tien procent in 2000.

Maar we zijn er niet.

In 2002 levert de Europese Unie nog altijd eenendertig procent van het afgeroomde melkpoeder en wel veertig procent van het volle melkpoeder die op de wereldmarkt belanden, mét exportsubsidies en die 'prestatie' is daaraan te danken.

Nog altijd ontvangen de voedingsindustrie, de grootgrondbezitters en een minderheid van grote boeren die de overschotten veroorzaken het meeste steun. Veelzeggend blijft het voorbeeld van de Britse koningin Elisabeth die 600.000 euro landbouwsubsidies opstrijkt.

Nog altijd is lang niet alle landbouwbedrijvigheid een toonbeeld van milieuvriendelijkheid.

Voor wie zijn de Europese landbouwsubsidies?

Het loont de moeite even te kijken naar wie nu eigenlijk de ontvangers zijn van de Europese landbouwsubsidies.

In 2005 gaat vijfentachtig procent van de subsidies voor landbouwbedrijven naar maar achttien procent van de boerderijen. Het jaar daarvoor kwamen die nog bij drieëntwintig procent terecht. De ongelijkheid verergert dus nog. Het aantal begunstigden dat meer dan 300.000 euro per jaar ontvangt bedraagt nu 2.790.*

Die scheeftrekking zet je aan het denken. Het Europese landbouwbeleid lijkt, zacht uitgedrukt, niet meteen vriendelijk voor de kleinere familiale landbouwers. In Portugal krijgen vijfennegentig procent van alle boeren zelfs minder dan 5.000 euro per jaar.

Maar de subsidies komen niet alleen rechtstreeks bij de landbouwers terecht, een groot deel ervan heeft de agro-industrie als bestemming. De verschillen met de grootontvangers zijn dan pas echt immens. Zo is in België de Tiense Suikerraffinaderij in 2006 goed voor bijna 93 mil-

---

* Gegevens verzameld door Jack Thurston op www.farmsubsidy.org

joen euro aan steunmaatregelen en uitvoerrestituties. En in Nederland belandde de jongste vijf jaar 374 miljoen euro bij Nestlé.*

Mondiale onweerswolken

> 'De vrijmaking van de landbouwhandel en het verdwijnen van de regelgeving richten veel schade aan in de wereld: honger, werkloosheid, ongelijkheid, armoede.' (Altemir Tortelli, Braziliaans boerenleider)

Intussen zijn van elders veel somberder wolken komen aandrijven voor de wereldlandbouw. De roep om de landbouw wereldwijd verder vrij te maken klinkt luider en luider. Zo'n beleid van liberalisering is vooral de richting die de Wereldhandelsorganisatie uit wil. En vele ontwikkelingslanden krijgen een extra dosis vrijhandel opgelegd als het Internationaal Monetair Fonds ze verplicht de import- of exportheffingen op landbouwproducten af te schaffen. Het is een jammerlijke evolutie. Want we weten dat net voor landbouw en voedsel de markt met haar voortdurend dalende prijzen slecht scoort als het eropaan komt iedereen aan eten en de boeren aan een leefbaar inkomen te helpen. Dat is zeker het geval wanneer we de markt alleen laten werken en, meest van al, als we de wereldmarkt vrij spel laten.

Vrij spel voor de grote landbouwexporteurs?

> 'De minimumprijzen zijn afgeschaft, de voedselreserves ook en de mechanismen om het aanbod te beheersen ook al. Je moet begrijpen dat subsidies in die omstandigheden een deel zijn van het WTO-proces. Want de landbouweconomie van de VS kan niet zonder subsidies zolang niemand weet hoe laag de landbouwprijzen kunnen zakken.' (George Naylor, boerenleider National Family Farm Coalition, Verenigde Staten)

Bij de grootste roepers om meer vrijhandel zijn de Verenigde Staten. Dat is ietwat verrassend want de VS ondersteunen fors de eigen landbouwers, een steun die onder president Bush zelfs nog is toegenomen, ondanks alle retoriek over de markt die haar werk moet doen. Dub-

---

* Gegevens verzameld door Saartje Boutsen in *Dagelijks brood. Mondiale markt en voedselzekerheid*, MO* noordzuidCAHIER, Wereldmediahuis, Brussel, 2006.

belzinnigheid troef dus. De Amerikaanse boerenleider George Naylor legt uit wat er aan de hand is: 'De subsidies zijn het resultaat van het openstellen van de Amerikaanse landbouw voor de wereldmarkt. Alles wat onze landbouw beschermde en de boeren enige zekerheid gaf, zoals bodemprijzen en aanbodbeheersing, is weg. Zonder subsidies zou onze landbouw gewoon in elkaar klappen.'

De meest uitgesproken voorstanders van de open wereldmarkt zijn natuurlijk de grote landbouwexporteurs, traditioneel verzameld in de zogenaamde Cairns-groep. Onder de negentien leden bevinden zich o.a. Argentinië, Australië, Brazilië, Canada, Chili, Indonesië, Pakistan, Thailand en Zuid-Afrika. Na de mislukte top van de Wereldhandelsorganisatie in het Mexicaanse Cancun verlaten de ontwikkelingslanden deze groep. Nu vinden we Argentinië, Brazilië, Chili, Indonesië, Pakistan, Thailand en Zuid-Afrika terug in de groep G20, samen met China en India. Zowel wat rest van de Cairns-groep als de G20 is gekant tegen elke vorm van overheidstussenkomst. Die zien ze als marktverstorend. Ze willen de markten van de VS en de Europese Unie openbreken voor hun export. Als zij vrij spel krijgen, tekenen we voor een weinig duurzame landbouw die de meeste boeren in de wereld uitstoot en het milieu niet ontziet of zelfs vernietigt. In dat geval verschuift de macht naar de mondiale agro-industrie en richting wereldwijde distributiebedrijven.

> De vrouw waarmee we in gesprek zijn in de wandelgangen van Hongkong is zeker van haar stuk: 'Oeganda vaart wel bij vrijhandel in de landbouw. Wij zijn klaar om te exporteren'.
> Ik betrap me op grote verwondering en twijfel: 'Denkt zij werkelijk dat Oeganda, een land dat niet eens aan zee ligt, zal kunnen wedijveren met Brazilië of Thailand op een volledig open wereldmarkt? Toch maar hoogstens in niches bespeeld door enkele grote boerenbedrijven, zoals de Keniaanse boontjes?'

Merkwaardig is dat de meeste ontwikkelingslanden ook die vrijere marktwerking willen, al is niet meteen duidelijk of zij daar voordeel uit zullen halen. De ontwikkelingslanden mogen dan wel onder dezelfde verzamelnaam worden gevat, er zijn levensgrote verschillen tussen pakweg de exportkracht van landen als Brazilië, Argentinië en Thailand en de futiele exportkansen van de meeste Afrikaanse landen.

Veel boeren in landen zoals Ghana, Kameroen en Senegal kreunen nu onder de import van melkpoeder en kippenvlees uit vooral Europa. Dat is geen goede zaak, die dumping kan maar het best zo snel mogelijk ophouden.

Maar denk Europa en wat nog rest aan exportsubsidies weg. Wat verandert er dan? Dan komt dat melkpoeder en dat kippenvlees toch gewoon rechtstreeks uit Brazilië? Dan krijgen ze gewoon andere meesters op hun markten. Het verdwijnen van de exportsubsidies is dus noodzakelijk maar niet voldoende voor de Afrikanen om hun thuismarkten terug te winnen.

Omgekeerd is het zo dat de Afrikaanse landen, samen met landen uit de Caraïben en de Stille Oceaan – allemaal voormalige Europese kolonies – tot vandaag van een betere toegang genieten tot de Europese markt dan de grote landbouwexporteurs zoals Brazilië.

Het vrijmaken van de markten betekent normaal ook dat de lat voor iedereen gelijk moet komen te liggen, dat de toegang tot Europa voor iedereen even makkelijk moet zijn. Het resultaat is volkomen voorspelbaar: dan verliezen de Afrikaanse landen hun al beperkte marktaandelen aan Brazilië en andere agro-industriële exportmachines.

Welke keuze maakt Europa?

'Europa en de Wereldhandelsorganisatie verkopen de landbouw voor de diensten, dat is onaanvaardbaar want het zal zich concreet vertalen in een aanzienlijke delokalisatie van de landbouw- en voedselproductie uit Europa.' (René Louail, boerenleider Confédération Paysanne)

Wat moet Europa doen? Iemand als de Franse professor Marcel Mazoyer weet het wel zeker: 'Natuurlijk zal een mondiale vrije markt de mensen verdelen en tegen elkaar opzetten. Er zijn zelfs goedmenende Brazilianen die aan de Europeanen zeggen: maar waarom doet u aan protectionisme? Dan moet ik antwoorden dat, als wij nu de Franse landbouw niet ondersteunen, de helft van onze landbouwers een jaarinkomen zou hebben van minder dan 4.500 euro. Dat houdt geen steek. Wij moeten de Brazilianen eerst helpen om hun landhervorming verwezenlijkt te krijgen. Het paard van Troje is in hun land. Wat hebben ze hun boeren niet aangedaan? Ze hebben hen volledig gemarginaliseerd op het economische, politieke en sociale vlak. Ze zijn bereid om dat ook te doen met de rest van de wereld. Die mensen ga ik niet verdedigen. Ik verkies de Europese landbouwers én de Braziliaanse landbouwers te verdedigen, want zij hebben dezelfde vijand. Ik ga toch niet de Braziliaanse grootgrondbezitters verdedigen?'

Maar het is helemaal niet zo zeker dat het officiële Europa die mening deelt, ondanks een al bij al stevige bijsturing van het beleid. Er lijkt veel meer reden om aan te nemen dat de Europese Unie eigenlijk bereid is om de landbouw, zijn landbouwers, en die van de hele wereld, op te offeren voor het vermeende belang van de veel grotere dienstensector.

De overtuiging dat de markt in elk geval de beste oplossing is, dus ook voor de landbouw, zit diep in de hoofden van vele regeerders en bestuurders. En de lobbymacht van de Europese dienstenbedrijven is intussen merkelijk groter dan die van de landbouwsector.

De onderhandelingen in de Wereldhandelsorganisatie zitten intussen wel in het slop, dat is waar. En dat is een adempauze voor de boeren van onze wereld. Maar de druk om de wereldhandel vrij te maken is daarmee niet weg. Als het kan, gebeurt dat via de Wereldhandelsorganisatie. Als het zo niet lukt, zullen andere wegen worden bewandeld, via handelsakkoorden tussen landen of tussen regio's.

Wat denken de Europese burgers daarvan? Is er een meerderheid voor gewonnen dat de mogelijkheid van een duurzame landbouw moet sneuvelen om in heel de wereld vrije doorgang te forceren voor onze dienstenbedrijven? Wat denken hun politici daarvan? We weten het niet. Nochtans, het is over dergelijke keuzes dat politiek zou moeten gaan, daar moet een publiek debat over gevoerd worden.

9. En de grote winnaar is... niet de mens

'Aan voedsel moet de Belgische consument nog maar twaalf procent van zijn budget uitgeven. In het begin van de jaren zestig was dat nog de helft. De consument is dus niet het slachtoffer van het landbouwbeleid.' (Boerenbond, 2002)

'De grote winnaar is de consument'

'De echte winnaar van vrije landbouwmarkten en dalende prijzen is de consument.' Het is een argument dat wel meer opduikt bij aanhangers van de liberalisering.

'De consument is ook de winnaar van de groeiende macht van de distributeurs.' Want, zo luidt de redenering, zij drukken de prijzen nog extra naar beneden voor de consumenten. Terzijde, maar niet onbelangrijk: dit heeft niet zozeer met een vrijere markt te maken als wel met het verwerven van een bijna monopolistische macht over leveranciers en boeren.

'En die consument wint ook als belastingbetaler wanneer steun en subsidies voor de landbouw worden teruggeschroefd of zelfs volledig verdwijnen.'

Dit lijken krachtige argumenten. Vooral omdat er hier en daar een stukje waarheid in schuilt, zoals wanneer steunmaatregelen soms perverse gevolgen opleveren voor boeren in ontwikkelingslanden; of wanneer supermarktketens in onderlinge concurrentie hun prijzen laten dalen.

Het is voor boerenorganisaties moeilijk om op te boksen tegen die argumenten. Want wie alleen stilstaat bij de prijs, en niet bij de gevolgen van lage prijzen voor boer, milieu en samenleving, raakt er makkelijk van overtuigd dat het nog lager kan en moet. Dan is het niet makkelijk om een landbouwbeleid te verdedigen dat het aanbod wil beheersen om de manke marktwerking te corrigeren en dat ook aandacht wil opbrengen voor voedselkwaliteit, ecologisch verantwoorde landbouw of een leefbaar platteland.

Oogverblinding: zelfs de consument verliest

'Het omzetcijfer van de detailverkoop van koffie is in de voorbije tien jaar verdubbeld, terwijl het inkomen van de betrokken koffieboeren tot de helft gereduceerd is. De liberalisering in de koffiesector, sinds begin de jaren negentig, komt dus noch aan de consument, noch aan de producent ten goede, wel aan de vijf multinationale bedrijven die meer dan de helft van de handel en verwerking van koffie controleren.' (Nestor Osario, algemeen directeur van de Internationale Koffie Organisatie ICO)

Koffie is een interessant voorbeeld omdat hier de vrije markt volledig speelt. Allereerst blijkt dat de koffietelers echt niet beter worden van die marktwerking. Als er overproductie is, krijgen zij zware klappen.

Al even interessant, en zeker interessant voor de consument, is de voor velen wellicht merkwaardige vaststelling dat de lage prijzen voor de boeren niet leiden tot lagere prijzen in de winkel.

Het tegendeel is zelfs het geval. Op deze 'vrije markt' slagen de multinationals die de koffie verhandelen en verwerken erin om aan de ene kant de boeren minder te betalen en aan de andere kant de consumenten meer te laten betalen. Begrijpe wie kan, maar het is in elk geval tweemaal kassa.

Dezelfde vaststelling is ook gemaakt in de Verenigde Staten. In 2000 krijgen de boeren er twintig procent minder voor wat ze produceren in vergelijking met 1970. Maar de consumenten halen daar geen voordeel uit. Integendeel, voor hen geldt de omgekeerde evolutie, zij betalen ruim vijfendertig procent meer.

Het is dus niet omdat 'de consument wint' mooi klinkt, dat het ook waar is. En als de bewering uit de mond komt van koffie- of andere voedingsmultinationals of distributiegiganten is er reden voor achterdocht. In hun handen is de markt niet zo vrij dat hij lagere prijzen zal of kan doorspelen aan de consument. De werkelijkheid toont hoe de vrijheid op de markten verwordt tot het recht van de sterkste.

Gerommel in de voedselketen

Pamela is een jonge, Britse vrouw. In enkele maanden tijd verandert ze in een hulpeloos wrak. Televisiebeelden tonen haar terwijl ze door een ziekenhuisgang strompelt. Ook haar hersenen laten het afweten, ze herkent niemand meer. Pamela is een slachtoffer van de menselijke variant van de gekkekoeienziekte.

Juni 1999, hartje Europa, winkels met lege rekken, geen eieren, geen kippen, geen varkens- of rundvlees, geen melk, geen producten waar het voorgaande in verwerkt wordt... Allemaal omdat er dierenvoer met dioxine besmet is geraakt.

Mei 2002, Duitsland, winkeliers halen massaal biokippen, biokalkoenen, bio-eieren en biovleeswaren uit de rekken. Vijf maanden lang heeft de Duitse biologische landbouw en veeteelt verzwegen dat gevogelte *biologische* tarwe kreeg vol Nitrofen, een verboden onkruidverdelger.

Verboden hormonen in het vlees, varkenspest, de gekkekoeienziekte, dioxine en een onkruidverdelger in het veevoer, vogelpest; vooral sinds het midden van de jaren negentig lijkt het met rommelen in de voedselketen niet meer op te houden.

Voor een goed begrip, onze voedselketen omvat veel meer dan de zuivere landbouw. Niets heeft dat beter aangetoond dan de Belgische dioxinecrisis. Eind mei 1999 raakt bekend dat er dioxine in kippenvoer is terechtgekomen. Kippen én eieren zijn misschien besmet, een duizelingwekkende stapel voedingsproducten is verdacht, want eieren zijn een veelgebruikt ingrediënt. Mogelijk besmet veevoer duikt wat later ook op in de varkens- en de rundveesector. Daardoor komt de halve voedselindustrie tot stilstand: geen Belgisch vlees meer noch eieren, noch aanverwante producten, en nu belandt zelfs de Belgische melk – en al wat op basis daarvan wordt bereid – in het verdomhoekje. De Belgische voedselexport wordt zowat volledig lamgelegd. Voor het eerst horen de meeste mensen over het bestaan van zogenaamde vetsmelters, die gebruikte vetten ophalen in containerparken en frietkramen. Vervolgens leveren ze dat goedje aan veevoerbedrijven. Tussen al die afvalstoffen zijn blijkbaar giftige dioxines en pcb's gesukkeld. Dat gebeurde maar op één plaats en het was een relatief kleine hoeveelheid. Maar meteen is wel de kwetsbaarheid van de hele voedselketen aangetoond, en dat de controle erop volstrekt ondermaats is.

Het Nitrofen schandaal in 2002 is vrijwel een heruitgave van de dioxinecrisis, alleen neemt de verantwoordelijke minister geen ontslag en treedt Europa in 2002 allerminst hard op tegen Duitsland.

Van de gekkekoeienziekte, of BSE, leerde de verbaasde consument enkele jaren daarvoor al dat gemalen dierenbeenderen in veevoer terechtkwamen en dus in de voedselketen. Daardoor getroffen runderen trillen op hun poten, hebben coördinatieproblemen en sterven. En er is nog erger, want onderzoekers ontdekken dat de ziekte kan overslaan op de mens. Pas in 1996 beslist de Britse regering ernstig in te grijpen en enkele honderdduizenden runderen te slachten. Die ingreep komt rijkelijk laat, want de gekkekoeienziekte is al erkend in 1986 en er zijn sterke aanwijzingen dat er al twee jaar eerder Britse runderen aan BSE gestorven waren. Tussen 1986 en 1996 zouden volgens deskundigen meer dan zevenhonderdduizend met BSE besmette runderen in de voedselketen terechtgekomen zijn. Begin 1998 waren er in Groot-Brittannië vierentwintig mensen aan mensen-bse gestorven. Hoeveel mensen er nog aan BSE zullen sterven is moeilijk in te schatten. Een wetenschapper komt aan honderd sterfgevallen als de incubatietijd van de ziekte tien jaar zou bedragen. Bedraagt die incubatietijd vijfentwintig jaar, dan stijgt dat aantal tot vijfendertigduizend.

In elk geval wijzen bse, dioxinevergiftiging, vogelpest en andere problemen in de landbouw en de voedselsector erop dat onze grootschalige voedselproductie tegen haar grenzen botst. Veel vlugger dan velen dachten brengen deze crises de duurzame landbouw op de politieke agenda. Door deze ontsporingen zijn plotseling de deugdelijkheid van ons voedsel, de kwaliteit van het leefmilieu en zelfs het welzijn van de dieren veel belangrijker geworden.

Alle kenmerken van een pyrrusoverwinning

> Hoe vrij is de markt die verplicht tot het eten van hormonenvlees of van genetisch gewijzigde gewassen?

In 1988 weigert Europa nog langer rundvlees in te voeren dat is behandeld met groeihormonen. De reden is natuurlijk dat groeihormonen de gezondheid kunnen schaden. Het behoort zeker tot de verantwoordelijkheid van overheden om de veiligheid, ook de voedselveiligheid, voor hun burgers te garanderen. Maar de Verenigde Staten, die anders grif het veiligheidsargument van hun burgers uitspelen en daar zelfs preventieve oorlogen voor overhebben, hebben geen oren naar het gezondheidsargument. Samen met Canada verdedigen de Verenigde Staten bij de Wereldhandelsorganisatie de opvatting dat gezondheidsargumenten niet opwegen tegen hun handelsbelangen. En de Wereldhandelsorganisatie blijkt inderdaad van mening dat Europeanen maar hormonenvlees moeten eten. Europa moet zijn embargo opheffen en hormonenvlees binnenlaten. Wanneer de Europeanen dat weigeren, krijgen ze een veroordeling aangesmeerd. De VS en Canada mogen ter compensatie een belasting heffen op producten die ze invoeren uit Europa. Het is dan dat de VS de Franse roquefortkaas belast wat tot veel mediagenieke woede leidt en José Bové aan zijn internationale bekendheid helpt.

Fundamenteel is dat, zoals wij nu de wereldmarkt organiseren, de handelsbelangen volledig de voorrang krijgen op de gezondheid van de consumenten. Het is enkel maar omdat Europa geen klein handelsbroertje is dat het kan blijven dwarsliggen over de groeihormonen. Maar zelfs dan blijft het principe overeind. Want Europa wordt wel gestraft voor zijn zogenaamde handelsbelemmering, de Europeanen moeten een boete betalen voor het feit dat zij gezondheid belangrijk vinden.

Een soortgelijke discussie woedt over genetisch gewijzigde organismen of gewassen. Vele Europeanen staan erg weigerachtig tegenover die GGO's. Al dan niet terecht vrezen ze dat die gezondheidsrisico's meebrengen. Maar opnieuw laten de regels van de Wereldhandelsorganisatie in principe niet toe hun import te verbieden. Opnieuw worden mensen dan verplicht om risico's te aanvaarden die ze eigenlijk niet willen nemen.

Kronkel in onze mondiale hersenpan

Daar houdt echter de kronkel in onze mondiale hersenpan nog niet op.

Als Europa die GGO's toch niet mag weigeren, willen consumenten wel weten welk voedsel genetisch gewijzigd is. Op die manier hebben ze tenminste de keuze. Dat is een steekhoudende redenering en een gerechtvaardigd verzoek, zou je zo denken.

Het is amper te geloven maar de Verenigde Staten argumenteren bij de Wereldhandelsorganisatie dat het informeren van consumenten in dit geval een belemmering van de vrije handel is. 'Maar liefst 212 wetten ter bescherming van milieu, volksgezondheid of arbeidsnormen zijn inmiddels al aangevochten, meestal vanuit de overweging dat producenten onnodig benadeeld of belemmerd worden door die regels', lezen we in *Het recht van de rijkste* van John Vandaele. Meer en meer komen we terecht in een wereld waar we afdwingbare rechten verlenen aan goederen en diensten, aan geld ook. Maar de rechten van mensen en samenlevingen, bv. op gezond voedsel of op informatie over wat men te eten krijgt, worden verwaarloosd en zelfs genegeerd. Net zo vergaat het de rechten van het milieu of de natuur. De gevolgen van deze logica die de economie en de handel laat domineren over alle andere waarden, zijn onoverzichtelijk en onmetelijk groot.

Want die logica staat niet toe dat men ingrijpt in de markten om het aanbod van landbouwproducten te beheersen en zo leefbare prijzen voor de boeren na te streven – dat is immers geen vrije handel;

die logica verbiedt een milieuvriendelijke landbouw te ondersteunen en natuurwaarde te belonen – dat is concurrentievervalsend;

die logica maakt het onmogelijk voedselkwaliteit belangrijk te vinden – dat is handelsbelemmering;

die logica gaat in tegen elke ambitie om de leefbaarheid van het platteland te vrijwaren en daarmee ook zijn cultuur en cultuurlandschappen – dat is marktverstorend.

Ook de consument is allereerst een mens met verantwoordelijkheid

> 'Ik verkies lokale producten te kopen en werk te geven aan mensen om ons heen en die het milieu onderhouden.' (Anne Héry, lid Voisins de Paniers)

Consumenten voelen zich dikwijls geplaagd, en niet alleen omdat er risico's voor hun gezondheid opduiken. Ze stellen ook andere vragen. Hebben boeren overal ter wereld niet ook recht op een fatsoenlijk inkomen, net als zijzelf?

Moeten zij machteloos de uittocht en de teloorgang van talrijke aantrekkelijke plattelandsgebieden meemaken? Als er alleen nog tweede verblijven, vakantiehuizen en wat historische gebouwen op dat platteland overschieten, belanden we werkelijk in het *museum Europa* en niet langer in een levend Europa. Moeten zij machteloos de kaalslag van het regenwoud aanvaarden en de verdringing en verarming van kleine boeren, allemaal voor soja, hamburgers of straks nog meer voor energiegewassen? Vele consumenten zijn zich bewust van hun verantwoordelijkheid. Die blijft bestaan, voor ons allemaal, ook al zijn we verwend door onverantwoord lage voedselprijzen en besteden we almaar minder van ons inkomen aan voedsel. Dat tweede fenomeen is trouwens voor een goed deel te verklaren door die te lage prijzen, niet vergeten. Ook de consument is in de eerste plaats een mens. Wij zijn allemaal burgers met verantwoordelijkheid ten aanzien van de andere bewoners van onze planeet. Een deel van die verantwoordelijkheid kunnen we opnemen als individu, als consument op het huishoudelijke niveau. Welke landbouwproducten kopen we en welke niet? Bij wie en voor welke prijs? Makkelijk is het niet maar zo kan het een beetje lukken om een tegenwicht te bieden tegen een al te dominante marklogica. In aanvulling daarop, en nog essentiëler, is het om vanuit de samenleving en vanuit haar politieke organisatie de economie, en dus ook de landbouweconomie, te dwingen andere waarden te erkennen, na te streven of zelfs voorrang te verlenen: sociale, ecologische, democratische, culturele en zelfs andere economische waarden. Zeker wanneer de markt faalt, hebben samenlevingen en overheden het recht en zelfs de plicht om de economie te sturen, regels op te leggen en zo nodig in te grijpen in de markt.

Overvloedig is al geïllustreerd hoe de markt veelvuldig en rampzalig faalt voor landbouw en voedselvoorziening. Hoog tijd dus om de landbouweconomie dienstig te maken aan de samenleving en af te stemmen op de echte mondiale behoeften.

V. Wat moet er gebeuren? De noodzaak van voedselsoevereiniteit

1. Inleiding – behoefte aan duurzame landbouw

'Maak wel een onderscheid tussen exportsubsidies die inderdaad slecht zijn, en het steunen van de eigen landbouw. Het is economisch rechtvaardig de export niet te subsidiëren. Maar de interne markt die ervoor zorgt dat de mensen de producten van hun landbouwers kunnen eten, die markt moet je eerbiedigen, dat is voedselsoevereiniteit.' (Mamadou Cissokho, erevoorzitter Roppa, West-Afrikaanse boerenleider)

Net als in het verleden zullen mensen ook morgen moeten eten en de genoegens van rijke tafels en lekker voedsel willen smaken. Zij zullen daarvoor op de landbouw rekenen die dus nodig blijft. Die landbouw kan bovendien in de toekomst een bloeiende mondiale samenleving mogelijk maken net zoals hij altijd bloeiende samenlevingen heeft gecreëerd. Een sterke landbouw kan ook mee de basis leggen voor industrialisering en meer welvaart in vele regio's van de wereld. Maar dan hebben we wel een duurzame landbouw nodig.

Dat is een landbouw die het *milieu* respecteert en niet de ecologische grenzen overschrijdt, met als meest trieste voorbeeld de visserij die wereldwijd zeeën en oceanen zwaar overbevist. Dan moet die landbouw *sociaal* en familiaal zijn zodat landbouwers ervan kunnen leven en niet in een ontstellend tempo uitgestoten worden zodat ze verhongeren of als vuilnis gedumpt worden in uitdijende krottenwijken. Als landbouwers hard werken, moet dat *economisch* rendabel zijn. Er is een eerlijke prijs en geen hongerloon vereist voor het resultaat van hun inspanningen. We zijn ook gehecht aan onze *cultuur*landschappen en de ermee samenhangende waardevolle tradities en dus is er de roep om een landbouw en een leefbaar platteland die dat alles bewaken.

Van hoog in de lucht, een mondiaal perspectief

Indien wij in deze wereld voldoende voedsel willen, voedsel dat veilig is om te eten, milieuvriendelijk ook, dus op duurzame wijze voortgebracht, met behoud van de cultuurlandschappen en met respect voor de plattelandstradities, dan moeten wij de landbouw organiseren en beschermen binnen de Europese markt, binnen de West-Afrikaanse, Zuid-Amerikaanse, Zuid-Aziatische en andere regionale markten. Want denk vooral niet dat Toscane of Dordogne, streken die vele mensen heel aantrekkelijk vinden, mogelijk zouden zijn in een volledige vrije landbouwmarkt. Zo vermijden we vooral dat de wereldhandel in landbouwproducten leidt tot massale verarming, ondervoeding voor honderden miljoenen en de hongerdood voor tientallen miljoenen mensen. Zo voorkomen we een desastreuze plattelandsvlucht. Alleen een welvarend platteland kan die neerwaartse spiraal tegengaan én bijdragen aan de welvaart van wie in de stad aan de kost moet komen. Want dan vermindert de druk op de lonen én vormt het platteland een afzetmarkt voor de producten en diensten van stad en industrie. Zo wordt zonneklaar dat wereldwijd landbouwers en werknemers meer gelijklopende dan tegengestelde belangen hebben. Eigenlijk is het merkwaardig dat vakbonden en boerenbewegingen nog geen mondiale alliantie zijn aangegaan. Alleen samen kunnen ze de sociale nachtmerrie van crashende inkomens, wegkwijnende economieën, verdwijnende afzetmarkten, berooide overheden en instortende publieke voorzieningen bestrijden. Als die twee bewegingen dan nog de brug slaan naar de milieubewegingen, krijgen we een krachtige stroming die werk maakt van een wereld en een economie die veel duurzamer en socialer zijn.

2. Landbouw is familiaal en sociaal

Het is een van die momenten wanneer alles zomaar de camera inloopt: de boerin die de schapen voer brengt, de boer die achteraan door het beeld loopt tot in de wei, ook al met voer; hij roept hard en van bovenop de heuvel komen de koeien naar beneden gelopen; algauw is hij bijna onzichtbaar tussen zijn beesten; intussen trakteert de boerin op de voorgrond de kippen op hun rantsoen; alles in hetzelfde beeld, mooi zo.

Van zelfvoorziening en een goed leven

Wij zijn te gast bij het gezin Rüdell. Hun boerderij van om en bij de vijfentwintig hectare ligt niet ver van Capanema in de Braziliaanse Paraná, vlakbij de grens met Argentinië. Isabel Rüdell leidt ons rond in de stallen: 'Hier hebben we de kippen die we zelf eten, enkele verkopen we ook. Over twee weken laten we ze vrij rondlopen op het erf om hier plaats te maken voor nieuwe opgroeiende kuikens... Deze varkens kweken we vooral voor ons gezin. Er is altijd wat van over. Daarvan maken we dan salami, charcuterie die we verkopen op de markt.'

Intussen zijn de kinderen begonnen met het kappen van olifantsgras, een houten kar raakt snel vol. Isabel brengt de machine op gang. Die maakt verschrikkelijk veel lawaai, lijkt wel uit het stoomtijdperk te stammen maar ze doet wat ze moet doen, de lange stengels verhakkelen. Moeder en dochter doen er de varkens veel plezier mee.

De velden liggen hoger. We wandelen langs suikerriet tot bij de rijpe soja-aanplant. Alfredo en Isabel oogsten met de sikkel. Ze wijzen nog een ander perceel aan dat ze bewerken. Er groeit rijst, maïs, maniok, verder ook aardappelen, aardnoten en pompoenen. Ook de uitgestrekte groentetuin verkennen we, tomaten, sla, broccoli, kolen, werkelijk te veel om op te noemen. Onze tocht duurt niet al te lang. Vooral de fruitbomen krijgen maar weinig belangstelling meer want een hevige stortbui dwingt ons in de richting van het terras. Daar zijn op een overvolle tafel de rijkdommen van het boerenleven uitgestald. De camera raakt amper uitgefilmd, Isabel geeft er de toelichting bij: 'Dit zijn de groenten bedoeld voor eigen gebruik. We planten en zaaien wat meer dan wijzelf nodig hebben om ze te kunnen verkopen in de stad. Ook onze rijst planten en oogsten we zelf. Wat we nog niet hebben, is een pelmachine. Het fruit maken we in en we bewaren die potten voor als er geen fruit meer is. Van bonen planten we drie variëteiten. Ook van maïs hebben we verschillende soorten. Zaad hoeven we niet te kopen, daar zorgen we zelf voor. Van de aardnoten maken we gebakjes die wijzelf opeten en deels verkopen. Hier zie je pompoenen, en hier hebben we onze eigen honing... Dit is tarwe, ook al voor onszelf, verder augurken. Er is melk, van onze koeien die we nog met de hand melken... Dit is een bananentaart met bruine suiker. En hier allemaal bewaarpotten. Dit zijn vijgen, dat komkommers, uien, pepers, wortels, en dan zijn er nog vele andere die niet eens op deze tafel liggen. Deze zak zit vol bruine suiker die we zelf maken in een fabriekje, een samenwerking van zeven families. Die suiker gebruiken wijzelf maar omdat we er veel van produceren, is hij natuurlijk ook om te verkopen... Alles wat je hier ziet, komt van onze boerderij en is het werk van het hele gezin.'

Een eigen thuis, een eigen huis

Het is waar, nieuw of modern oogt deze boerderij allerminst. Zelfs machines zijn er amper – trekdieren dan weer wel. Maar belangrijk is vooral dat dit een goed draaiend bedrijf is met indrukwekkende resultaten. En het allerbelangrijkste: deze mensen leven goed, zoveel is duidelijk. Honger kennen ze niet, ondervoed zijn ze allerminst en ze eten zeker gevarieerder dan vele mensen in rijke landen. Goed drinkbaar water is er in overvloed. Overbemesting of pesticiden vormen geen gevaar voor de kwaliteit ervan. Het is hier niet het moment om de tegenstellingen tussen klassieke en biologische landbouw uit te benen. Maar dat is alvast toch een voordeel van die biologische landbouw waar de familiale landbouw in Brazilië in grote mate voor kiest. Wonen doen ze hier ook al prima. Zelfs de meeste rijke mensen in de wereld hebben niet zulke grote huizen. Ze bouwen ze bijna volledig zelf, met hout uit de eigen bossen. Die zorgen dikwijls ook voor de nodige energie, als er wat verwarming nodig is bijvoorbeeld. Natuurlijk heeft een mens nog wat meer nodig dan het land kan verschaffen. Geen nood, de boerderij levert meer dan genoeg om op de markt een flinke cent te verdienen. Dat op heel wat van deze familiale bedrijven een auto of kleine vrachtwagen te vinden is, zegt al heel wat over de aanwezige koopkracht.

'Lula... Lula...'
De peuter houdt niet op met die naam te roepen wanneer we bij Altemir Tortelli thuis aankomen. Het duurt even voor we doorhebben dat Lula de huispapegaai is die daar hoog in de bomen zit, en dus niet de Braziliaanse president.

Later zullen we uitgebreid ingaan op hoe deze Braziliaanse landbouwers hun producten verwerken en verkopen. Eerst concentreren we ons nog even op die zelfvoorziening. Die is veel meer dan een randverschijnsel. Voor de leden van de boerenbeweging Fetraf is die zelfvoorziening een uitdrukkelijke keuze. Ze vormt een hoeksteen van hun visie op de familiale landbouw en een leefbaar platteland. Boerenleider Tortelli benadrukt het belang ervan en ook van goed wonen: 'Het is belangrijk dat de mensen op het platteland leven, dat ze goed en waardig kunnen wonen, en dat ze kunnen zeggen: dit is mijn huis, en het staat open om mensen te ontvangen.'

Ook op de boerderij van de boerenleiders Altemir Tortelli en Eloir Grizelli vallen de vele fruitbomen op – sinaasappelen, mandarijnen, perziken, bananen – en de visvijver, allemaal in de eerste plaats bedoeld voor eigen gebruik. Het overschot is voor de markt, in die volgorde. En ja, we worden er goed ontvangen.

Een klein Indiaas mirakel

'De stad is te lawaaierig, en veel te duur. Hier op het platteland is alles mooi, omringd door bergen. Als we iets nodig hebben, kweken we het zelf en gebruiken het voor onszelf.' (Dochter Baly Samy)

Ook in India is familiale landbouw een krachtige hefboom om welvaart te creëren. Ten zuiden van de miljoenenstad Bangalore, in het Dharmapuri district in Tamil Nadu, liggen vele dorpen waar het vroeger echt niet goed om te leven was. Hoor maar wat deze dorpsoudste te vertellen heeft: 'Hoe we vroeger leefden, kan enkel god begrijpen. We hadden niet genoeg kleren en niet genoeg water om te drinken. Om ons te kunnen wassen, moesten we twee of drie weken wachten. En als we honger hadden, konden we van niemand geld lenen om voedsel te kopen. Dan gingen we naar het bos om bladeren te halen om er ons weinige graan mee aan te vullen. We aten maar één maal per dag, meestal 's avonds; als er wat overschot was, aten we dat de volgende dag. Zo hadden we maar één echte maaltijd per dag.'

Hoe verschillend is nu het leven in het dorp van de familie Bala Samy, ver weg van de stad. De vader getuigt: 'Vroeger hadden we één oogst, nu we voor water hebben gezorgd, zijn dat er twee of zelfs drie en dus verdien ik meer. Zo kon ik mijn nieuwe huis bouwen, kocht ik enkele koeien en kan ik mijn dochter naar school laten gaan. Ik ben niet de enige, veel boerenfamilies hebben het nu veel beter.'

Vrouwengroepen spelen daarbij een doorslaggevende rol, meer dan mannengroepen. Moeder Baly Samy is er enthousiast over: 'Door bij een vrouwengroep te komen, kon ik een lening krijgen voor een waterput, voor een pomp, later voor het nivelleren van de grond, ook een lening voor de zijderups en voor kokosbomen en andere bomen, en nu gaat het veel beter met ons. Nu er water is, hebben we veel rijst en groenten, we kweken zijderupsen en andere nieuwe gewassen.'

Hun prestaties zijn indrukwekkend. Hun inkomens zijn vijf, zes keer en zelfs nóg groter geworden, zoals de buurvrouw van de familie Bala Samy vertelt: 'Vroeger was er één graanoogst per jaar. Zijderupsen kunnen we vijfmaal kweken. Met graan verdienden we ongeveer 40 euro per jaar. Nu verdienen we zowat 400 euro per jaar.'

Tijdens de opnamen voor *Short Cuts Of India* kon ik ervaren hoe sterk die vrouwengroepen voor hun belangen opkomen. Ze stoppen als het ware voor niets of niemand om hun ambities te realiseren. Op de vergadering gaat het er energiek aan toe. De vrouwen hebben hun zinnen gezet op het verkrijgen van leningen voor het bouwen of verbouwen van hun huizen. De een na de ander brengen ze hun argumenten naar voor. Ik durf wedden dat ze hun leningen zullen krijgen. En zo gebeurt wat maar weinigen verwachtten: deze dorpen winnen aan leefbaarheid en wervingskracht, voor oud en jong. Het is niet langer vreemd dat jongeren zoals dochter Baly Samy het dorp verkiezen boven de stad: 'De stad is te lawaaierig, en veel te duur. Hier op het platteland is alles mooi, omringd door bergen, als we iets nodig hebben, kweken we het zelf en gebruiken het voor onszelf. De stad is anders, overal gebouwen.'

Landbouw en economie, een verstoorde relatie

Misschien is dit landelijke leven niet waar de gemiddelde westerling van droomt. Doet dat er echter toe? Dit familiale boerenbestaan is een wijze van produceren en werken die vele mensen in staat stelt om in hun behoeften te voorzien en heel menswaardig te leven. Ik weet wel dat nogal wat economen twijfelen aan de efficiëntie van deze vooral lokale landbouw en al helemaal weinig enthousiasme aan de dag kunnen leggen voor zelfvoorziening. Dat zou economisch niet zo efficiënt zijn. Tot daar de theorie.

Misschien moeten ze dan eens uitleggen waarom deze landbouwers veel beter af zijn dan zoveel collega's die in de eerste plaats of soms zelfs uitsluitend katoen, aardnoten, graan of koffie voor de wereldmarkt telen? Misschien moeten ze dan eens heel kritisch – echt wetenschappelijk dus – naar hun definities en metingen van efficiëntie kijken?

Misschien kunnen ze dan ook eens verklaren waarom vele landbouwers, als ze de kans krijgen, kiezen voor een groot deel zelfvoorziening en niet voor volledige afhankelijkheid van de markt, en al helemaal niet van de wereldmarkt? Nochtans zou die handel hen volgens het economische boekje meer voordeel moeten opleveren... in theorie. Misschien waarderen deze economen veel te weinig de greep die deze mensen hebben op hun bestaan, hun onafhankelijkheid, de autonomie die ze koesteren omdat die hen veel beter welvaart weet te verzekeren.

Misschien kijken deze economen amper of zelfs niet naar het grote maatschappelijke nut van deze productiewijze, misschien is hun blikveld daar al te beperkt voor.

Een zwaar miskende schat

> Een landbouw die zorgt voor eten, werk, inkomen en zelfs sociale zeker-
> heid, wie wil die kapot?

Al te dikwijls is de familiale landbouw zo fel benadeeld en verdrukt dat hij maar moeizaam kan overleven. Maar in sommige streken heeft onze wereld gelukkig nog een bloeiende familiale landbouw. Daar bewijst hij zijn grote waarde. Hij zorgt ervoor dat miljoenen mensen goed kunnen eten en geen honger of ondervoeding lijden. Dikwijls heeft dat onmiskenbaar te maken met het zware accent dat hij op zelfvoorziening legt. Het is een activiteit waarvan het belang al te makkelijk onderschat wordt. Die familiale landbouw creëert heel wat werkgelegenheid en weet zo veel mensen aan een fatsoenlijk inkomen te helpen. De familiale landbouwers zijn talrijk, ze beschikken allemaal over wat land en dus over middelen van bestaan. Het zijn geen grootgrondbezitters die het grondbezit monopoliseren. Dat zorgt ervoor dat de inkomens nogal gelijk verdeeld worden. Zulke evenwichtige inkomensverdeling is dikwijls een recept voor een welvarende samenleving. Vrijwel niemand is er heel rijk, vrijwel niemand echt arm. Vooral dat laatste is belangrijk. Maar het eerste is wel nodig om het tweede mogelijk te maken. En als het fout gaat in de rest van de economie bewijst de familiale landbouw meer dan eens zijn extra nut. Zo fungeerde de Thaise landbouw tijdens de Aziatische crisis – eind jaren negentig van de vorige eeuw – als opvangnet, in een land waar sociale zekerheid onbekend is.

Begin 1998 ontmoet ik Niphapron Muengkom in haar dorp op zowat honderdvijftig kilometer ten noorden van Bangkok: 'Ik was telefoniste in Prapadang, nabij Bangkok, in de visnettenfabriek Siam Brother. Daarna vroegen ze me te komen werken in Ayutaya, in hun nieuwe fabriek. Maar na zeven maanden ging de fabriek dicht. Ik was werkloos. Ik kan nu geen geld meer geven aan mijn ouders. Om hen te helpen werk ik nu in de rijstvelden. Ander werk vind ik niet meer.'

De burgemeester van het dorp vult aan: 'De landbouwers zullen zeer goed moeten opletten en zuinig zijn. Ze zullen zelf groenten moeten kweken om in deze economische crisis in hun levensonderhoud te voorzien.'

Een landbouw die ervoor zorgt dat landbouwers kunnen eten, dat ze werk hebben, dat ze allemaal geld verdienen, dat ze goed kunnen leven en zelfs dat de samenleving een buffer heeft tegen economische schokken, wie wil die kapot? Niemand zou je zo denken, maar dan moeten we wereldwijd wel een beleid voeren dat kansen biedt aan zulke familiale landbouw. Dan moeten we de industriële landbouw, de agro-industrie en de grootdistributie beletten om de familiale landbouw te verdringen en zelfs kapot te maken. Dan moeten we eindelijk het belang inzien van lokale en regionale landbouw en daar de voorrang aan geven.

3. Voorrang voor lokale en regionale landbouw

'Hier stond een vat lampolie, de tapkraan was aan deze kant. Daarnaast bevond zich een vat aardnotenolie. Daar had ik goederen opgestapeld, suiker, in klontjes en los. Ik had ook rijst en daar stapelde ik dozen zeep op elkaar. In het armoedige regenseizoen verkocht ik ook graan. Hier was een kleine deur die ik afsloot. Op de toog stonden en lagen kookpotten, bokalen en touwen. En ik had een vitrine met eau de cologne en andere schoonheidsproducten. Daar was een touw gespannen en daarover hingen stoffen. Dit jaar heb ik mijn winkeltoog weggenomen want de muur van de winkel begon in te storten.' (Seydou Deme, Senegalese landbouwer en voormalig winkelier.)

In Boulidiama – amper een dorp, de hutten staan hier erg verspreid, heel veel mensen wonen hier niet – had Seydou vroeger zijn winkel. Ooit hadden de mensen in Boulidiama het goed, heel goed. Want zo'n goed gevulde winkel is alleen mogelijk wanneer de mensen geld hebben, wanneer er koopkracht is. Na een tijdje filmen ontdek ik dat er vroeger op maar een paar honderd meter van de winkel van Seydou nog een tweede, even rijkelijk voorziene winkel was.

Het is bijna onvoorstelbaar. Want in geen velden of wegen is in deze aardnotenstreek nu nog de vroegere welvaart te bespeuren. De oude winkelier vertelt: 'Ik gaf krediet aan mijn klanten. Door de droogte konden ze me niet terugbetalen. Toen ook de volgende oogst mislukte, vroegen ze toch nog krediet. Ik kon hen dat niet weigeren.'

Nooit zag Seydou zijn geld. De droogte van de jaren zeventig maakte zijn eens zo bloeiende zaak kapot en het ging van kwaad tot erger: 'Als familiehoofd gebruikte ik de kudde koeien om af en toe een dier te verkopen om de familie aan voedsel te helpen. Vorig jaar is de laatste koe verkocht.'

Zowat alles wat verkoopbaar was, is intussen verkocht. Dat is nu dubbel erg want de oogsten van vorig jaar raken op. De zoon, Amadou, vertelt ons zijn geheim: 'Dit is mijn schuur, hier bergen wij onze gierst-voorraad op. Daaruit nemen wij ons eten naarmate we het nodig hebben. Maar mijn voorraad gierst is volledig op. Wie met een ezel moet werken, oogst minder en dus was mijn schuur maar tot hier gevuld. Ik zit nu al tien dagen door mijn voorraad heen. En op de volgende oogst is het nog drie lange maanden wachten.'

Wanneer de landbouw wordt verraden

'Maar het gaat toch goed daar in de streek van Boulidiama. De mensen bewerken er de grond met een ploeg en een trekdier. Zo evolueert dat toch? Eerst werken de mensen met de hak, dan is er geld voor een kleine ploeg en een ezel als trekdier, later komt er een paard.'

Al te makkelijk bauwen mensen voorgekauwde meningen na, zoals ook deze reactie die ik kreeg van een Europese 'ontwikkelingsdeskundige' die al enkele jaren aan het werk was in deze regio. Ik vroeg of het nooit bij hem was opgekomen dat zich misschien wel het omgekeerde heeft afgespeeld, dat ooit hier iedereen het land bewerkte met een goede ploeg en een paard, dat de landbouw verkommerde, dat opbrengsten en inkomsten afnamen, dat het paard moest verkocht en vervangen worden door een ezel, dat men ook de ezel kwijtspeelde en er een moest huren, dat de ploegen al lang hun beste tijd hebben gehad, dat het leven van de landbouwers hier almaar verslechterde.

Nee, dat had hij duidelijk nooit gedacht.

En toch is dat de trieste werkelijkheid. De landbouw en het platteland verkommeren in vele landen doordat de steun van de overheid bijna volledig is opgehouden. De opleidingen, de bevoorradingscircuits van zaden of meststoffen, de toegang tot krediet, de verzekerde afname, een minimumprijs, dat alles bestaat niet meer of is sterk verminderd, of er zijn alleen nog administraties over zonder geld of middelen. Die overheden schermen hun binnenlandse of regionale markten niet af van de wereldmarkt en weigeren hun landbouwers elke bescherming. Ze moeten de buitenlandse concurrentie van de agro-industrie maar trotseren, de gesubsidieerde importen ook en, misschien het ergst van al, de dumping vermomd als voedselhulp. De verbazing daarover is soms groot omdat de plattelandsbevolking toch het overgrote deel van de bevolking uitmaakt en de landbouwers toch het grootste aantal kiezers vormen. Maar machthebbers vrezen meer de stedelijke bevolking die dichtbij is dan wie ver weg van de hoofdstad crepeert. En al te dikwijls heeft de kleine groep machthebbers persoonlijke belangen bij de invoer en verkoop van voedingsproducten. Ze liggen dus niet wakker van de belangen van de grote meerderheid van hun landgenoten. En er zijn ook nog altijd ambassadeurs van enkele grote landen of het IMF en de Wereldbank die hen tot 'betere' gedachten kunnen brengen. Hoe het ook gebeurt, het resultaat is in elk geval een miskenning van de rechten van de landbouw en van het platteland. De landbouwers en de plattelandsbewoners worden verraden.

Beweging voor een andere politiek

'Wij vragen respect van onze regering, wij die in dit land voor eten zorgen.' (Senegalese boerinnen, op de grote manifestatie in Dakar van 26 januari 2003)

Bij zoveel onrecht komt het platteland in beweging. Begin 2003 kunnen we een unieke mobilisatie filmen, in een dorpje op maar enkele tientallen kilometer van Boulidiama. Dorpelingen verzamelen zich daar om te vertrekken. In honderden dorpen vullen zich busjes en bussen met landbouwers. Dit is de grote dag. Ze trekken naar de hoofdstad Dakar om aandacht te vragen voor hun problemen en voor wat zij willen. Zij willen hun regering vertellen wat er scheelt, ze willen duidelijk maken dat ze respect verwachten voor wie in dit land voor eten zorgt. Op weg naar de hoofdstad, een lange rit, zit de sfeer er al goed in. Eén van de vrouwen zingt in de camera: 'Jullie blanken, we hebben altijd gewerkt, maar zonder de vruchten ervan te plukken. Wat denkt u daarvan? We bewerkten altijd het land maar we zijn nog altijd arm en vermoeid.'

Een andere vrouw declameert: 'Senegalezen, vrouwen en mannen. Wij arme boeren, wij werkers zonder uren. Wij die ondervoed zijn, wij praten met u. Wij vragen dat u zou denken aan ons, landbouwers.'

Eindelijk bereiken ze het grote stadion in Dakar. Deze mensen hebben geen of weinig geld, hun organisaties hebben vrijwel geen middelen, en toch zijn ze met dertigduizend hier geraakt. Initiatiefnemer van deze manifestatie is de boerenbeweging CNCR, de Conseil National de Concertation et de Coopération des Ruraux. Hun leider, Samba Gueye, spreekt de massa toe en brengt een duidelijke boodschap voor de regering: 'Sinds de onafhankelijkheid is er nog nooit zo'n manifestatie geweest, niet in Senegal, zelfs niet in Afrika. Wij verzetten ons tegen elke politiek die geen voorrang geeft aan de landbouwers.'

Er zijn ook boodschappen voor de rijke landen, dat ze moeten ophouden met hun oneerlijke concurrentie, o. a. van Ndiogou Fall: 'Uien uit Nederland en Frankrijk beletten onze boeren de hunne te verkopen. Door die concurrentie stoppen elk jaar boeren ermee, en ze migreren.' Zijn verklaring wordt aangevuld door Saliou Sarr: 'Rijke landen steunen hun landbouw en dat recht hebben ze. Wat wij vragen is een goede bescherming van onze landbouwers.'

Enkele Europese boerenleiders zijn eveneens in Dakar. Ze luisteren aandachtig en beklemtonen de gemeenschappelijke belangen wanneer ze het woord voeren in het immense stadion. Uit Frankrijk is er Dominique Chardon: 'Er is geen landbouw mogelijk in een liberaliserende wereld die vernietigt en de zwaksten aan de kant schuift.'

Pierre Ska, uit Wallonië, valt hem bij: 'Stop de prijsvorming op de wereldmarkt die de boeren overal verarmt.'

De mensen op de tribunes genieten van hun toespraken.

Hoog in de tribune vinden we de bekendste Senegalese boerenleider, Mamadou Cissokho. Hij is in zijn nopjes: 'De Europeanen hebben begrepen dat men niet eindeloos kan subsidiëren, de Europese boeren hebben dat begrepen. Samen ambiëren we nu duurzaamheid in de landbouw. We willen een menselijke landbouw, een kwaliteitsvolle, die het recht van elke samenleving om zichzelf te voeden respecteert.'

Ook de vrouwen waarmee we naar Dakar reisden, zijn optimistisch: 'Wat ik vooral voel, is tevredenheid. Ik ben heel gelukkig dat de opkomst in dit stadion zo indrukwekkend is.' En wat verder op de banken klinkt het: 'Met zovelen dezelfde motivatie hebben, wekt de hoop dat er verandering komt.'

De Senegalese boeren en vooral boerinnen hebben voor de eerste maal heel luid gesproken, in de hoop dat er eindelijk naar hen wordt geluisterd.

De gemakkelijkheidsoplossing

> In de grote landbouwexportlanden loopt het anders, maar al even desastreus voor de meeste kleine en familiale boeren.

Dat de arme en familiale boeren in onze wereld snel een aandachtig oor zullen vinden, is niet zo zeker. In de hoofden van vele beleidsmakers hebben zich de opvattingen genesteld dat er veel te veel landbouwers zijn en dat hun landbouw niet efficiënt, te weinig productief, verouderd en ten dode opgeschreven is. Het is tijd om te kiezen voor een moderne landbouw, voegen ze er dan meestal aan toe. Althans, zo spreken ze op het publieke forum, want zelden volgen er echte daden op die woorden. Het is waar, vele landbouwers zijn niet zo productief. Wij kennen ook de oorzaak. Zij hebben de nieuwe agrarische revolutie gemist. Zij waren gewoonweg te arm om op de trein van de industriële landbouw te stappen. En terwijl in sommige landen overheden boeren hebben geholpen om die trein achterna te reizen, hebben de meeste landen hun boeren in de steek gelaten. Het is al even waar dat er zeker in Afrikaanse landen boeren te veel zijn. En dat is niet eens zo erg. Want die samenlevingen kunnen elders goede werkkrachten gebruiken. Ze hebben een grote behoefte aan leerkrachten, ondernemers, verplegers, personeel voor kleine en grote fabrieken, informatici, enzovoort. Maar is het dan verstandig alles in te zetten op de moderne landbouw? Want wat wordt daar werkelijk mee bedoeld? Al te dikwijls wordt modern gelijkgeschakeld met exportgericht. Al te makkelijk is modern synoniem van het stelselmatig verdwijnen van landbouwers. De minst productieven moeten eruit, steeds opnieuw… Maar tot wanneer? Want na elke uitdunning zijn er altijd opnieuw *minst productieven* tot je bijna geen of zelfs geen boeren meer overhoudt. Al te duidelijk is dat we *modern* moeten begrijpen als: maak de weg vrij voor grote concentraties van macht, de macht van grootgrondbezitters, van handelsmonopolies, van multinationale voedingsproducenten en uiteindelijk van mondiale distributeurs. Men kan horen dat dit vrijhandel is, maar daar heeft dit eigenlijk weinig mee te maken. We hoeven maar even te herinneren aan wat we weten van Brazilië. In dat vruchtbare land viert de exportlandbouw en de agro-industrie hoogtij: koffie, graan, soja, vlees en straks nog meer energiegewassen, alsof het niet op kan. Maar de honger van tientallen miljoenen

Brazilianen raakt niet gestild, kleine boeren en landlozen krijgen geen plek onder de zon en het schijnbaar onuitputtelijke natuurlijk kapitaal riskeert in enkele decennia opgesoupeerd te worden.

Een grove vergissing

De verdedigers van dit soort modernisering vergissen zich. Ze vergissen zich omdat het niet zozeer om modernisering gaat als wel om het inpikken van de landbouw voor de belangen van heel weinigen, voor enkele economische groepen en hun aandeelhouders. Ze vergissen zich omdat deze weg van de agro-industrie, die zich vooral toespitst op de uitvoer naar de rest van de wereld, veel te weinig welvaart schept, niet op het platteland en ook niet in de steden op het platteland. Ze vergissen zich vooral omdat de familiale landbouw beter presteert.

Eigenlijk is het intriest dat de wereld al meer dan zestig jaar weet dat de grootschalige industriële en exportgerichte landbouw zowel de landbouwers laat uitsterven als de naburige steden. Dat bleek al uit onderzoek dat in de jaren veertig van de vorige eeuw werd verricht in Californië. Maar waar de familiale landbouw bloeit, floreren ook de omliggende steden. Want die familiale landbouw spendeert zijn inkomen vooral in eigen streek.

In zijn boekje *Food Is Different* vat Peter Rosset die al lang verworven kennis als volgt samen: 'Waar vooral familiale bedrijven voorkomen, zijn er meer lokale handelszaken, meer aangelegde straten en trottoirs, meer scholen, parken, kerken, clubs, kranten, een betere dienstverlening, een hogere werkgelegenheid en een grotere participatie van burgers aan het gemeenschapsleven.'

Wat dit betreft, is de wereld sindsdien niet veranderd, zo bevestigen ook latere studies. En wie niet genoeg heeft aan studies, kan eens gaan kijken in Honduras of Brazilië of in zoveel andere landen. Nog altijd creëert de agro-industrie sociale woestenijen. Nog altijd leidt een bloeiende familiale landbouw tot vitale samenlevingen, tenminste daar waar een gehandicapte familielandbouw nog niet volledig de keel is dichtgeknepen.

Is dit een pleidooi tegen modernisering? Natuurlijk niet, wel voor een modernisering op maat van de familiale landbouw, die zelf haar modernisering in handen neemt.

De familiale landbouw werkt vooral voor de lokale en de regionale markt

'In het Braziliaanse dorp Julho de Castilhos bezitten voormalige landlozen nu 0,7 procent van de grond. Vandaag al betalen ze vijf procent van de gemeentebelastingen.' (Uit Rosset, Peter, *Food Is Different*, p. 11)

We zagen het al in het vorige hoofdstuk wanneer we kleine boeren bezochten in het Braziliaanse Paraná en het Indiase Tamil Nadu. Een cruciale vaststelling is dat de familiale landbouw vooral of uitsluitend voor de lokale en de regionale markt werkt. En wanneer hij die kansen krijgt levert hij ronduit indrukwekkende prestaties. Nog eens Peter Rosset: 'In heel de wereld bewijzen studies dat kleinere boerderijen die produceren voor de lokale en nationale markten productiever en efficiënter zijn, meer werkgelegenheid creëren, in grotere mate bijdragen aan sociale welvaart en economische ontwikkeling en beter zorgen voor het milieu dan de grote, industriële exportbedrijven.'

Afschermen, die handel

'WTO kills farmers!'
'WTO, out of agriculture!'
(Boeren betogen tegen de Wereldhandelsorganisatie in Hongkong, december 2005.)

Er is geen twijfel mogelijk: wie het goed voor heeft met het leven op het platteland en de erbij horende steden, die kiest voor de familiale landbouw. Die raakt ervan overtuigd dat het nodig is om de lokale en regionale markt voldoende af te schermen. Zo schep je een goede voedingsbodem waarop de boeren voor het aanzwengelen van de algemene welvaart kunnen zorgen. Die weet dat de wereldhandel zich tevreden zal moeten stellen met een beperktere plaats. Die beseft dat de wereldmarkt geen onleefbare prijzen kan dicteren voor alle boeren.

Herinnert u zich nog dat in Kameroen een verwoestende stortvloed van importkippen die tot 2003 aanhield meer dan honderdduizend arbeidsplaatsen kostte? Doorgaans moeten de boeren de zware gevolgen maar zien te verteren, hoe moeilijk dat ook is. Deze keer loopt het anders. Hun regering blijft niet werkloos toezien. Onder druk van een grootschalige petitieactie van de Kameroense organisatie Acdic grijpt ze in. Er komt een invoerheffing, btw en zelfs een minimumprijs. Daardoor valt de internationale kippentrafiek naar Kameroen vrijwel stil en kan de lokale markt heropbloeien. Het is een positief verhaal, al is het oude niveau nog lang niet opnieuw bereikt.

Wie voorrang wil geven aan lokale en regionale landbouw, zal moeten afrekenen met de Wereldhandelsorganisatie, en zal vooral strijd moeten leveren tegen al wie die WTO gebruikt als hefboom om de almaar verdergaande vrijmaking van de wereldmarkten voor landbouw en voedsel te forceren. En hetzelfde geldt voor de bilaterale handelsakkoorden die de VS nastreeft of de regionale handelsakkoorden die de Europese Unie nastreeft, de *Economic Partnership Agreements* (EPA's) die de EU voorstelt aan de 77 zogenaamde ACS-landen uit Afrika, de Caraïben en de Stille Oceaan.

De fundamentele kwestie daarbij is dus niet dat Europa of de Verenigde Staten hun landbouw beschermen. Veel meer rijst de vraag waarom de regeringen van Zuid-Amerika, West-Afrika en andere regio's geen lokale, nationale en regionale landbouwmarkten opzetten om hun boeren van een fatsoenlijk bestaan te verzekeren. Deels komt dat doordat ze het niet willen, deels doordat ze het niet mogen omdat vrijhandel primeert.

'De grote meerderheid van de landbouwers in de wereld is tegen de WTO regels.' (Ndiogou Fall, boerenleider Roppa, Hongkong 2005)

Het is daarom dat Ndiogou Fall tijdens een betoging tegen de WTO in Hongkong kort en goed de opvatting verdedigt dat de Wereldhandelsorganisatie zich niet met de boeren mag bemoeien. Er is inderdaad veel voor te zeggen dat landbouw en voedselproductie niet het terrein zijn van een mondiale handelsorganisatie. Want het gaat om zoveel meer dan handel.

4. Van wie is de grond?
En de andere productiemiddelen?
De noodzaak van grondverdeling en de strijd voor land(bouw)hervormingen

Meer dan eens heb ik kunnen ervaren dat, hoe verarmd en uitgebuit de Afrikaanse landbouwers ook zijn door de huidige wereldeconomie, zij een rustgevende kracht blijven putten uit hun autonomie. Wat er ook mag gebeuren, een staatsgreep, verregaande corruptie of een crashende wereldmarkt, nog altijd kunnen ze terugvallen op hun gronden en hun economie om te (over)leven. Ze zijn materieel extreem arm maar toch onafhankelijker en vrijer dan wie bij ons voortdurend de dag vreest waarop de baas hem tot ontslag zal dwingen, een baas die al evenzeer als hijzelf op een schopstoel zit.

Soms zijn de zaken simpel. Zo kunnen landbouwers maar leven indien ze kunnen beschikken over voldoende landbouwgrond. Maar met alleen maar grond komen ze er niet, dat is net iets te simpel. Grond is een noodzakelijke maar geen voldoende voorwaarde. Landbouwers hebben meer nodig, daarover hebben we het straks.

Van wie is de grond?

In 1980 was er per landbouwer 1,35 hectare grond ter beschikking. In 2002 is dat verminderd tot 1,16 hectare. Dat is natuurlijk het gemiddelde per landbouwer en dan nog voor de hele wereld.

Laten we nog wat meer in gemiddelden duiken. In de rijke industrielanden heeft iedere landbouwer nu ruim vijfentwintig hectare, dat is vrijwel het dubbele ten opzichte van 1980.

Een landbouwer in een ontwikkelingsland moet het doen met maar 0,70 hectare, dat is zelfs tien procent minder dan in 1980. Dit verbergt vanzelfsprekend nog grote regionale verschillen, van 0,39 hectare in Zuidoost-Azië tot 3,88 in Latijns-Amerika en de Caraïben.

Maar de belangrijkste verschillen zijn wellicht die in de verschillende landen en regio's.

> We bereiken de noordkust van Honduras, het land van de Garifunas. Hun voorouders waren Afrikanen en indianen. De weg naar Vallecito is lang en vooral moeilijk berijdbaar. Maar we vinden uiteindelijk de mensen met wie we hebben afgesproken.
>
> 'Twee jaar geleden bezette een landeigenaar al onze gronden. Tachtig gewapende mannen zijn hier binnengevallen. Dat stuk grond was klaargemaakt voor maniok, ons basisvoedsel. Met zijn machines vernielde hij de maniok en hij plantte er Afrikaanse palm.'
>
> Aan het woord is Lombardo Lacayo. Naast tal van discriminaties hebben de Garifunas, net als zovele andere Hondurese kleine boeren, last van opdringerige grootgrondbezitters. Een van de grootste landeigenaars pikte heel wat van hun land in.

Op vele plaatsen gaapt er een grote tot bijna onvoorstelbare kloof tussen rijke en arme landbouwers. Niet alleen beschikken de rijke landbouwers over de meeste gronden, ze hebben ook vrijwel altijd de beste gronden. In Brazilië bezit één procent van de bevolking nu zevenenveertig procent van het land. Dat is dus zowat de helft. Vooral in Latijns-Amerika is de grond heel ongelijk verdeeld. Het is een koloniale erfenis die blijft doorwerken. Tal van zogenaamde landbouwrevoluties in de jongste honderd jaar hebben daar in de meeste landen geen verandering in gebracht. De kwaal van het grootgrondbezit is ook terug te vinden op andere continenten. Die oude ongelijkheid valt nu samen met een internationale *ratrace*. Overal zijn de landbouwers nu verwikkeld geraakt in een overlevingsstrijd op het scherp van de snede. Ze zijn te zeer overgeleverd aan de wereldmarkt en die gunt hun maar een uiterst karige beloning. Vooral de arme landbouwers – dat is het overgrote deel – kunnen daar niet van overleven. En vrijwel nooit zijn ze in staat om te investeren in een grotere en betere productie. Ze kunnen meestal niet aanpikken bij de moderne landbouw. En zelfs wie dat in eerste instantie wél kan, bijt zich later vaak de tanden stuk op de zware uitgaven voor zaaigoed, mest, irrigatie... als de oogsten wat minder zijn of zelfs eens mislukken, of wanneer de prijzen de dieperik ingaan. Zo zien ze zich gedwongen de strijd te staken en hun land te verkopen. En zo concentreert de grond zich almaar verder in almaar minder handen.

Denk niet dat dit proces zich alleen afspeelt waar de traditionele landbouw in ademnood geraakt.

> Zelfs in Punjab, het kerngebied van de groene revolutie in India, moeten boeren de rol lossen. Zij kunnen de hoge investeringen niet meer aan en raken hun land kwijt. Meer dan eens komt daar zelfmoord van.

Er zijn nog andere nefaste gevolgen van het grootgrondbezit. Door de ongelijke verdeling van de grond blijft die op de meeste plaatsen zwaar onderbenut. Grootgrondbezitters gebruiken hun land vaak extensief, gebruiken uiterst vruchtbare landbouwgrond bijvoorbeeld alleen maar om er vee op te laten grazen of laten hele stukken jaren braak liggen. Kleine en middelgrote boeren en boerinnen springen dikwijls veel efficiënter om met hun stukje grond en gebruiken het intensiever. De opbrengstverschillen kunnen dan ook bijzonder groot zijn. Bovendien produceren grootgrondbezitters dikwijls gewassen die op de wereldmarkt belanden en brengen ze dus geen voedsel op de lokale markt.

Landlozen

> 'We kwamen aan om middernacht met ongeveer vijfenveertig vrachtwagens. We kenden niemand en we konden elkaar niet zien. Er vielen schoten, het regende hard en het zat overal vol met mierennesten, het was echt onze geluksdag.' Luz Emerita Zunig moet lachen als ze eraan terugdenkt. Bertilio Fernandez vult aan: 'De schoten kwamen van de veeboeren die dat stuk grond opeisten.'

Het verre oosten van Honduras is een streek van veeboeren. De strijd om de grond verloopt er niet echt zachtzinnig. Op 14 mei 2000 bezetten vijfduizend landloze boeren een stuk land van wel zesduizend hectare. En geregeld komen er nog bezetters bij. Wanneer we filmen aan de ingang van het bezette terrein komt er net een nieuwe familie aan bij de wachtpost.

'Waarom komen jullie naar hier?'

Het antwoord is kort en ontnuchterend: 'De broer van mijn man is vermoord.'

Mensen zoals deze vrouw en haar metgezellen zijn op zoek naar een beter leven met meer zekerheid. Ook Bertilio Fernandez die vanaf het begin deelnam aan deze grondbezetting hoopt daarop: 'Ik werkte in een varkensboerderij. De hele familie werkte daar maar alleen ik kreeg een loon, 75 euro per maand. We zijn naar hier gekomen omdat we geen eigen woning of grond hebben. We hopen hier aan grond te geraken om hem te bewerken.'

De bezetters hebben al hun hoop gevestigd op dit vruchtbare gebied. Vroeger was het een militair opleidingscentrum. Maar de gronden lagen braak en dus mogen ze bezet worden. Maar ze willen meer, licht Carlos Obdulio Suazo toe: 'We vechten voor eigendomstitels op de grond en misschien zal dat voor tachtig procent van deze gronden ook lukken.'

Een te zeldzaam positief geluid. Want de wereld telt vele landlozen, meestal verarmde boeren. Grootgrondbezit speelt daarbij een hoofdrol, een vuile rol. Grootgrondbezit veroorzaakt vooral in Latijns-Amerika maar ook op andere continenten miljoenen landlozen en berooft hen van werk en inkomen. Zij zijn de eerste slachtoffers van het gebruik van de grond voor exportgewassen. In Brazilië alleen al wordt hun aantal geschat op vier en een half tot vijf miljoen mensen. Bewegingen van landlozen ijveren voor de verdeling van de grond om armoede en ongelijkheid te bestrijden. De bekendste landlozenbeweging is ongetwijfeld Sem Terra uit Brazilië, de Beweging van Landloze Landarbeiders (MST).

De grond ... voor wie hem bewerkt

> Wie door Brazilië reist, maakt een goede kans om ze tegen te komen, de kampementen van Sem Terra, heel dikwijls langs grote wegen. Heel opvallend is de zwarte plastic die de landlozen beschutting moet bieden.

Grond, bos, weide, water, aan wie horen al die productiefactoren toe? Er valt veel te zeggen voor de opvatting dat ze toehoren aan wie ze duurzaam bewerkt of gebruikt. Dat is ook de filosofie van Sem Terra en van vele andere boerenbewegingen.

Het verhaal van Sem Terra verdient enige extra aandacht. De beweging zou om en bij de één miljoen leden tellen. Ze kiest resoluut voor landbezettingen om haar gelijk te halen en doet dat consequent op geweldloze wijze, zelfs al zijn vele honderden bezetters vermoord. Al meer dan twintig miljoen hectare heeft ze zo verworven. Op tal van nederzettingen krijgen landlozen de kans om een boerenleven uit te bouwen. Soms lukt dat vrij goed, soms maar heel moeizaam. De leden van Sem Terra hameren op het wettelijke karakter van hun optredens. Zij dwingen alleen de landverdeling af die door de Braziliaanse wet is toegestaan. En die actieve, geweldloze strijd is nodig om hun doel te bereiken. Want zelfs onder de socialistische president Lula vordert de verdeling van de gronden maar traag, heel traag.

Landverdeling is essentieel maar onvoldoende

Landverdeling is essentieel om familiale landbouw kansen te geven. En meest van al is die verdeling nodig overal waar de grond al te ongelijk is verdeeld. In alle rijke landen, in Noord-Amerika, Europa en Oost-Azië, treffen we vooral stevige familiebedrijven aan en valt de afwezigheid van massaal grootgrondbezit op. De grond van de boeren die ermee stoppen wordt nogal gelijk over de overblijvende boeren verdeeld. Zo blijft de concentratie van grond al bij al beperkt.* Terwijl Latijns-Amerika er maar niet in slaagt het immense probleem van het grootgrondbezit aan te pakken, is dat in Taiwan én in Zuid-Korea al enkele generaties lang een feit. Dat gebeurde vóór hun industrialisering, wat al te makkelijk wordt vergeten. Landverdeling zou zelfs een sleutel tot economisch succes kunnen zijn. Nationale of regionale landbouwmarkten zonder overdreven grondconcentratie zijn zeker een sleutel tot een leefbaar platteland, tot een menswaardig en vrij evenwichtig verdeeld inkomen voor de plattelandsbevolking en deels zelfs tot een succesvolle industrialisering waarvan de vruchten niet alleen door een minderheid worden geplukt. Wie zo'n familiale landbouwbedrijvigheid niet doodknijpt, verzekert zich van voedselbevoorrading en van een koopkrachtige interne markt. Ongenuan-

---

* In de Verenigde Staten stoppen intussen wel zoveel familiale boeren ermee dat de vrijgekomen grote oppervlakten een evolutie naar opkomend grootgrondbezit voeden.

ceerde voorstanders van liberalisering manifesteren een opvallende blindheid voor dit aspect van economisch succes dat niet past in de visie waarin enkel ongeremde liberalisering tot meer welvaart zou leiden.

Geen landverdeling zonder landbouwhervorming

Maar landverdeling alleen is niet genoeg. We weten immers dat de landbouwers in een wereld vol afhankelijkheden zijn beland. Bijna alles wat ze nodig hebben om te boeren, moeten ze elders vandaan halen. En ook de verkoop van hun opbrengst hebben ze al te weinig in eigen handen. Ze zitten gekneld tussen wat we in hoofdstuk IV.6 de multinationals van input en output hebben genoemd. Kleine en familiale landbouwers hebben meer nodig dan grond om succesrijk te zijn. Ze hebben zaden nodig, mest, werktuigen, soms machines, ook al eens bestrijdingsmiddelen, irrigatiesystemen indien mogelijk. Eigenlijk komt het er veelal op neer dat ze aan krediet moeten kunnen geraken. Daarmee kunnen ze dan investeren in een verbetering, een verhoging of een modernisering van hun landbouwproductie. Zo kunnen ze ook moeilijke perioden overbruggen. Dikwijls blijkt dat ze daarvoor over meer of andere expertise moeten beschikken. Ook die kennis moet beschikbaar en het liefst makkelijk te verwerven zijn.

Landbouwers moeten hun producten ook kunnen afzetten. Ze moeten hun productie verkocht krijgen: er zijn opslag, transport, opkoop- en ophaalsystemen nodig. Deze ondersteuning is in de meeste landbouwgebieden niet of maar gebrekkig aanwezig. Er dringt zich daarom een echte landbouwhervorming op die oplossingen biedt voor deze problemen en de boeren een betaalbare en faire toegang garandeert tot wat ze nodig hebben aan middelen, geld, kennis en afzetmarkten. Want één ding is duidelijk. Elke landverdeling zonder een drastische landbouwhervorming is gedoemd om te mislukken.

Meeste overheden verwaarlozen landbouw

Daarom is het dus nodig dat landen voldoende investeren in hun landbouw. De realiteit is jammer genoeg heel anders, zo leren de volgende tabellen. In tabel 12 zien we hoe de publieke uitgaven voor de landbouw evolueren in de continenten waar nog aanzienlijk tot zelfs heel veel mensen landbouwer zijn. Overal dalen die uitgaven fors. In Afrika gaan ze van laag tot nog lager, in Latijns-Amerika storten ze in elkaar en in Azië stellen ze toch nog iets voor.

Tabel 12: evolutie aandeel van landbouw in publieke uitgaven van Afrika, Azië en Latijns-Amerika 1980-2002

	1980	1990	2002
Afrika	6,4 %	5,2 %	4,5 %
Azië	14,8 %	12,2 %	8,6 %
Latijns-Amerika	8,0 %	2,0 %	2,5 %

Bron: Wereldbank

Men zou kunnen opmerken dat die daling normaal is omdat er relatief minder landbouwers zijn en omdat het aandeel van de landbouw in de economie afneemt. Dan is het nuttig voor een aantal landen die cijfers naast elkaar te zetten. Want zo blijkt hoe de boeren bijna overal schromelijk worden verwaarloosd in verhouding tot hun aantal én tot hun prestaties. In tabel 13 hebben we enkele cijfers verzameld per continent.

Vooral in vele Afrikaanse landen loopt het grondig mis. De regeringen van Kameroen, Burundi of Soedan liggen allerminst wakker van hun landbouw of het platteland terwijl het respectievelijk om zeventig, tachtig en zelfs ruim negentig procent van hun bevolkingen gaat. En alhoewel ze zorgen voor 40 tot 50 procent van het nationaal inkomen, kunnen ze maar rekenen op minder dan twee procent van de uitgaven van hun overheden, in Soedan zelfs niet eens één procent. Kenia doet het amper beter en ook Zambia scoort slecht. Enkel Burkina Faso laat zich positief opmerken.

In Latijns-Amerika is het niet echt beter. Brazilië besteedt in 1998 amper 1,7 procent van zijn publieke uitgaven aan landbouw terwijl die sector toch goed is voor 10 procent van het nationaal inkomen en 20 procent van de Brazilianen werk biedt. Colombia doet nog slechter.

Tabel 13: selectie voor enkele landen van waarde landbouwproductie, aandeel werkende bevolking in de landbouw en aandeel publieke uitgaven voor landbouw

land	Aandeel waarde land-bouwproductie in bnp *	Aandeel landbouwers in werkende bevolking **	Aandeel van landbouw in publieke uitgaven
Afrika			
Burkina Faso	31 % (2004)	90 % (2000)	17,2 % (2002) ****
Burundi	51 % (2004)	93,6 % (2002)	1,8 % (1999) ***
Kameroen	44 % (2004)	70 % (2006)	1,6 % (2002) ****
Kenia	27 % (2004)	75 % (2003)	4,6 % (2002) ****
Soedan	39 % (2004)	80 % (1998)	0,9 % (1999) ***
Zambia	21 % (2004)	85 % (2006)	5,9 % (2002) ****
Azië			
China	13 % (2004)	45 % (2005)	7,2 % (2002) ****
India	21 % (2004)	60 % (2003)	15,9 % (2002) ****
Indonesië	15 % (2004)	43,3 % (2004)	2,3 % (2002) ****
Zuid-Korea	4 % (2004)	6,4 % (2006)	12,8 % (1997) ***
Latijns-Amerika			
Brazilië	10 % (2004)	20 % (2003)	1,7 % (1998) ***
Colombia	12 % (2004)	22,7 % (2006)	1,2 % (1999) ***

Bronnen: * Wereldbank ** CIA *** FAO (meest recente cijfers die bij FAO te vinden zijn) **** Fan en Saurkar

Het kan ook anders. Dat bewijzen vooral enkele Aziatische landen, en niet
van de kleinste. China geeft 7,2 procent aan landbouw, voor een kleine
helft van de werkende bevolking. Dat is al een merkelijk verschil met de
meeste Afrikaanse en Latijns-Amerikaanse landen. India doet nog flink
beter met 15,9 procent van de publieke uitgaven voor 60 procent van de
werkenden. Helemaal opvallend is het sterke industrieland Zuid-Korea
dat bijna 13 procent van zijn overheidsbudget richting landbouw stuurt
terwijl die slechts 6,4 procent van de werkgelegenheid levert. Indonesië
valt hier uit de toon en vertoont sterke *Afrikaanse* trekken met amper 2
procent publieke uitgaven voor 43 procent van de werkenden.

Een fundamenteel debat: hoe produceren en hoe verdelen?

Achter deze noodzaak van een landbouwhervorming schuilt een ruimer debat. Fundamenteel gaat het over wie de zeggenschap heeft over
de natuurlijke hulpbronnen, over wie de productiemiddelen controleert, de kennis ook, en de verkoop van de landbouwopbrengst die niet

voor eigen gebruik is bestemd. Misschien nog beter is het om te vragen hoe we, ook voor voedsel en landbouw, de creatie en de verdeling van welvaart het best organiseren. De volgende hoofdstukken van dit boek hebben allemaal te maken met deze vraag en met dit debat. Hieronder zoomen we al in op één cruciaal facet ervan.

De zeggenschap over natuurlijke rijkdommen

Voor grote delen van de bevolking op het platteland geldt de volgende regel: wanneer die mensen en gemeenschappen zeggenschap hebben over de natuurlijke rijkdommen waarvan zij altijd al hebben geleefd, beschikken zij meteen ook over de nodige middelen van bestaan. Daarmee kunnen zij de nodige welvaart voortbrengen, die welvaart kan ook verdeeld worden en de basisbehoeften van iedereen bevredigen. Die bevrediging kan rechtstreeks gebeuren – als men voor de eigen consumptie produceert – of door ruil met wat anderen voortbrengen of door verkoop van een deel van de eigen opbrengsten en de aankoop van andere goederen of diensten die men nodig heeft. Maar altijd is hun zeggenschap essentieel om dat alles te garanderen. Daarom strijden velen tegen de privatisering en de verhandeling van die natuurlijke hulpbronnen en voor het gemeenschappelijke eigendom ervan. Zij willen de primaire hulpbronnen aan de markt onttrekken en komen op voor het publieke karakter ervan. Ze willen dat die hulpbronnen toegankelijk blijven voor iedereen. Daardoor willen zij de productie en de verdeling van heel wat levensnoodzakelijke producten verzekeren en het mogelijk maken dat in de basisbehoeften van de grote massa van de wereldbevolking wordt voorzien.

Een goede illustratie hiervan is de zaadkwestie.

Van wie zijn de zaden?

'Activisten bij ons zijn tegen de genetische wijziging gekant omdat de zaden worden verkocht door de rijke landen en wij onze eigen traditionele zaden verliezen.' (Vincent Monohatan, India.)

Er valt niet te boeren zonder zaad. Zover reikt zelfs de kennis van vele grootstadsbewoners.

Maar de tijd is lang voorbij dat de boeren zelf voor eigen zaad zorgden. Hoe gaan we om met het quasi zaadmonopolie dat multinationale bedrijven zoals Monsanto en Dupont de jongste tientallen jaren hebben verworven? Zij hebben de boeren in een wel heel afhankelijke situatie gemanoeuvreerd. En de introductie van genetisch gewijzigde gewassen vergroot hun machtspositie nog.

Er rijzen in elk geval vragen over het eigendomsrecht op zaden en op nieuwe biotechnologische uitvindingen in het algemeen. Heel wat boerenbewegingen kanten zich daarom ronduit tegen genetisch gewijzigde gewassen. Zij spreken zich uit voor een verbod ervan en willen ook het patenteren van elke vorm van leven verbieden om meer dan een reden. Economisch wijzen ze op de dreigende machtsconcentratie bij een handvol multinationals die het patenteren van nieuwe gewassen met zich mee zal brengen. Onder meer onder boeren in India is dit verzet heel levendig. Het zint hen evenmin dat zij collectief gedurende tientallen generaties gewerkt hebben aan de selectie en het cultiveren van de beste gewassen… en het resultaat van dat werk nu het eigendom zou kunnen worden van een privébedrijf. Zoiets vinden ze diefstal. Sociaal is er natuurlijk de dreiging van een zoveelste rem op gelijke kansen tussen de mensen. Als deze gewassen het eigendom zijn van multinationals die al grossieren in zaden, meststoffen en pesticiden, zal de verdeling van de opbrengsten, van de welvaart nog ongelijker worden. Dit is een snelweg naar een zo mogelijk nog ongelijker inkomensverdeling in de wereld.

Of we het nu eens of oneens zijn met een verbod op genetisch gewijzigde gewassen, we kunnen maar moeilijk alle zaden verbieden. Welke oplossingen dienen zich dan aan?

Kennis van plant en dier als publiek goed

Er is eigenlijk geen enkele gegronde reden waarom onderzoek naar zaden, naar plant en dier, zou moeten wegvloeien naar de privébedrijven, inclusief de bijbehorende patenten en de potentiële financiële winsten want daar is het hen om te doen. Dat onderzoek kan evengoed gebeuren in publieke universiteiten en researchinstituten. Een mogelijkheid is dus dat onze overheden daarin meer investeren, met het gevolg – én als voorwaarde – dat dan het werk van die publieke instituten ook publiek eigendom moet zijn. Voor de kennis van sommige planten is dat trouwens nog altijd het geval. Het is noodzakelijk dat politici hun verantwoordelijkheid nemen en in het algemeen belang de vooraanstaande plaats van publiek onderzoek en publieke kennis inzake zaden herstellen. Liefst zouden we erin moeten slagen om dit mondiaal wat te coördineren, bijvoorbeeld door de Voedsel- en Landbouworganisatie van de Verenigde Naties (FAO). In afwachting of daarnaast – beide interpretaties zijn mogelijk – bewandelen boeren nog een andere weg om de kennis van planten publiek te houden. Zo is in Frankrijk in 2003 het Réseau Semences Paysannes ontstaan. Dat plattelandsnetwerk van zaden wil de biodiversiteit bewaren. Die is nu fel bedreigd door de oprukkende industriële landbouw. Een aantal boeren nemen hun lot opnieuw in handen door hun eigen zaden of plantjes te produceren. Daarmee zou hun afhankelijkheid van de grote zaadbedrijven kunnen verminderen. Vanzelfsprekend is het niet: hoewel ze doen wat hun voorouders altijd al hebben gedaan, bevinden ze zich in de illegaliteit. Want om zaad of plantjes te verhandelen of zelfs gratis uit te wisselen moeten die ingeschreven zijn in de algemene catalogus. En die werkwijze is helemaal op maat geschreven van industriële zaadbedrijven: de inschrijvingskost voor een graansoort is 15.000 euro, voor een groentesoort 4.000 euro.

5. Een leefbare prijs

Om als landbouwer te overleven is er meer nodig dan alleen maar zeggenschap over de natuurlijke rijkdommen en controle over de productiemiddelen, namelijk een leefbare prijs.

Allemaal willen we – terecht – degelijk betaald werk en sociale zekerheid, of we nu leerkracht, postbode of copywriter zijn. Dan is het maar normaal dat ook landbouwers loon naar werken krijgen. Maar hoe dan wel? Want zij hebben geen arbeidscontract, geen uur- of maandloon. Blijkbaar is het voor velen moeilijk te snappen dat de prijs voor hun producten hun loon is. Wie dat beseft, begrijpt meteen de noodzaak van een leefbare prijs voor alles wat de landbouw voortbrengt. Die prijs moet zowel alle kosten van de landbouwers dekken als een fatsoenlijk bestaan voor hen mogelijk maken.

Natuurlijk geldt dit voor al het voedzame, lekkere en aangename dat we nuttigen of gebruiken, ongeacht of het van dichtbij komt of van veraf. Er zullen faire prijzen moeten komen voor graan, groenten, koffie en katoen waarvan goed te leven valt. Als de woekerwinsten van de tussenhandel worden aangepakt, zal de consument daarvoor niet eens zoveel meer betalen. En wie dit boek tot hier heeft gelezen, weet intussen dat het zelfs in ons eigen langetermijnbelang is dat we op deze manier de welvaart elders in de wereld ondersteunen.

Hoe nu leefbare prijzen realiseren? We overlopen de mogelijkheden.

Stop de dumping

Een kippentrafiek die jobs vernietigt in Kameroen, melkpoederoverschotten die van Brazilië tot Senegal kleine boeren uit de markt duwen, katoensubsidies die West-Afrikaanse telers het hoekje om helpen: telkens zijn het de lage prijzen die al dit onheil aanrichten. Het zijn evenveel redenen om te stoppen met een dergelijke dumping van landbouwproducten.

Exportsubsidies moeten verdwijnen, dat ligt voor de hand; en natuurlijk ook alle min of meer verdoken vormen van exportsteun. Eigenlijk moet je die subsidies en die steun beschouwen als een misdrijf. En om dat misdrijf nu te doen ophouden rekenen we op de medewerking van wie er in feite van profiteert. Dat is, zeker in het geval van de Verenigde Staten, geen klein beetje naïef.

Bovendien zitten niet achter elke dumping ook exportsubsidies. Wanneer inkomenssteun voor landbouwers hen in staat stelt uit te voeren naar andere landen is dit ook dumping. En als de agro-industrie in landen als Brazilië of Indonesië exporteert zonder rekening te (moeten) houden met de ecologische kosten die ze veroorzaakt of op basis van onmenselijk laag betaalde kleine boeren of plantagearbeiders gaat het eveneens om ecologische of sociale dumping.

Wie dumping werkelijk wil tegengaan, moet middelen van verweer bieden aan de slachtoffers. Alle landen of regio's moeten het recht krijgen om zich te beschermen tegen dumping, bv. door importheffingen, het opleggen van quota of zelfs een invoerverbod.

Marktafscherming

Zelfs als er geen dumping mee gemoeid is, moeten landen en regio's hun landbouwmarkt kunnen afschermen tegen goedkope invoer. Alleen zo kunnen ze altijd hun interne markt beveiligen en bevorderen. Alleen zo zijn voldoende hoge prijzen haalbaar en zijn hun landbouwers verzekerd van een minimaal inkomen. Natuurlijk is het daarbij uitkijken geblazen om niet in de val van een welvaartsvernietigend protectionisme te trappen. Want misschien is het mogelijk om in Nederland niet alleen tomaten onder glas te kweken – met een zware ecologische kost – maar, wie weet, zelfs bananen. Zo'n verregaande bescherming van de markt om dit mogelijk te maken is echt van het goede te veel. Maar als er regels nodig zouden zijn voor hoever die marktafscherming mag reiken, en een controle op de naleving van die regels, is het onverstandig daarvoor te vertrouwen op de Wereldhandelsorganisatie. Zij is werkelijk te ongevoelig voor de grote beperkingen van de wereldmarkt en van de vrijhandel inzake landbouw en voedselvoorziening. Beter is het om daarvoor in de richting te kijken van de Voedsel- en Landbouworganisatie van de Verenigde Naties of FAO. Misschien kunnen we deze verantwoordelijkheid zelfs het best toevertrouwen aan de Economische en Sociale Raad van de Verenigde Naties. Het is hoog tijd dat dit VN-hoofdorgaan eindelijk zijn rol voluit gaat spelen, namelijk op het sociale, economische en ecologische vlak vorm te geven aan het zo noodzakelijke mondiale beleid. In plaats van een sluimerend en voor velen onbekend bestaan te leiden zou de Economische en Sociale Raad even bekend als of zelfs bekender moeten zijn dan de Veiligheidsraad. De wereld heeft dringend behoefte aan een orgaan dat de rechten van de mensen, de ambities van de samenlevingen, de rechten van het milieu en de economische en financiële belangen op een verantwoorde en democratische manier afweegt.

Minimumprijzen

'Bij lage prijzen kunnen we alleen reageren door meer te produceren, we proberen dat allemaal, en op het einde krijgen we allemaal een lagere prijs.' (George Naylor, boerenleider National Family Farm Coalition, Verenigde Staten)

Minimumprijzen vastleggen voor landbouwproducten is de simpelste én efficiëntste manier om landbouwers een inkomen te garanderen. Dat begrijpt iedereen. Of beter, dat zou iedereen moeten begrijpen. Want een minimumprijs is het perfecte equivalent van een minimumloon voor werknemers, of van een leefloon voor wie buiten de arbeidsmarkt valt.

Toch zijn er bedenkingen te horen, ideologische en terechte.

Ja maar, minimumprijzen zijn een aanfluiting van de vrije markt. Dit is een ideologische reactie omdat ze vergeet of ontkent dat er van een markt eigenlijk geen sprake is wanneer een of maar enkele opkopers die markt beheersen en zelfs monopoliseren. Ze gaat er ook – al dan niet bewust – aan voorbij dat uitsluitend op de markt vertrouwen dikwijls een falend recept is gebleken als het over landbouw gaat.

Minimumprijzen kunnen overproductie in de hand werken. Die bedenking is terecht. Vandaar ook de noodzaak van aanbodbeheersing die in de volgende paragraaf aan bod komt. Maar zonder minimumprijzen werken of ze afschaffen biedt geen alternatief. Want dan zijn de boeren genoodzaakt hun dalende inkomen te compenseren door hun productie te verhogen. Ze steken zich nog meer in de schulden door te investeren in gespecialiseerde en quasi industriële productiemethoden en zo ondergraven ze de prijzen nog verder. Het voorspelbare gevolg is dan ook… meer overproductie die de motor is gebleken van de verwoestende dumping tijdens de jongste decennia door onder andere de Verenigde Staten en Europa. Dus kunnen we maar beter teruggrijpen naar minimumprijzen. Alleen zo kunnen we de boeren een leefbaar inkomen verschaffen zonder dat ze zich verplicht zien altijd meer te moeten produceren. Maar daarvoor is nog iets meer nodig.

Aanbodbeheersing

> Aanbodbeheersing creëert stabiliteit op de interne markten, maar ook op de wereldmarkt. (Boerenbond, 2002)

Wie het aanbod beheerst, lost dit moeilijke probleem op. Die kan genieten van de zekerheid die minimumprijzen bieden zonder dat overproductie roet in het eten gooit. Verschillende mogelijkheden dienen zich aan. Je kunt grond braak laten liggen, en boeren daarvoor compenseren. Dat gebeurde vroeger veel in de Verenigde Staten. Je kunt productieplafonds vastleggen, voor een hele regio of land en tot op het niveau van elk bedrijf. Zie bv. de melkquota in de Europese Unie. En je kunt productieplafonds vastleggen voor de hele wereld. Voor koffie is er bv. jarenlang een Internationaal Koffie Akkoord geweest. Voor de koffieboeren is het jammer dat het teloor is gegaan, want mét waren zij beter af dan zonder akkoord.

In de komende jaren zal de wereld afdoende middelen om aanbodbeheersing te verzekeren, moeten heruitvinden.

Landbouwreserves

Wat melkkoeien produceren, is vrij goed in te schatten. Voor de meeste veldvruchten is dat echter niet zo makkelijk. De natuur valt niet uit te schakelen zodat de opbrengsten nogal eens durven variëren, al naar gelang het een goed of een slecht seizoen is. Daarom hoort bij een goede aanbodbeheersing ook een oplossing voor de overschotten. Die moeten terechtkomen in reserves die door de overheden of door de landbouwers zelf worden beheerd. En wanneer er tekorten opduiken, kan er uit die reserves worden geput om de markten te bevoorraden. Want we mogen niet vergeten dat er ook slechte jaren kunnen voorkomen, zelfs jaren van misoogsten.

Het aanbod beheersen zonder dat er uiteindelijk onoverzichtelijk grote melk- of wijnplassen en boter- of graanbergen ontstaan is niet makkelijk. Maar de Europese Unie heeft in het recente verleden met de melkquota bewezen dat het niet onmogelijk hoeft te zijn. Het is dus te makkelijk om te beweren dat het koffieakkoord is opgedoekt omdat het economisch onhoudbaar was. Veel meer heeft de dynamiek van de handelsliberalisering gespeeld en een gebrek aan politieke wil om te blijven kiezen voor zulke mechanismen.

Voedselreserves en voedselzekerheid

'De landbouw liberaliseren betekent dat we zonder voedselreserves komen te zitten. Want altijd moet elke bushel gedumpt worden op de wereldmarkt tegen welke prijs ook.' (George Naylor, boerenleider National Family Farm Coalition, Verenigde Staten)

Je zou verwachten dat de wereld het belang inziet van reserves, zowel om het aanbod te regelen, en minimumprijzen mogelijk te maken als om voedselzekerheid mogelijk te maken in tijden van schaarste. Dan zijn we echter niet geholpen met de opvatting dat de landbouwhandel in heel de wereld volledig vrij moet zijn. Want in die logica is er geen plaats voor de aanleg van reserves. Alles wat van de velden, de weiden, de serres of de stallen komt, moet worden verkocht op de markt. Maar de afwezigheid van zo'n regulerend mechanisme betekent ook dat we in ons mondiale huis geen voedselreserves hebben voor slechte tijden. Neem ter vergelijking een brandverzekering voor je huis. Daarvan zien we allemaal de noodzaak in, ook al weten we dat het risico klein is. Maar we willen dat risico niet verwaarlozen. We betalen dus die brandverzekeringspremie, zelfs in de hoop er nooit gebruik van te hoeven maken. Wat is er dan meer noodzakelijk dan ons te verzekeren van eten, en dat de wereld dus over voedselreserves beschikt? Ook al zijn de risico's beperkt, ze zijn allerminst verwaarloosbaar. Slecht weer kan tot kleinere opbrengsten leiden. Oorlogen kunnen de productie onmogelijk maken. Ziekten kunnen misoogsten veroorzaken, met zwaardere gevolgen dan vroeger omdat we in de moderne landbouw onze toevlucht nemen tot monoculturen. De energietoevoer, ook veel belangrijker in de industriële landbouw, kan stokken. En de opwarming van de aarde zal in nu al kwetsbare gebieden de onzekerheid nog doen toenemen door meer wisselvallige neerslag en onvoorspelbare droogten.

Fair trade

Voor leefbare minimumprijzen biedt fair trade of eerlijke handel een alternatief. Eerst een poging tot definitie: als internationale handel draait om de uitwisseling van goederen of diensten die op een ecologisch duurzame manier tot stand komen, in sociaal verantwoorde omstandigheden en waarbij de producent een prijs gegarandeerd krijgt waar fatsoenlijk van te leven valt, dan spreekt men van eerlijke handel of fair trade. Die steunt dus zowel op een ecologische, als een sociale en een economische pijler. Maar voor de consument wordt het moeilijk om door de bomen het bos nog te zien. Want in de winkel zijn er producten met duurzaamheidslabels die vooral of uitsluitend op de ecologische pijler steunen. Er zijn sociale labels die het respecteren van minimale arbeidsnormen centraal stellen. Sommige willen zowel ecologisch als sociaal duurzaam zijn, nog andere garanderen een minimumprijs maar scoren ecologisch niet zo goed. Max Havelaar ambieert het keurmerk van een echt eerlijke handel te zijn en hoopt vele andere labels te stimuleren in de richting van een volwaardige fair trade. Critici argumenteren dat internationale akkoorden de hele handel duurzamer, socialer en eerlijker moeten maken.

Ook al groeit de omzet van fair trade heel sterk, toch blijft het vooralsnog economisch een heel zwak broertje. En dus blijft het heel moeilijk om echt te kunnen wegen op de handelsverhoudingen.

Er is nog een ander zwak punt. Het is een mooie zaak wanneer bijvoorbeeld wereldwinkels drijven op de inzet van vrijwilligers. Maar hoe je dit ook draait of keert, het gaat hier wel om goedkope werkkrachten. Hoe geloofwaardig is deze eerlijke handel dan als een echt economisch alternatief? Want een economisch leefbaar systeem van eerlijke handel veronderstelt toch dat overal mensen een acceptabel inkomen kunnen verdienen, ook in rijke landen?

Toch oogt de toekomst niet zo slecht. Zo is fair trade in volle expansie, met jaarlijkse groeicijfers van meer dan twintig procent. Wanneer eerlijke handel dat ritme kan volhouden neemt het economische belang ervan snel toe. Dan zal de leefbaarheid vergroten. Dan zal ook, niet onbelangrijk, de impact van eerlijke handel stijgen in de rest van de economie. Nu al oefent fair trade trouwens een aanzienlijke signaalfunctie uit. Daarvan getuigt het verschijnen van fair trade producten in de gewone supermarkten. Meer daarover in hoofdstuk VI.8.

6. Milieuvriendelijke landbouw

Altemir Tortelli, boerenleider van Fetraf, leidt ons rond op zijn boerderij: 'Het enige vergif dat hier wordt gebruikt is de hak. Op dit bedrijf is er geen vervuiling door chemische producten. Met onze beweging Fetraf kiezen we voor een agro-ecologische productie.'

Biologische rijkdom bewaken

We hebben al gezien hoe de mens opvallend zorgeloos omspringt met bossen, weiden, landbouwgrond, rivieren, meren en zeeën, terwijl die hem toch onschatbare rijkdommen bezorgen, almaar opnieuw. Want deze biologische systemen zorgen op basis van de onuitputtelijke zonne-energie voor de producten waarop alle leven steunt, via het proces van de fotosynthese. Zo halen we ons meeste voedsel uit de landbouw en zorgen water en weiden voor onze vis en ons vlees, het grootste deel van onze dierlijke proteïnen of eiwitten. Bossen bezorgen ons hout en papier. Deze biologische systemen leveren nog heel wat andere grondstoffen voor de industrie. Denk maar aan producten als katoen, rubber, hennep, jute, suiker en allerlei oliën.

Het is hoogst onverstandig om verder te gaan met de vernietiging van de natuurlijke systemen die ons sinds mensenheugenis en altijd opnieuw al die biologische rijkdom bezorgen. Dat kan niet ongestraft blijven omdat de biologische rijkdom in feite allerminst moet onderdoen voor de industriële rijkdom. Het herstel ervan is dus hard nodig.

Een milieuvriendelijke landbouw graag

'Dit is een zelfklever van het Ecovida-netwerk waarvan wij deel uitmaken. Het is een participatief label systeem van agro-ecologische landbouwers. Wij gebruiken deze sticker als label voor onze producten die we op de markt verkopen.' (Isabel Rüdell, Brazilië)

We hebben dus behoefte aan een landbouw die veel minder beslag legt op de aarde dan vandaag het geval is. We willen een landbouw die minder water verspilt, de grond en het grondwater meer ontziet, pesticiden en overbemesting weert, een landbouw die wakker ligt van de gestoorde kringloop van de voedingsstoffen, ja zelfs een ecologisch duurzame landbouw. Onze industriële landbouw komt al van ver. De schadelijkste bestrijdingsmiddelen zijn in de rijke landen al tientallen jaren verboden. Hoe het kan dat er nog altijd productie en uitvoer naar de ontwikkelingslanden gebeurt, moet blijven verbazen. Zo exporteren de Verenigde Staten tussen 2001 en 2003 achtentwintig miljoen pond pesticiden die in eigen land verboden zijn. Maar laten we hopen dat dit een achterhoedegevecht is.

De moderne landbouwer gebruikt in vele landen al veel minder schadelijke middelen. Er komen maatregelen tegen overbemesting. Al gaat het niet altijd van harte, de landbouw evolueert in de richting van een geïntegreerde aanpak: naast productie hebben ook milieu en natuur hun rechten. Stilaan wordt duidelijk dat een duurzamer aanpak ook voor de landbouwers voordelen inhoudt. Veel meststoffen en bestrijdingsmiddelen moeten aankopen, levert gepeperde rekeningen op. Er zo zuinig mogelijk mee omspringen is héél voordelig, én voor de portemonnee én voor het milieu. Als het over milieu-inspanningen gaat, kijken de meeste burgers naar de industrie en ook wel naar de landbouwindustrie. De werkelijkheid is dat de landbouw, samen met sommige industrietakken, al meer vooruitgang heeft geboekt inzake duurzaamheid dan de gemiddelde burger.

Is dat genoeg vooruitgang? Nee.

De weerstand om nog verder te gaan, is reëel en soms groot. Dat is niet verwonderlijk, het is althans niet anders in de rest van de samenleving. Ter vergelijking: hoeveel burgers hebben de CO_2-uitstoot van hun woning al ernstig verminderd? Om nog maar te zwijgen over de milieuvriendelijkheid van hun verplaatsingen? Of hun vliegvakantie? Maar de landbouwers mogen zich geen illusies maken. De druk om ecologisch duurzamer te werken, zal blijven toenemen. Hij zal zowel van de samenleving komen, van het beleid als van duurdere energieprijzen.

Op weg naar een ecologisch duurzame landbouw

'Dat is het hoogste punt van de Côtes d'Armor, 339 meter. Tv- en radio-antenne, en daar de windmolens. Dat ligt helemaal in onze lijn, alternatieve energie, onuitputtelijk.'

We wandelen mee met de Franse boer Joseph Templier naar zijn weiden: 'We planten een gediversifieerde flora in de wei, en er is de natuurlijke flora die men hier ziet. Dat is een heel gevarieerde flora die voor evenwichtig veevoer zorgt.'

Joseph is trots op zijn werk: 'Mijn voer is honderd procent op de boerderij geteeld, behalve bij droogte, wat af en toe voorkomt.'

Is een echt ecologisch duurzame landbouw dan een waanbeeld? Is het zo gek om te dromen van een landbouw die de *inputs* van buitenaf aan geïmporteerd veevoer, chemische meststoffen of pesticiden tot het uiterste minimaliseert en zelfs tot nul reduceert? Een landbouw die een ruim positieve energiebalans vertoont? Een landbouw die aarde en water geen geweld aandoet? Misschien is het ideaal niet volledig te realiseren. Maar laten we toch voluit inzetten op de overgang naar de ecologisch duurzame landbouw, en daarbij ook volop ruimte scheppen voor de biologische landbouw. Daar hoeft geen landbouwer slechter af van te worden. Het milieu en de natuur varen er vanzelfsprekend wel bij, en de ruimere samenleving evenzeer. Want die waardeert een milieuvriendelijke landbouw en de cultuurlandschappen die hij schept.

Ontsnappingsroute weg van de inputpotentaten

Boeren dromen er wel eens van hun economische zelfstandigheid te herwinnen. Misschien kunnen ze die droom zelfs waarmaken.

Die overgang naar een ecologisch duurzame landbouw is bovendien een reuzenkans voor de landbouwers om geleidelijk te ontsnappen aan de wurgende greep van de *inputpotentaten*. Zo kunnen ze komaf maken met hun zware afhankelijkheid van deze bedrijven die zorgen voor meststoffen, voeders, pesticiden of andere benodigdheden. Op al die terreinen kunnen de boeren hun autonomie grotendeels herwinnen en weer zelf meer greep op hun bestaan krijgen. Wie weet lukt het nog wel voor meer zaken, voor zaden bijvoorbeeld.

Biodiversiteit kan ons leven redden

We leerden al hoe de mens dieren en planten naar schatting duizend-maal sneller doet uitsterven dan de natuurlijke verdwijningssnelheid. We weten hoe de moderne landbouw steunt op heel weinig cultuur-gewassen en zijn monocultuur de genetische erosie in de hand werkt. Het kan ook anders. En vele kleine landbouwers in het Zuiden doen dat ook. Ze telen verschillende gewassen, gebruiken telkens verschil-lende variëteiten en kweken ook verschillende soorten dieren. Die landbouwers hoeven niet eens minder hoge opbrengsten te realiseren. In het boek *Agroecology And The Search For A Truly Sustainable Agricul-ture* van Miguel Altieri en Clara Nicholls kunnen we lezen hoe suc-cesvol die keuze voor meer gewassen is. De opbrengsten zijn meestal twintig tot zestig procent hoger dan bij monocultuur. Aan de andere kant zullen zulke boerenbedrijven nooit de catastrofe beleven dat de hele oogst of de hele kudde eraan gaat. Voor de meeste boeren in de wereld, die niet kunnen rekenen op ondersteuning van een rijke overheid is de risicospreiding van hun zogenaamd minder moderne landbouw en veeteelt de enige zekerheid. Almaar meer erkennen de landbouwdeskundigen deze voordelen van de traditionele landbouw, waar bijvoorbeeld verschillende gewassen door elkaar geteeld wor-den op hetzelfde veld.

Er is nog meer aan de hand met de monocultuur van enkele heel productieve gewassen. Die zijn namelijk het resultaat van veredeling, van een strenge selectie en kruising van variëteiten. En de resultaten mogen gezien worden, vooral de hogere opbrengsten. De keerzijde hiervan is dat die superplanten behoefte hebben aan regelmatige krui-sing met hun verre primitieve voorouders, of ze gaan eraan. Het snelle verlies van biodiversiteit brengt echter met zich mee dat die voorouders hun overlevingsstrijd aan het verliezen zijn. Iedereen begrijpt meteen dat onze moderne landbouw daardoor in de allergrootste problemen dreigt te komen. De kansen op veredeling verminderen immers zien-derogen.

De biodiversiteit beschermen

Wat kan er gebeuren? Een van de oplossingen is het beschermen van deze primitieve planten door de ecosystemen waarin ze voorkomen te vrijwaren. De zogenaamde Vavilov-gebieden herbergen de grootste plantenrijkdom, en die liggen bijna allemaal in zuidelijke landen zoals Mexico, Peru, Brazilië, Ethiopië, het Midden-Oosten, Pakistan, Myanmar, Zuidoost-Azië en China. In veruit de meeste van die gebieden wonen zogenaamde inheemse volkeren.

Een andere mogelijkheid is dat het genetische materiaal van deze waardevolle planten veilig opgeborgen wordt in genenbanken. Op papier oogt dat goed, maar in werkelijkheid is die keuze niet zo neutraal. Want die plantenrijkdom komt dan waarschijnlijk vooral tot de beschikking van de rijke landen en de meestal multinationale ondernemingen die er gevestigd zijn. En sommige stemmen argumenteren dat die keuze ook niet zo stabiel is. Want als je planten uit hun omgeving wegneemt, stop je ook hun natuurlijke evolutie.

Gelukkig groeit het besef van de gevaren van de teruglopende biodiversiteit. Zo zag het Biodiversiteitsverdrag het levenslicht in 1992 in Rio de Janeiro. Dat wil de natuurlijke soortenrijkdom beschermen en een duurzaam gebruik ervan mogelijk maken. Het beoogt ook de opbrengsten van genetisch materiaal billijk te verdelen. De soortenrijkdom behoort door dit verdrag toe aan de soevereine landen die ook moeten zorgen voor het voortbestaan ervan. Het verdrag trad in werking op 20 februari 1997.

Met het Biodiversiteitsverdrag zijn de problemen echter niet van de baan. Het oprukken van de mens, met al wat daarbij hoort, blijft zijn tol eisen in deze kwetsbare gebieden. De vraag blijft onopgelost of en hoe deze landen en volkeren vergoed moeten worden voor hun genetische rijkdom.

En wat met genetisch gewijzigde organismen?

Het voorzorgsprincipe hanteren is een heel goed idee.

Wie genetisch gewijzigde organismen (GGO's) – plant of dier – in de natuur brengt, geeft het roer uit handen. Meer nog, die doet iets onomkeerbaars. Een olietanker die breekt en de stranden besmeurt, veroorzaakt vervuiling die lang nawerkt. Je kunt de smurrie echter zo goed mogelijk opruimen en uiteindelijk herstelt de natuur zich. Het gebruik van gifstoffen op het veld, bijvoorbeeld DDT, heeft gevolgen voor de gezondheid op lange termijn. Maar je kunt het gebruik ervan en de productie verbieden. En de tijd kan de gifwonden helen. Het is fundamenteel anders bij genetisch gewijzigde organismen. Zodra ze zijn losgelaten, gaan ze hun eigen gang. En die is deels onvoorspelbaar. De mens heeft er geen greep meer op en kan die GGO's ook niet meer terughalen. Voor velen is dit meer dan een gegronde reden om zich te verzetten tegen GGO's, zelfs tegen het onderzoek ervan. In elk geval is de allergrootste voorzichtigheid geboden. Die is vandaag dikwijls ver te zoeken, waardoor de samenleving achter de feiten aanholt. Het zal erop aankomen de discussie én het onderzoek naar de voordelen en de mogelijke gevaren van de biotechnologische vernieuwingen zonder vooringenomenheid voluit te voeren. Pas dan kan de democratische samenleving van elke vinding ernstig het voor en tegen afwegen en verantwoorde beslissingen nemen, zoals we dat bijvoorbeeld ook doen met geneesmiddelen.

Indien de samenleving sommige GGO's toelaat, moet dat gebeuren onder streng gecontroleerde voorwaarden, met strikte regels voor de productie en de verkoop van zulke organismen. En vooral moeten we de biodiversiteit bewaken.

7.   (Het recht op) Voedselsoevereiniteit

'Je ziet hier alle boeren van de wereld, uit de VS, Brazilië, Afrika, de Europese Unie, Canada, Japan en Noorwegen, ze zijn hier om te zeggen: wij willen familiale landbouw, wij willen onze volkeren voeden, wij willen leven van ons werk.' (Saliou Sarr, boerenleider CNCR-Senegal, tijdens een gezamenlijke persconferentie in Hongkong)

Saliou Sarr beklemtoont de toenemende eensgezindheid onder de landbouwers uit alle windstreken. Die wordt op sprekende wijze benadrukt door een persconferentie waaraan boerenleiders uit vrijwel alle continenten deelnemen. We filmen gretig want hier schrijft de mondiale boerenbeweging zonder overdrijven geschiedenis.

Op de recentste top van de Wereldhandelsorganisatie in Hongkong zijn heel wat boerenleiders aanwezig, de namen van een aantal van hen duiken op in dit boek. Deze bijeenkomsten zijn niet langer het exclusieve terrein van diplomaten en industriële lobbyisten. Ook de landbouwers zoeken een manier om hun rechten te verdedigen. De voorbije jaren troffen ze elkaar op hun voorbereidende bijeenkomsten en op deze WTO-vergaderingen. Binnen proberen ze invloed uit te oefenen op de beslissingen. Eigenlijk komt het er vooral op neer dat ze proberen te redden wat er nog te redden valt. Buiten laten ze hun spierballen rollen om hun positie binnen te ondersteunen en om de publieke opinie te bereiken. Tijdens een van de vele betogingen buiten verwoordt Altemir Tortelli het zo: 'Het is noodzakelijk onze strijd op twee fronten te voeren: aan de onderhandelingstafel en met mobilisaties op straat.'

Buiten klinkt almaar luider de roep: 'WTO, out of agriculture!'

Meer en meer groeit de overtuiging – zeker bij bijna alle landbouwers maar ook in de ruimere samenleving – dat men voor een leefbare en duurzame landbouw die de honger uit de wereld helpt, niet kan vertrouwen op de Wereldhandelsorganisatie.

De ambities van de landbouw reiken ver

Laten we eens kijken naar wat landbouwers allemaal voor ons kunnen doen.

Landbouwers kunnen zorgen voor voldoende voedsel, dat er genoeg te eten is voor iedereen. Zij kunnen ons bovendien veilig en voedzaam voedsel bezorgen, gezond om te eten en – niet te vergeten – heel wat nuttige grondstoffen. Nog meer plezier beleven we als dat eten ook nog lekker is en de smaak weet te bewaren. Landbouwers weten goed in te spelen op de verlangens van de consumenten. Hun activiteiten scheppen werk en een inkomen, stimuleren de lokale economie en vormen de basis voor een levendig platteland. Landbouwers zijn in staat het milieu te respecteren en ecologisch duurzaam tewerk te gaan. Met hun werk cultiveren zij de landschappen die we appreciëren omdat het er rustig en goed om te toeven is, en ze bewaken de culturele tradities die de moeite van het bewaren waard zijn. Vele artisanale en culinaire tradities, vooral eten en drinken, overschrijden bijna moeiteloos de grenzen van tijd en ruimte. En de landbouwers kunnen met al die arbeid ook hun brood verdienen. Daar rekenen ze op.

Een sociaal contract voor een duurzame landbouw

De landbouw en de landbouwers die dat allemaal presteren, zijn ons respect meer dan waard. Zij hebben recht op erkenning. Daarom verdient deze duurzame landbouw ondersteuning.

Dat recht op maatschappelijke erkenning en ondersteuning kan zich het best vertalen in een sociaal contract. In ruil voor een landbouw die het voedselvraagstuk oplost op een ecologisch en sociaal verantwoorde wijze, garandeert de samenleving de landbouwers een eerlijke prijs voor hun werk en een fatsoenlijk inkomen. Haar beleidsmakers nemen alle maatregelen die daarvoor nodig zijn, of het nu om aanbodbeheersing, marktafscherming, minimumprijzen, vergoedingen voor natuurbehoud of welke maatregel ook gaat.

Daar wringt echter de schoen. Mag dat wel? Mag dat van de Wereldhandelsorganisatie? Mag dat onder de bestaande en toekomstige vrijhandelsakkoorden?

Het recht op voedselsoevereiniteit

'Wij eisen het recht op ons te beschermen en op een landbouw die het werk van de landbouwers beloont.' (Ndiogou Fall, boerenleider Roppa, West-Afrika, op de gezamenlijke persconferentie in Hongkong)

'Wij verdedigen het recht op protectionisme, dat onze regering een politiek van afscherming kan bedrijven.' (Altemir Tortelli, boerenleider Fetra, Brazilië, op de gezamenlijke persconferentie in Hongkong)

De radicalere boerenbewegingen hebben al langer hun antwoord klaar. Via Campesina eist het recht op voedselsoevereiniteit op, om een duurzame landbouw kansen te geven. Via Campesina is een van de twee internationale koepels van boerenbewegingen, de andere is IFAP, de Internationale Federatie van Landbouwproducenten. Intussen heeft dit gedachtegoed zich verspreid in de hele boerenbeweging. Daarvan getuigen bijvoorbeeld de twee uitspraken van de hogergenoemde boerenleiders, allebei gefilmd in Hongkong op de gezamenlijke persconferentie van boerenorganisaties uit alle hoeken van de wereld. De Senegalese organisatie CNCR van Saliou Sarr, tevens de thuisorganisatie van Ndiogou Fall, is bijvoorbeeld lid van beide internationale koepels. En de Braziliaanse Fetraf van Altemir Tortelli is van geen van beide koepels lid. Die verspreiding hoeft niet te verwonderen. Boerenbewegingen pleiten en strijden al lang voor bescherming van de landbouw en afscherming van de landbouwmarkten. De ambitie van voedselsoevereiniteit ligt in het verlengde van een lange en succesrijke traditie.

'We hebben zoals elk land voedselsoevereiniteit nodig zodat we onze landbouwpolitiek kunnen voeren zonder dat die ondermijnd wordt door goedkope invoer.' (George Naylor, boerenleider National Family Farm Coalition, Verenigde Staten, op de gezamenlijke persconferentie in Hongkong)

Hoe gek het sommigen ook in de oren mag klinken, zelfs de Amerikaanse familiale boeren zijn gewonnen voor voedselsoevereiniteit en gebruiken dezelfde argumenten. Want ook zij zijn het slachtoffer van een laisser-fairepolitiek die alles aan de markt overlaat en dan met subsidies wat gaten dichtstopt.

Hoog tijd nu om te ontdekken wat voedselsoevereiniteit dan wel mag zijn. Via Campesina definieert die als de capaciteit van een land, volk of gemeenschap om voedselzekerheid te realiseren door een aangepast en zelfgekozen beheer van productie, uitvoer en invoer van voedsel. Een meer uitgebreide definitie vinden we bij George Naylor: 'Voedselsoevereiniteit respecteert het recht van elk land en elke regio om een voedsel- en landbouwpolitiek te voeren die steunt op de eigen behoeften en tradities, voor voedselzekerheid, voor de bescherming van natuurlijke rijkdommen, voor de rechtvaardige verdeling van de economische kansen, en voor het recht van de landbouwers om hun lokale markten te bevoorraden voor een leefbare prijs.' Voedselsoevereiniteit impliceert dat de landbouwpolitiek volledig buiten de bevoegdheid van de Wereldhandelsorganisatie valt. Dat is zonneklaar. Die politiek is dan zelfs de exclusieve bevoegdheid van regeringen, of van regio's zoals Europa als regeringen die bevoegdheden hebben overgedragen. Altemir Tortelli laat daar geen twijfel over bestaan wanneer hij het woord neemt op de persconferentie in Hongkong. Hij spreekt duidelijke taal: 'Wij verdedigen het recht op protectionisme, zodat onze regering een politiek van afscherming kan bedrijven.' De Senegalese boerenleider Mamadou Cissokho verwoordt het minder scherp maar wel even duidelijk: 'De interne markt die ervoor zorgt dat de mensen de producten van hun landbouwers kunnen eten, die markt moet je eerbiedigen, dat is voedselsoevereiniteit.'

En nog eens: dit is geen welvaartsvernietigend protectionisme. Dit is juist een heel verantwoorde afscherming om alle ambities van een duurzame landbouw te verwerkelijken, al die ambities die we in de vorige hoofdstukken van deel V op het spoor kwamen. Daarvoor is die voedselsoevereiniteit nodig, om de rechten van de landbouwers, van de landbouw en van al wie er baat bij heeft, te kunnen afdwingen.

Het is nuttig nog eens over subsidies te spreken. Want dat woord wordt te pas en vooral te onpas in debatten gegooid.

Er is een hemelsbreed verschil tussen vooral exportsubsidies en ondersteuning van de eigen duurzame landbouw. Al te makkelijk belanden ze allebei als subsidies in dezelfde zak. Maar de eerste maken kleine, familiale landbouwers elders in de wereld het leven heel zuur. Daarom moeten ze ook zo snel mogelijk verdwijnen. Voor de tweede vorm is het woord subsidies eigenlijk volledig misplaatst. Het gaat om gerechtvaardigde steun voor een landbouw die produceert voor de lokale en regionale markt, die alle inwoners aan voedsel helpt en alle boeren aan een behoorlijk inkomen. Wat dat laatste betreft, er is toch niemand die eraan denkt het loon van managers, professoren of politici een subsidie te noemen?

Voedselzekerheid

Opvallend is het telkens weer opduiken van het begrip voedselzekerheid als men over voedselsoevereiniteit spreekt. Wat wordt daarmee bedoeld? De Voedsel- en Landbouworganisatie FAO heeft haar best gedaan om daar een duidelijk antwoord op te geven: 'Voedselzekerheid is een toestand waarin alle huishoudens voor al hun leden fysieke en economische toegang tot adequate voeding hebben en waarbij ze geen gevaar lopen die toegang te verliezen.' Wie zich daarop baseert, zal uiteindelijk bij achthonderd vijfenzestig miljoen ondervoede mensen uitkomen, mensen met honger die te weinig te eten hebben. Het is uiteindelijk de notie van voedselsoevereiniteit die de landen een wapen in handen geeft om deze schande uit te wissen. Alleen daarmee kunnen ze de roep om voedselzekerheid omzetten in een recht op voedsel.

Fome Zero

'Wat wij verbouwen eten we in de eerste plaats zelf op. Wat overblijft, verkopen we op de markt. En een deel, suiker, bewaargroenten en bonen leveren we aan het hongerbestrijdingsprogramma *Fome Zero* van de regering.' (Isabel Rüdell, Brazilië)

Het is al na de middag wanneer we aankomen in Marcelino Ramos. In een zaal vol enthousiaste boeren en arme stedelingen weerklinkt applaus. Boerenleider Eloir Grizelli van Fetraf spreekt de aanwezigen toe: 'Jullie ontvangen de voedselbonnen en moeten tekenen voor ontvangst.' Een voor een komen de mensen naar voor.

In Brazilië willen de familiale boeren voedsel voortbrengen voor zichzelf en voor het hele land. Maar niet alle Brazilianen kunnen genoeg te eten kopen. Tot wel veertig miljoen van hen lijden honger of eten onevenwichtig. Hoe breng je het aanbod van de boeren en de vraag van de ondervoede Brazilianen samen? Hoe maak je met andere woorden een eind aan de honger? Al enkele jaren ondernemen ze daartoe een boeiende poging in Brazilië met *Fome Zero*, een regeringsprogramma om de honger uit te roeien. Het komt erop neer dat de overheid koopkracht levert aan de arme Brazilianen in de vorm van voedselbonnen. En het is de familiale landbouw in het land die het voedsel levert.

De boerenbeweging Fetraf speelt een belangrijke rol in *Fome Zero*. Dat blijkt onder andere bij de bedeling van de voedselbonnen door de lokale overheid, zoals hier in Marcelino Ramos. Boerenleider Eloir Grizelli legt uit: 'We zijn hier voor een programma van voedselaankopen. De regering koopt rechtstreeks bij onze boeren het voedsel voor hun *Fome Zero*. Via dat programma wordt het eten onder de arme families van de gemeenten verdeeld.'

Zowel de boeren die voedsel leveren als de families die aanspraak maken op de voedselbonnen vinden we hier verzameld. Eloir Grizelli is trots op deze evolutie: 'Dit is een grote overwinning voor ons. Want wij familiale boeren staan in voor zeventig procent van het eten dat dagelijks op tafel komt bij de Braziliaanse bevolking. Het is niet meer dan rechtvaardig dat de regering dat voedsel aankoopt bij de familiale landbouw. Wij moeten er nu alles aan doen opdat dit programma nog groter wordt.' Wie zal Eloir Grizelli tegenspreken? Er is toch geen enkel land en geen enkele regering die kan toestaan dat er inwoners elke dag met honger gaan slapen? Maar om de honger uit te roeien, is het belangrijk dat regeringen beschikken over de politieke macht om een voedsel- en landbouwpolitiek te voeren in het belang van hun bevolkingen... dat ze dus over voedselsoevereiniteit beschikken.

VI. Wat kan er gebeuren? Alles in eigen handen nemen: produceren, verwerken en verkopen

'Wij hebben vragen bij het agro-industriële model. En ons alternatief is dat de boeren zelf de productie, de verwerking en de verkoop organiseren.' (Altemir Tortelli, boerenleider Fetraf.)

1. Een leefbare landbouw zweert niet bij productie alleen

De familiale landbouwers – veel meer dan een miljard – ontplooien hun kwaliteiten om meer dan een reden. Velen vinden het belangrijk om voedsel voort te brengen voor eigen gebruik. Die zelfvoorziening is cruciaal om te kunnen leven en vooral geen honger te lijden. Een groot deel van hun productie dient om te verkopen. Dat kan op het eigen erf of op lokale markten, of de productie is bestemd voor de nationale markt. Sommige familiale boeren werken ook voor de wereldmarkt, maar al bij al is dat weinig in vergelijking met de productie voor eigen land en regio. Wereldwijd willen de boerenbewegingen in grote mate dat de klemtoon nog meer op die binnenlandse productie komt te liggen. Vandaar de vraag naar voedselsoevereiniteit. Maar die vraag naar soevereiniteit is zo mogelijk nog belangrijker vanwege de weinig benijdenswaardige economische situatie waarin de landbouwers zijn gesukkeld. Die kwamen we op het spoor in deel IV. Bij alles wat boeren ondernemen, zowel bij de aankoop van al wat ze nodig hebben als bij de verkoop van hun opbrengsten, stoten ze telkens weer snel op de grenzen van hun autonomie. De agro-industriële landbouw waar ze ingetuind zijn, verrast hen met almaar meer situaties waarbij ze te maken krijgen met slechts enkele verkopers of opkopers, en soms zelfs maar met een enkele. Ze voelen zich de al te makkelijke slachtoffers van deze oligopolies of monopolies die hen verplichten genoegen te nemen met almaar lagere prijzen. Vandaar de nog steilere ambities van vele boeren en boerenbewegingen. Voor hen zweert een leefbare landbouw niet alleen bij productie. Nee, een leefbare landbouw transformeert en distribueert ook zelf de eigen productie. Dat gaan we ontdekken in dit laatste deel.

Monopolies opbreken, waarom ook niet?

> We leven in een wereld die een paar miljard mensen zonder bescherming overlevert aan de almacht van monopolistische bedrijven onder het mom dat hier de vrije markt aan het werk moet.

Maar eerst staan we stil bij vragen die al te zelden worden gesteld, en die nog minder een bevredigend antwoord krijgen. Want een echte vrijemarkteconomie duldt toch geen oligopolie of monopolie? Het is toch daarom dat in de Verenigde Staten, in Europa en elders al vele tientallen jaren een antitrustwetgeving bestaat om eerlijke concurrentie op de markt te waarborgen? Waarom was het verantwoord om in het begin van de vorige eeuw wel op te treden tegen de economische dominantie van Standard Oil Company en is dat vandaag niet langer verantwoord tegen quasi monopolies die de markt nog meer verstoren? Hoe komt het dat de Wereldhandelsorganisatie zich niet stoort aan de hoge concentratie van macht in de voedseleconomie, van de zaad- en pesticidenmultinationals tot de distributiegiganten? Zij zijn het toch die eenzijdig prijzen kunnen afdwingen en opleggen? En zij zijn het toch die daar blijkbaar probleemloos mee wegkomen bij de overheden en administraties die hen zouden moeten controleren op hun marktconform gedrag?

We leven in een wereld die een paar miljard mensen zonder bescherming overlevert aan de almacht van monopolistische bedrijven onder het mom dat hier de vrije markt aan het werk moet. Het zal de meesten van deze mensen have en goed kosten, en velen zullen het zelfs met de dood bekopen.

Voorstanders van dit soort 'vrije markt' beweren vaak ook dat voedselsoevereiniteit onaanvaardbaar want marktverstorend is. Maar zelfs de meest doorgedreven politiek van voedselsoevereiniteit laat veel meer dan Monsanto of Wal-Mart de concurrentie op vrije markten spelen. Die werkt dan wel in de eerste plaats op lokale en regionale markten, en binnen democratisch vastgelegde grenzen.

Er is dus ook in de eenentwintigste eeuw geen enkele reden om buitensporige economische macht te tolereren, nog minder om onwettelijke markverstoring te gedogen. Elke overheid die zichzelf respecteert, weet wat te doen: breek op die monopolies die zoveel mensen economisch kapotmaken en hen verplichten hun natuurlijk kapitaal te vernietigen en alle fatsoenlijke levenskansen op te geven.

Omgaan met regressie

Maar wat in de vorige eeuw lange tijd doodnormaal was, namelijk de markten zo eerlijk, open en vrij mogelijk maken, klinkt nu bijna revolutionair in vele oren.

Wat hier aan de hand is, is regressie. Onze samenlevingen en hun politieke leiders zijn bijna vergeten hoe onze economische welvaart is afgedwongen en hoe welvaartsstaten zijn gemaakt. Ze zijn vergeten dat een economie maar in het belang van alle of toch verreweg de meeste mensen werkt indien ze botst op de tegenmacht van samenleving en politiek die haar daartoe dwingt. En zo komt het dat de landbouwers en dat deel van de samenleving dat gewonnen is voor een andere landbouw- en voedselpolitiek niet op dit ene paard kunnen wedden. Ze moeten blijven wegen op de politiek en die op haar verantwoordelijkheid wijzen. Maar het risico is al te groot dat het beleid hen in de steek laat.

Macht terugwinnen op de multinationals

Het is daarom dat de landbouwers ook hun lot in eigen handen willen nemen. Het is daarom dat zij economische macht willen heroveren op de multinationals, want zo winnen ze gaandeweg aan autonomie. Het is daarom dat zij niet alleen op het land willen werken en produceren. Zij willen de opbrengsten van dat land voortaan ook zo veel mogelijk zelf verwerken, en zij willen ook de verkoop en distributie voor hun rekening nemen.

2. Het is goed om onafhankelijk te zijn

'We zijn begonnen in 2002, we stonden op de markt in Erechim en zagen dat niemand kaas verkocht. Je hebt alles in eigen hand: produceren, verwerken en verkopen. Men is onafhankelijk, en dat is heel goed.' (Clairton Balen, Braziliaanse boer)

We filmen opnieuw in Vale de Dourado nabij de Zuid-Braziliaanse stad Erechim, niet ver van de reusachtige kippenstal van Paulo en Marcia Balen (zie het verhaal over de kippentrafiek in deel I).

Clairton is de broer van Paulo. Hij en zijn vrouw Rosangela waren de afhankelijkheid van de graanteelt beu. Ze wilden niet langer zoals Paulo en Marcia afhankelijk zijn van de exportgerichte agro-industrie. Samen kozen ze voor een andere weg.

Van melk tot kaas. Meerwaarde creëren

'We hadden nooit geld om iets te kopen. Nu komt er elke week geld binnen.' (Rosangela Balen, Braziliaanse boerin)

En zo krijgt onze camera hen beiden in beeld terwijl ze hun koeien aan het melken zijn. Met de kruiwagen duwen ze de zware melkemmers in de richting van hun boerderij. Maar de melk wordt niet opgehaald. Nee, Paulo haalt met zijn pick-up zelfs nog meer melk bij een collega wat verderop. Bij zijn terugkomst takelt Paulo de melkemmers omhoog om ze leeg te gieten in een groot bad. Het is tijd om aan hun andere werk te beginnen, het maken van kaas, een proces van langere duur.

'Ik hou hiervan', vertelt Rosangela wat later terwijl ze in de stremmende melk roert, 'want vroeger werkten we van 's morgens tot 's avonds onder de hete zon van meer dan 30° op het land en dat was afzien, en bleef zonder resultaat. We hadden nooit geld om iets te kopen. Nu komt er elke week geld binnen.'

Tijd voor het ontbijt. Clairton sakkert nog altijd over de gisteren verloren voetbalmatch, nièt zonder reden want na een half uur stonden ze 3-0 voor. Er wordt gelachen als blijkt dat het enige wat ontbreekt op tafel de kaas is, hoe konden ze die vergeten? Na het eten keren we terug naar het atelier waar de melk langzaam in kaas verandert.

'Ik ben hem nu aan het snijden, langzaam, tot het allemaal gelijke stukjes zijn van ongeveer een maïskorrel groot.' En dan vertelt Rosangela het geheim van hun nieuwe leven: 'Weet je, melk is goedkoop maar als we haar verwerken tot kaas kunnen we veel meer verdienen. We verkopen die kaas op de markt en via de coöperatie *Nossa Terra*.'

Clairton vult aan: 'Als we de melk zouden verkopen, krijgen we maximaal 15 à 16 eurocent. Met de verwerking tot kaas krijgen we er bijna 30 eurocent voor. Vergeleken met toen we graan verbouwden, verdienen we nu in 3 maanden wat we vroeger in 1 jaar verdienden, en met 90 procent minder risico.'

De theorie zegt dat je meerwaarde moet creëren om beter te verdienen. Wat ze hier doen, is de theorie in praktijk brengen. Dat is wat telt. Clairton zal me meer dan eens verrassen, in de eerste plaats met zijn inzicht: 'Nu hebben we de hele keten in eigen handen. We produceren de grondstof, melk, we verwerken die zelf en we vermarkten haar ook zelf.' En zijn levenshouding is verrassend in een wereld waar toch vooral de regel geldt dat alles moet groeien, dat het altijd meer moet zijn: 'We denken erover nog een beetje uit te breiden tot we per dag dertig kilo kaas, van goede kwaliteit, produceren. Maar dan is het genoeg.'

De markt van Erechim: rechtstreeks van landbouwer tot consument

'Je kunt niet begrijpen hoeveel dit voor ons betekent.' (Clairton Balen)

'Onze grootste overwinning is de markt van Erechim. Als kleine boeren konden we niet meer overleven van granen. We zijn overgeschakeld op groenten en fruit. Zo zijn we direct aan de consument gaan verkopen en ons leven is veel verbeterd. De jeugd heeft niet meer die drang om het platteland te verlaten.' (Valdecir Balen, vader van Clairton en Paulo Balen)

De volgende ochtend zijn we er nog vroeger bij, lang voor de zon op-
komt. Het is marktdag in Erechim. Rosangela en Clairton wegen en
verpakken de kaas. Alles belandt op de pick-up, samen met de koeken, het brood, de noten en wat nog zoal wordt verkocht. Eindelijk ook
de weegschaal en de kassa. We rijden langs bij Valdecir, de vader van
Clairton. Hij en enkele anderen laden zijn kleine vrachtwagen boordevol groenten en fruit. De familiale landbouwers hebben een heel rijk
aanbod. Het is nog pikdonker wanneer we doorrijden naar de stad, de
bevoorrading komt eraan.

Op het plein, naast hun coöperatieve winkel *Nossa Terra*, bouwen de
boeren hun kramen op. In de winkel worden hun producten dag na dag
verkocht. Maar één keer per week houden ze markt met alles wat ze in
huis hebben: verse groenten en fruit, een lange tafel vol met flessen wijn,
brood, koeken, kazen, charcuterie... alles agro-ecologisch geteeld.
    Clairton is in zijn element. De tevredenheid straalt van hem af terwijl
hij de kaas verkoopt, hun eigen kaas: 'Je hebt geen idee hoeveel dit voor
ons betekent. Vroeger hadden we geen geld om naar een feest te gaan.
Nu hebben we soms geen tijd voor een feest want we werken hard. Maar
het is dankbaar werk. Als het crisis is op de wereldmarkt of op de graanbeurs in de Verenigde Staten, hebben wij daar geen last van. Wij hebben
hier onze klanten en daar beleven we genoegen aan.' De jonge Aline
Andreola naast hem valt hem bij, terwijl ze brood inpakt voor alweer een
nieuwe klant: 'We willen voortgaan met de markt, want ze bezorgt ons
een inkomen. Het helpt enorm.' 'Je ziet veel mensen wegtrekken uit het
binnenland omdat ze geen alternatieven hebben', duikt Clairton in het
nog recente verleden. 'We zaten vast aan een landbouw waar we niets
aan te zeggen hadden, niet over wat we produceerden en nog veel minder over de prijzen. En we hebben zelf een oplossing gevonden. Het is
goed om in het binnenland te kunnen wonen, we zijn daar geboren en
opgegroeid. We willen daar blijven maar zonder inkomen lukt dat niet.'
    Ook op de markt aanwezig is Altemir Tortelli, de ons welbekende
boerenleider van Fetraf: 'We produceerden altijd al voedsel maar de
winst ging vroeger naar de tussenhandelaars, de handelaars en de
supermarktketens. We hebben geleerd dat we meer verdienen als we
meerwaarde creëren en rechtstreeks aan de consument verkopen, en
als we aan consumenten een kwaliteitsproduct aanbieden. Er is al veel

vooruitgang geboekt. Voor belangrijke productieketens als van kaas en wijn controleren we met de boeren het hele proces: de productie van melk en druiven, de verwerking en de directe verkoop aan de consumenten en de stedelijke bevolking.' Die klanten blijken geen toevallige of occasionele passanten te zijn. Wanneer we hen aanspreken, prijst er eentje meteen de waren in haar boodschappentas: 'Dit is zelfgebakken brood, mooi en lekker, deze vijgen zijn prachtige vruchten, groene maïs... de kaas, lekker... eieren en vlees, ook heel goed. Deze natuurlijke producten koop ik voor mijn gezondheid, omdat het dicht bij huis is en omdat ze goed zijn. Ik koop hier altijd.' 'Daar komt nog iets bij', aldus Tortelli. 'De klant ziet hier niet alleen een verpakking maar ziet ook de mens achter het product.'

We zijn onze eigen baas

Rosangela en Clairton behoren tot de gelukkigen. Voor hen niet langer de klappen van de wereldmarkt die ze kregen toen ze leefden van het verbouwen van graan en geen enkele zeggenschap hadden, niet over wat ze voorbrachten en nog veel minder over de prijs. 'Als we dat waren blijven doen', bedenkt Rosangela, 'dan hadden we al lang geen boerderij meer.' En Clairton: 'We zouden alles verloren hebben en ook naar de stad zijn getrokken, niet wetend wat gedaan. Nu hebben we alles zelf in handen, onze koeien brengen melk voort, we maken er kaas van en we verkopen die zelf, we zijn onze eigen baas en het is goed om onafhankelijk te zijn.' Zij ontsnappen aan de zoveelste aderlating die vandaag hun land treft: nu is het de uitvoer van de rijkdommen aan soja, vlees en energiegewassen die armoede creëert.

De weerstand opbouwen, van klein tot groot

> Het is altijd makkelijk de melkveehouder die kaas maakt en verkoopt weg te lachen als onbeduidend of iets van een vroegere wereld... al te makkelijk.

Natuurlijk zijn er pertinente en kritische vragen te stellen. Kan de familiale landbouw voldoende produceren? Wat met de velen die zelfs in een vrij kleine stad als Erechim niet naar de coöperatieve boerenmarkt

of -winkel voor hun inkopen komen? Hoe de grote agglomeraties als
Sao Paulo of Rio de Janeiro te eten geven?

Altemir Tortelli heeft een eerste antwoord klaar: 'Deze experimenten
van kleine coöperaties, van thuisverwerking zoals kaas, vlees, charcuterie en wijnen, bouwen samen de weerstand op. Het zijn referenties
waar anderen kennis mee kunnen maken en die ze kunnen navolgen.
Met deze ervaring kan Fetraf de Braziliaanse boeren helpen om zich
te organiseren en aan kracht te winnen.' Tortelli beseft als geen ander
dat de strijd met het agro-industriële model nog lang zal duren. Maar
de Braziliaanse familiale landbouwbeweging is geen kleintje meer, ze
is al actief op het grotere economische speelveld. Ze telt talloze kleine
coöperaties en nogal wat grote. Die houden zich niet alleen bezig met
de productie, vele verwerken en distribueren de producten.

Corlac, een fabriek van landbouwers

'Deze Parmezaanse kaas is bekroond als de 2de beste kaas van Brazilië.'
We proeven de producten van Corlac en kunnen alleen maar beamen dat
de jury een goede smaak heeft.

De boerenbeweging van Zuid-Brazilië speelt ook industrieel mee.
Haar coöperatie Corlac haalt in deze regio elke dag 200.000 liter melk
op en ze beheert zelf enkele grote melkfabrieken. Voor de kade waar
grote tankwagens voortdurend hun melkvracht lossen, licht Gervasio
Plucinski ons toe: 'Deze fabriek verwerkt dagelijks 80.000 liter melk.
We halen de melk op bij 6.000 familiale boeren.' Dit is geen artisanaal
bedrijfje, dat leert de rondgang meteen. En dat wisten we al toen we
een vrachtwagen van Corlac melk zagen leveren aan een van de supermarkten in de stad.

Heel interessant is Plucinski's verhaal over hoe deze fabriek in handen van de boeren is beland: 'De regering wilde het bedrijf privatiseren
en verkopen aan een multinational. Wij, familiale boeren, hebben ons
georganiseerd en het failliete bedrijf overgenomen. Zo hebben we verhinderd dat nog een bedrijf in handen viel van een grote multinational.
Zes procent van de melkproductie in Rio Grande do Sul verwerken
wij.' We komen uiteindelijk bij enkele koelkasten waarin de producten

van Corlac zijn uitgestald. Plucinski is er trots op: 'We maken meer dan tien soorten kaas en produceren diverse soorten melk en room, in totaal bijna vijftig producten. Het is een grote uitdaging om competitief te blijven op de markt zonder de kleine boeren uit te stoten.'

Die laatste uitlating maakt heel duidelijk wat op het spel staat. Hun grote coöperatie Corlac speelt ten volle mee op de markt. Maar de concurrentie is er hard, en dus gaat de economische logica zwaar wegen. 'Zullen we competitief blijven?' vraagt Plucinski zich hardop af. Zal Corlac de kleinere familiale landbouwers kunnen blijven meenemen in haar verhaal? Plucinski wijst erop dat een bedrijf als Nestlé de melk van vele familiale boeren niet ophaalt, omdat die te kleine en naar hun maatstaven onrendabele hoeveelheden leveren: 'Wij halen bij een boer gemiddeld zowat veertig liter melk op. Nestlé vijfhonderd liter.' Op dit ogenblik blijft Corlac de melk ophalen bij al haar leden, hoe weinig liters ze ook leveren.

3. Wat lukt in Brazilië, kan ook in Europa

De boeren en kaasmakers van de Beemsterpolder

> De Beemsterpolder is in 1999 door Unesco uitgeroepen tot Werelderfgoed. Hier komt de bekende BeemsterKaas vandaan.

Zeshonderd boeren van de Beemsterpolder in Noord-Holland zijn verenigd in de CONO melkcoöperatie. Ze zijn 'kaasmakers sinds 1901'.

Halverwege de jaren negentig belandt hun verkoop in een sukkelstraatje, ze krijgen hun productie niet langer verkocht. Liever dan op de prijs te spelen en te verzuipen tussen de andere bulkkazen, kiezen ze ervoor om een kwalitatieve, semi-artisanale kaas op de markt te brengen. Zo creëren ze hun eigen niche met een betere prijs. Het succes neemt toe als ze er vanaf 2000 in slagen hun merknaam BeemsterKaas volop uit te spelen, en als in 2002 ook grootwarenhuizen hun kaas beginnen te verkopen. Opvallend is dat CONO strikte afspraken maakt over een vaste verkoopprijs. Er is m. a. w. geen dumping toegelaten.

De resultaten mogen er zijn, zo leren we in het boek *Nourishing Networks*. De coöperatie kan een kwart meer vragen dan voor vergelijkbare kazen en betaalt aan zijn boeren de hoogste melkprijs in Nederland. De boeren blijken goed vertegenwoordigd in de raad van bestuur. En om de verlangde melkkwaliteit te bereiken, laten de boeren hun koeien gras eten op traditionele wijze en vrijwel geen maïs. Het landschap vaart er wel bij.

De hoevewinkel in Onoz

Het is grauw weer en er hangt sneeuw in de lucht wanneer we naar de geitenboerderij Chèvrerie de Mielmont in Onoz trekken, een godvergeten plaatsje halverwege Namen en Charleroi. Hélène Collet heeft Awa Diallo op bezoek, de Senegalese leidster van de herdersvrouwen. Die contacten tussen boeren en boerinnen uit heel de wereld vinden maar zelden voor het oog van de camera plaats. En dus krijgen hun inspanningen minder aandacht dan ze verdienen. Hélène en haar echtgenoot Jean-Jacques blijken alles in handen te hebben. Hun dieren leveren de melk waarvan ze zelf geitenkaas fabriceren. En al dat lekkers verkopen ze in hun eigen winkel, een ruime toonbank die is ondergebracht aan één kant van een ruime woonkamer. De zestig geiten staan in een ruime stal. De dieren zullen straks het gezelschap krijgen van de jongste generatie, nu veertien dagen jong en nog onder de lamp. Ik hoor Awa vragen of hun werk rendabel is. 'Ja', antwoordt Hélène, 'op voorwaarde dat je de melk verwerkt, maar niet wanneer je die melk gewoonweg verkoopt. Bij verwerking tot kaas verhoog je de waarde van een liter melk tot twee euro. De kostprijs is veertig cent. Je creëert dus een marge van een euro en zestig cent. Zo verdienen we veel, veel meer. Maar het vraagt natuurlijk veel meer energie dan melk verkopen, veel meer werk, en je moet alles weten te verkopen.'

Hun hoevewinkel is alle dagen open. Ze blijken intussen naam te hebben gemaakt. Er komen voortdurend klanten over de vloer en die gaan niet met één geitenkaasje naar huis; daarvoor is het aanbod te gevarieerd en blijkbaar ook te verleidelijk. Het succes is zo groot dat ze met zestig dieren niet genoeg kaas hebben om te verkopen. De aanpak overtuigt Awa Diallo: 'Een geitenboerderij runnen is echt makkelijk voor Senegalese vrouwen, en dat geldt ook voor de kaasbereiding en de verkoop op de hoeve. En dat is belangrijk.' Maar wat de organisatie van Awa in Senegal nu al realiseert, maakt op mij nog meer indruk. Dat is voor straks. We blijven nog even in Europa, in Wallonië.

De coöperatie van gezonde producten

In de streek van Ath zijn boeren sinds 1976 al meer dan dertig jaar druk in de weer om een andere landbouwkoers te varen. Bij de start waren ze met hun drieën. Op dit ogenblik zijn ze met vijfenveertig, verzameld in *Agrisain*, wat staat voor *Agriculture Saine*. Gezonde producten, dat is waarmee ze al die tijd de brug willen slaan naar de consumenten. Vandaar ook de naam van de coöperatie die hun producten tot bij de consumenten brengt, *Coprosain*. Dat is de afkorting van *Coopérative de produits sains*, de coöperatie van gezonde producten. Tijdens de voorbije decennia was eerst de hoevekip hun visitekaartje, vervolgens hun gelabeld rundvlees en nog later de ham *Pays Vert*.

Het was niet makkelijk om hun dromen te verwezenlijken. Maar die waren ook ambitieus: zorgen voor natuurlijke en gezonde hoeveproducten die deels biologisch zijn geteeld, smaakvol voedsel voortbrengen, zo dicht mogelijk bij de consument, behoud van de kleine familiale boerderijen en hun activiteiten, lokale werkgelegenheid op die hoeven en in de verwerking van hun productie, vrijwaring van een gevarieerd landschap met respect voor het milieu. Kortom, ze wilden duurzame landbouw in alle opzichten. Utopisch zeiden sceptici, lees onrealistisch en onhaalbaar. De waarheid is dat ze hun utopieën grotendeels in praktijk hebben gebracht. Samen zorgen ze nu voor een uitgebreid aanbod van vlees, charcuterie, gevogelte, zuivelproducten, groenten, fruit en brood. Ze bereiken hun klanten via wat ze een halfkorte keten noemen. Ze hebben drie winkels in Ath, Eigenbrakel en Bergen en leveren aan nog andere winkels in o. a. Ukkel. Hun vijf vrachtwagens verschijnen op eenentwintig markten in Henegouwen, Brussel en Waals-Brabant. En ze runnen een restaurant met banketzaal en een traiteurdienst. Als je door een sociale bril kijkt, zijn er vijfenveertig landbouwers die hun bestaan grotendeels halen uit *Agrisain-Coprosain* en nog eens vijfenveertig werknemers die werk en inkomen halen uit de verwerking en de verkoop.

Boer zoekt klant

> We filmen op het Swijsenhof, niet ver van Hasselt. Het is vooral een portret van een zorgboerderij. Maar je kunt er niet naast kijken. Dit is een uiterst levendige boerderij. Mensen komen langs voor aardappelen of zuivelproducten. En het hoeve-ijs lijkt wel de hoofdattractie.

Ook in Vlaanderen beweegt wat. Heel wat boeren doen aan thuisverkoop op de hoeve. Sommigen verwerven zelfs enige bekendheid, worden min of meer 'bekende boerderijen', zoals de Dobbelhoeve, het Swijsenhof, het Bioschuurke... Onze landbouwers staan op boerenmarkten en biomarkten om daar rechtstreeks hun klanten te maken. In het Hageland en Limburg verkopen enkele tientallen bedrijven online via hun vereniging Hartenboer. Groenteabonnementen aangeboden door bioboeren hebben hun intrede gedaan, vooral in Oost-Vlaanderen.

In het centrum van Brussel opent eind mei 2007 voor de tweede maal Boeregoed-Côté Soleil. De eerste keer lukte het niet. Maar men leert van fouten. In hun winkel willen de boeren van de coöperatie Boeregoed hun streek-, hoeve- en biologische producten uit het Pajottenland aan de Brusselaars verkopen. En de klanten worden uitgenodigd om toe te treden tot de coöperatie.

Voedselteams zijn opgedoken in het consumentenlandschap, Vlaams-Brabant is hun sterkste wingewest. De leden ervan kopen samen hun groenten, fruit, zuivel of vlees bij lokale producenten.

Maar of dit alles genoeg is? Nee, het moet nóg beter.

50 boeren openen twee winkels

'Ziehier onze winkel die in september 1998 is geopend.' (Yves Caillard, Franse boer)

Twee tellen later en Yves is veranderd van een boer in een winkelier.

We gaan het erf op en ontdekken links enkele werkplaatsen en aan de overkant het woonhuis, kasteelachtig, zoals vele woningen in Frankrijk. Wat later troont Marie-Béatrice Caillard ons mee naar de kippenstallen hogerop. Daar wacht een deel van haar werk: 'Ik raap hier meer dan eens per dag eieren op. Op onze boerderij van vijfentwintig hectare draait het hoofdzakelijk om legkippen. We hebben er tweeduizend vijfhonderd. En we maken ook appelsap.'

Bij onze terugkeer treffen we Yves Caillard in een van de bijgebouwen. Hij plakt etiketten op de flessen en vertelt honderduit: 'We hebben een oude boomgaard en een nieuwe boomgaard. Gemiddeld is er een productie van 2.000 tot 3.000 liter appelsap per jaar. We warmen het sap op tot 80°, we brengen het op fles, heel warm, en schroeven er een dop op. Zo maken we appelsap in flessen van één liter. Ik neem nog een etiket.' De camera zoomt erop in en leest *Pomme d'agriculture biologique*. 'Maar onze boerderij is te klein', snijdt Marie-Béatrice hun problemen aan. 'Om ervan te kunnen leven, moet je rechtstreeks kunnen verkopen.'

De oplossing ligt op wandelafstand, op zo'n meter of tien. We vergezellen Yves die zijn bak met fruitsap meezeult: 'Ziehier onze winkel die in september 1998 is geopend.' De winkel is ondergebracht in een vernieuwd gebouw van de boerderij, met vooraan een ruime parking voor de klanten. Twee tellen en Yves is veranderd van een boer in een winkelier. Hij plaatst de flessen in de rekken, even later zit hij al achter de kassa. Mijn verbazing is redelijk groot. Dit doet in niets onder voor een afdeling etenswaren en drank in een beter grootwarenhuis. De inrichting, verlichting, uitstraling, allemaal piekfijn, indrukwekkend. En alles is er te vinden, groenten, fruit, kazen, slagerij, deegwaren, eieren, brood, wijn, fruitsap, zelfs fairtradeproducten als koffie en chocolade, en nog veel meer. Er is geen verschil met wat een grootwarenhuis aanbiedt.

Marie-Béatrice Caillard is nu ook in de winkel. Ze trekt haar schort aan en bedient aan de vlees- en kaasstand. Het is zaterdagnamiddag en druk. Tussendoor maakt ze tijd om ons te informeren: 'Brin d'Herbe is een winkel van landbouwers, wij zijn met twintig producenten, samen vijftig mensen, aan het werk op de boerderijen, ook kleine boeren met kwaliteitsproducten. En samen hebben wij als landbouwers deze winkel op de boerderij ingericht. We hebben het voordeel dat enkele hoeven vlakbij Rennes liggen, een behoorlijk grote stad. Een eerste winkel openden we ten zuiden van de stad en ongeveer tien jaar geleden kwam deze erbij. Onze omzet bedraagt nu meer dan een miljoen euro voor de twee winkels. We hebben ongeveer driehonderdvijftig klanten per week en per winkel.'

Yves heeft nu even een adempauze: 'Liever dan onze verkoop toe te vertrouwen aan handelaars of grote coöperaties, verkiezen we rechtstreeks te verkopen. Zo behouden we de toegevoegde waarde die anders toch maar naar tussenpersonen gaat. En we hebben bewust gekozen voor het concept van die hoevewinkels. Een alternatief was om in de grote winkelstraat van Rennes een zaak te beginnen. Maar die optie heeft het niet gehaald. We willen onze klanten naar de boerderij krijgen.'

Die consumenten kennen intussen de weg naar Brin d'Herbe, dat is wel duidelijk. Bijna voortdurend duiken er nieuwe bezoekers op. Soms merk ik aan de kassa een rij wachtenden van drie, vier of zelfs vijf klanten. We voeren enkele gesprekjes, allereerst met een man die zwaait met een grote krop sla: 'De producten gaan direct van producent naar verbruiker, en de producten zijn vers, eigenlijk winnen we erbij.' Zijn vrouw valt hem bij: 'Kijk wat een mooie krop sla, die vind je nergens anders.' Een tweede vrouw legt nog een andere klemtoon: 'Het zijn natuurlijke producten. Ik eet goed en gezond, dat interesseert me het meest.'

Dezelfde argumenten keren altijd terug, de directe verkoop, de versheid, de kwaliteit, de ecologisch duurzame landbouw. Ook het sociale speelt soms mee: 'Ik heb nu al mijn groenten voor de hele week, en ik heb altijd mijn kleine babbel met Marie-Bé.' En de prijs? Ja, het is soms een beetje duurder, weten ze, maar daar kunnen ze inkomen.

Verkopen is iets heel anders dan produceren

De klanten hebben het naar hun zin. En voor de boeren van Brin d'Herbe zijn hun winkels een zegen, daar laat Marie-Béatrice geen twijfel over bestaan: 'We hebben echt slechte jaren gekend omdat we onze producten moesten verkopen voor een heel lage prijs terwijl het kwaliteitsproducten zijn. Sinds we direct verkopen aan klanten, hebben we ons herpakt en leven we veel beter. Iedereen kan nu van zijn of haar werk leven. En op het persoonlijke vlak is het veel meer verrijkend.' Er zijn meer landbouwers die willen aansluiten. Brin d'Herbe wil echter niet uitgroeien tot een winkelketen. Met vijftig mensen van twintig landbouwbedrijven twee winkels uitbaten, dat is nog net te behappen.

Maar andere landbouwers kunnen het inspirerende voorbeeld van Brin d'Herbe toch volgen, zeker rond de vele middelgrote en grote steden van Europa? Wat zou hen daarvan tegenhouden? Voorlopig lijkt dat niet echt te gebeuren. Marie-Béatrice suggereert een mogelijke hinderpaal: 'Landbouwers zijn geen verkopers. Het vraagt veel organisatie en ook vaardigheden die landbouwers niet altijd hebben. Verkopen is iets heel anders dan produceren (lacht).'

4. Afrika voedt zichzelf

Bissap en gember versus Coca-Cola

> Een begrafenis van drie dagen zet onze hoofdfiguur Ndiogou Fall even
> buitenspel. Tijd voor flexibiliteit. We herinneren ons de vrouwen die
> fruitsap verkopen, op een kleine markt langs de weg van Thies naar
> Louga. En route.

Amyly Ndèye is haar naam, een van de verkoopsters van de gekoelde
zakjes frisdrank op de markt. Ze tovert het assortiment tevoorschijn
uit de frigobox met een passende uitleg: 'We maken sappen op basis
van gember, bissap, tamarinde, mango en meloen. Het zijn lokale natuurlijke producten die we verwerken. Coca-Cola kost 75 cent, en dit
sap met onze natuurlijke producten kost 15 cent.' Niet dat het storm
loopt voor hun fruitsap, maar de verkoop mag er zijn. Jammer van het
extra plastic, nu al merk je in half Afrika aan de hopen plastic zakken
in het landschap dat je een stad nadert. Na de markt spoeden we ons
naar Tivaouane om de fruitsapbereiding te filmen. Gember vormt vandaag de basis, de doordringende geur liegt er niet om. Amyly voert
opnieuw het woord: 'Hier verwerken we de producten die we verbouwen. Wij zijn met vijftig, in vijf groepen van tien. Elke dag komt er een
groep om het werk te doen. Het is erg arbeidsintensief.' Dat merken
we. Koken, afgieten, filteren, het zijn maar enkele van de vele hande-
lingen die elkaar opvolgen. Halverwege is het tijd voor wat anders. Er
is een voetbalmatch in de stad en een verkoopploeg rukt uit. Wij ook.
Een overijverige politieman is niet al te enthousiast over ons filmwerk.
Het kleine incident krijgt voor de vrouwen van Tivaouane een prettige
wending wanneer het samengestroomde bestuur besluit tijdens elke
match promotie te maken voor hun frisdranken.

    We keren terug naar het fruitsapfabriekje. Het is tijd om het verse
fruitsap in zakjes te gieten, die af te sluiten en het sap te laten afkoe-

len. Het is opnieuw een heel drukke activiteit, meer nog dan enkele uren geleden. Een van de vrouwen uit een klacht: 'Wij vrouwen hebben niet genoeg grond om bissap en andere producten te verbouwen.' Senegal is niet het enige land waar vrouwen hun rechten moeten afdwingen. Ze organiseren zich in elk geval goed om daartoe in staat te zijn.

Ik vraag Amyly naar de opbrengsten van hun werk: 'Als we 1.000 liter per dag produceren, dan verdient elke vrouw 22,50 euro per maand.' Misschien moeilijk te geloven voor vele lezers, maar dat geld maakt veel verschil.

De herdersvrouwen van Senegal

Vijf dagen later rijden we opnieuw door Tivaouane, noordwaarts voorbij Louga tot in Keur Momar Sar. Links en rechts groeien de kudden almaar aan. De kudden in het noorden en oosten van het land zijn vrij groot, de opbrengsten zijn het veel minder.

We treffen Awa Diallo aan terwijl ze haar melkkoeien monstert. Ze is vergezeld van Dioumourouk Ka, de voorzitter van het plattelands-overleg in deze streek. Het speelt zich weliswaar af in het begin van het boek, maar misschien herinnert u zich nog hoe Awa Diallo klaagde over de invoer van melkpoeder in Senegal die tienduizenden jobs kost. Awa leidt de organisatie van de herdersvrouwen, 20.000 leden sterk, en haar organisatie is lid van de Senegalese boerenbeweging CNCR. Meer dan eens toont ze zich heel kritisch tegenover de politici: 'De Senegalese regering heeft geen beleid voor de veeteelt, terwijl veeteelt toch een belangrijke rol speelt in onze economie en in de voedselzekerheid van de bevolking. Wij krijgen onze melk niet verkocht.' Maar er is beterschap op komst, voorlopig niet van de kant van de overheid, wel van de herdersvrouwen die aan een tegenoffensief beginnen. En daar heeft Dioumourouk Ka wel een goed oog in: 'Mensen zoals Awa Diallo trekken zich echt onze zaak aan. Ze organiseert de verkoop van onze melk, en dat wekt grote verwachtingen. Wij willen niet langer arme veetelers zijn in vuile kleren. Wij willen dat men van de veeteler zegt: ziedaar de rijken, met een Pajero 4x4, met mooie huizen en met mooie vrouwen.'

Nieuwe melkkiosken in Dakar

'Het is heel goede melk, ik vind haar lekkerder dan de melk die ik vroeger kocht.' (Klant aan een van de melkkiosken van de Senegalese herdersvrouwen)

De herdersvrouwen hebben besloten de verwerking en verkoop van hun melk zelf in handen te nemen. In de verre buitenwijken van Dakar, langs de grote weg richting binnenland, bezoeken we hun atelier. Het werk is in volle gang. Om alles in goede banen te leiden, hebben ze er Aminata Diakité Gueye, een deskundige, bijgehaald. Ze steekt net de thermometer in de melk die ongeveer zeventig graden aanduidt, en ze praat graag: 'Hier zijn we met ons vieren. Als de melk binnenkomt, filteren en pasteuriseren we haar. Vervolgens wordt ze gekoeld en starten we het proces om de melk te doen stremmen. Wij produceren per dag 400 à 600 liter. We kunnen tot 800 à 850 per dag halen.' Awa Diallo is er bij komen staan en ze heeft goed nieuws: 'Het protocol is getekend, ze gaan ons vanaf de achtste 5.000 liter per week leveren. Daarmee kunnen we ook naar de supermarkten trekken.'

Maar deze vrouwen vertrouwen niet alleen op die supermarkten. Want voor de verkoop van hun gestremde melk hebben de herdersvrouwen nu al eenentwintig kiosken geopend in de straten van de hoofdstad Dakar. Awa neemt ons mee naar een van die kiosken, die prima gelegen is aan een kruispunt met heel wat passanten: 'We zijn verplicht kiosken te plaatsen om de verkoop te bevorderen, om onze producten bekend te maken en te promoten. Want met onze keten van lokale melk moeten we opboksen tegen de enorme import van melkpoeder.' De klanten zijn ook hier koning, en ze zijn talrijk op dit uur. Het duurt even voor de verkoopster, Thioukel Sow, tijd voor ons heeft: 'We verkopen couscous met verse melk. De mensen kopen hier omdat onze kiosk netjes is en goed gelegen. Voor mij is het een goede zaak. Ik krijg de melk hier geleverd en kan dan meteen beginnen te verkopen.' Awa vult aan: 'Per dag verkoopt ze 40 à 50 liter. Ook wij die de melk leveren weten dat haar zaak goed draait want haar verkoop stijgt en soms belt ze 's middags en vraagt ons om nog melk bij te leveren.' Ze is opgetogen over hun initiatief en somt de voordelen ervan op: 'Hierdoor verhogen we het inkomen van de producenten en bestrijden we hun armoede. En dit creëert ook werk en een inkomen voor de verkoopsters.'

Afrique nourricière. Afrika voedt zichzelf

Of het beeld ooit onze documentaire zal halen, is niet te voorspellen. Maar het is te mooi om het niet te filmen, de mooi uitgedoste Awa Diallo met hoofdtelefoon aan het skypen met Anne-Laure in Brussel over wat de nabije toekomst brengt: 'Vrijdag is het onze grote vrouwendag *Afrika voedt zichzelf*. We hebben alle autoriteiten uitgenodigd, de ministers, het parlement, de ngo's.'

'We moeten lokaal consumeren, we moeten Senegalees eten.' (Awa Diallo, leidster herdersvrouwen CNCR)

Wanneer de grote dag is aangebroken, treffen we Awa Diallo 's morgens terwijl ze stoelen aan het klaarzetten is. Ze werkt en ze leidt: 'Staan de stoelen uit de vergaderzaal allemaal buiten? Dit volstaat niet.'

Enkele straten verder, in de wijk Grand Dakar, is een vrouwengroep druk in de weer met het voorbereiden van een heerlijk visgerecht. Een van hen is Mamelissa Niang: 'Dit is onze bijdrage aan Afrique Nourricière om te tonen hoe divers de Senegalese keuken wel is. De uien komen van hier, de vis is hier gevangen, de olie komt hier uit de fabriek, alles komt van hier. Zo kunnen we onze voedselsoevereiniteit veroveren.'

Als alles klaar is, trekken de vrouwen ermee naar de festiviteit. Nog meer vrouwen komen daar aan, met pannen, schotels, kommen, allemaal boordevol en afgedekt met doeken of zilverpapier. Dat het eten is, weten we wel zeker, maar welk eten? Daar hebben we het raden naar. En ook de gasten zijn er, geen stoel blijft leeg. Voorzitster Awa Diallo kan aan haar speech beginnen: 'Ik groet jullie allemaal, persoonlijk. *Afrika voedt zichzelf* is gestart door onze West-Afrikaanse koepelorganisatie ROPPA. Wij willen reclame maken voor de voedingsproducten die wij in ons land verbouwen. Wij willen dat de Senegalezen eten wat de boeren telen en kweken. Er is voldoende grond om ons te voeden. Maar wij merken dat de voedselgewoonten sterk zijn veranderd door de invoer van voedsel uit de westerse landen. Jullie weten dat hun landbouwers steun krijgen. Daardoor belanden hun producten hier goedkoop. In dit arme land hebben onze mensen maar weinig koopkracht en daarom kopen ze vooral die ingevoerde producten. Maar wij willen dat wat wij voortbrengen ook wordt gegeten door de Senegalezen. Dat is mogelijk. Iedereen weet hoe hard wij vrouwen daaraan werken.'

Het moment is aangebroken om te onthullen wat al die doeken verbergen. Awa kwijt zich lachend van haar taak: 'Dit is rijst met vis en tomaten.' Het blijken meer dan veertig verschillende gerechten te zijn, het een nog lekkerder dan het ander. Het feestmaal begint. Bij goed eten hoort een goed gesprek: 'Er zijn miljoenen hectare land die we kunnen verbouwen. Maar jammer genoeg hebben boeren niet de middelen om al die aarde te gebruiken door gebrek aan een goede landbouwpolitiek. Het zijn onze vertegenwoordigers', beklemtoont Awa, 'die geen rekening houden met de boeren en hun organisaties, terwijl je toch geen landbouw kunt hebben zonder landbouwers. Ze moeten ons dezelfde kansen geven als de boeren in het Noorden, ze moeten onze markten afschermen. En met een dag als deze, met onze Afrique Nourricière-campagne promoten we ons lokaal voedsel en hopen we de eetgewoonten te veranderen. Je hebt de regeringsvertegenwoordiger horen spreken, hij vraagt om zo'n dag te houden in het parlement en er de hele regering bij te betrekken. Ik weet dat als we ermee doorgaan, we dan echt de regering kunnen beïnvloeden.'

5. De weg van de korte keten, een lange weg

Een leefbare landbouw produceert, verwerkt en distribueert ook zelf.

Of het nu de Braziliaanse coöperatieve markten, winkels en fabrieken zijn, de Europese hoevewinkels, groenteabonnementen en boerenwinkels, de Senegalese melkkiosken en fruitsapverkoop, of nog zoveel andere boereninitiatieven in de hele wereld, ze hebben alle veel gemeen met elkaar.

Meerwaarde creëren en behouden

Telkens gaat het erom dat deze landbouwers zich niet willen beperken tot het simpelweg produceren van grondstoffen, of dat nu granen, melk, fruit of kippen zijn. Zij willen de vruchten van hun arbeid zelf verwerken tot kaas, fruitsap, brood en wijn. Of zij willen die vruchten zelf rechtstreeks verkopen aan de consumenten. En het liefst willen ze het allebei, zowel de verwerking als de verkoop zo veel mogelijk in eigen handen nemen. Zo creëren ze zelf – in meer economische termen – meerwaarde die ze ook zelf kunnen behouden. Want altijd is de bedoeling dezelfde, op die manier een beter inkomen verdienen én zekerder zijn van dat inkomen.

De korte(re) keten

Wie in de supermarkt granenyoghurt of een bereide maaltijd koopt, staat er niet bij stil langs hoeveel schakels zijn aankoop is gepasseerd: boeren, transporteurs, opkopers, groothandelaars, voedingsindustrie, supermarkten, de keten is lang.

Landbouwers die ook transformeren en distribueren willen de afstand tussen het voortbrengen van het voedsel en de mensen die moeten

eten zo snel mogelijk overbruggen. Zij willen de voedingsketen zo kort mogelijk maken. En de kortste keten is natuurlijk die waarbij de boer rechtstreeks verkoopt aan de consument, wanneer er een directe relatie is tussen boer en consument. Zo vermijden ze dat de winsten die hun werk oplevert, wegvloeien naar allerlei tussenschakels en zij alleen de kruimels krijgen of aan de kant worden geschoven.

Inclusief een eerlijke prijs en verzekerde afzet

'Aan het varkensvlees dat ik jullie verkoop, verdien ik driemaal meer dan aan een varken waarvan het vlees uiteindelijk in de supermarkt belandt.' (Vlaams-Brabantse landbouwer in gesprek met een lid van een voedselteam)

Door een rechtstreekse relatie tussen boer en consument kunnen landbouwers een *eerlijke prijs* verdienen. Die is voldoende om hun kosten te dekken en hen er fatsoenlijk van te laten leven. Net omdat de tussenschakels wegvallen, die nu bijna als parasieten leven van het werk van de boeren, hoeft dit niet meer te kosten voor de consument. En als er toch soms prijsverschillen optreden, hebben die vooral te maken met kwaliteitsverschillen. Heel belangrijk in de korte keten is dat de landbouwer in grote mate verzekerd is van de afzet. Hij of zij kan vrij goed inschatten wat de verkoop op markten, via groenteabonnementen of boerenwinkels zal opleveren. Dat is ook zo bij de verkoop aan de eigen coöperatie.

Macht terugwinnen op de voedselmultinationals

Zeker wie in rijke landen in een beschermde omgeving werkt, beseft niet goed hoe ongenadig het marktspel is voor landbouwers.

Hoe je het ook draait of keert, de landbouwers belanden met hun productie op de markt, van lokaal tot mondiaal. Daar zijn ze meestal de speelbal van al te dominante multinationals: wie klein is en zonder economische macht wordt leeggezogen door wie wel die macht heeft.

Ze ijveren en hopen op verstandige overheden die een politiek voeren van voedselsoevereiniteit met marktbescherming, aanbodbeheersing en leefbare prijzen.

Maar het draait dus om macht. En dus kunnen de boeren meer dan dat. Hoe korter zij de keten naar de consument weten te maken, hoe meer economische macht zij terugwinnen op de voedselmultinationals. Met elke zak zaad die ze zelf voortbrengen, elke vrachtwagen melk die ze zelf verwerken, alle groenten die ze zelf verkopen, verkleinen ze het terrein van de grote, monopolistische economische spelers. En telkens verwerven ze meer autonomie en verstevigen ze de greep op hun bestaan. Met hun eigen zaadcoöperaties, met hun eigen productiecoöperaties die leveren aan grootwarenhuizen en met hun eigen winkels en distributiekanalen verkleinen ze de almacht van de agro-industrie en de grootdistributie en verplichten die om wat meer rekening met hen te houden. En ze bouwen bovendien hun alternatieven uit.

Een (heel) lange weg

Zijn we nu aan het dromen? Een beetje en toch niet.

Natuurlijk zijn er redenen om sceptisch te zijn over de levenskracht van een productieve landbouw die ook zelf transformeert en distribueert. Natuurlijk is een korte(re) keten niet evident. Bij de thuisverkoop op boerderijen is er al te vaak een te beperkt aanbod. Lang niet iedereen gaat naar de boerenmarkt. Groenteabonnementen vragen bewuste consumenten. Winkels in handen van landbouwers zijn vooralsnog witte raven. Boerencoöperaties hebben het regelmatig heel moeilijk om de consumenten te bereiken. Als het op verwerking aankomt, stelt de landbouw nog veel te weinig voor. Zijn onderhandelingspositie met de agro-industrie en grootdistributie is al te zwak. Maar wat anders zouden we kunnen verwachten? Zijn we al vergeten dat we, met reden, van inputpotentaten en outputgiganten gewagen? Aan die machtsgreep kun je moeilijk een-twee-drie ontsnappen. De opbouw van tegenmacht heeft tijd nodig en verloopt in die omstandigheden noodgedwongen moeizaam.

De potentie van een volwaardig economisch alternatief

'Wanneer het andere model wordt opgedoekt, is onvoorspelbaar. We dromen van een andere landbouw en die droom zet ons tot actie aan.' (Altemir Tortelli, Braziliaans boerenleider)

Het alternatief van een productiewijze – van productie tot verdeling – die vooral stoelt op de korte keten en die grotendeels in handen is van de landbouwers, stuit op veel scepsis, soms zelfs op meewarige reacties. Dan wordt wel eens, hoe voorspelbaar toch, het cliché gebruikt van de geitenwollen sokken, of gezegd dat het *small is beautiful*-gehalte veel te hoog is. Die kritiek – eigenlijk meer toogpraat – is onterecht. Storend is dat sommigen in grote ontwikkelingsorganisaties die praatjes cultiveren en zelf analytisch nog altijd niet verder raken dan dat de landbouwsubsidies van de Europese Unie en de Verenigde Staten de kleine boeren in het Zuiden de das omdoen. Wij weten intussen, samen met de boeren in heel de wereld en met vele andere ontwikkelingsorganisaties, dat de oorzaken dieper liggen. Wij weten dat het afschaffen van exportsubsidies inderdaad noodzakelijk is maar dat je daarmee nog lang geen duurzame en leefbare landbouw realiseert. Er is de simpele vaststelling dat de weg van de agro-industrie en de grootdistributie dood loopt, voor de boeren, voor de hongerigen, voor het milieu, voor de consumenten, voor de rechten van de mensen, voor hun autonomie en hun democratie. Hun huidige aanpak ondermijnt overal een leefbare landbouw en de ontwikkeling van welvarende samenlevingen. Als die productiewijze slecht is, vernietigend zelfs, komt het eropaan alternatieven op de wereldkaart te plaatsen, van lokaal tot globaal. De sceptici, die zich graag als realisten beschouwen, hebben echter weinig te bieden. Aan een heiligverklaring van bewegingen doe ik nooit mee. Maar het moet gezegd: de wereldwijde boerenbeweging is al flink opgeschoten. Nu al is merkbaar dat de alternatieven zich niet beperken tot kleinschalige activiteiten op microniveau. Die zijn er, we hebben er heel wat ontdekt in dit boek en ze zijn hard nodig. Maar daaraan aansluitend zagen we ook economische initiatieven die op grotere schaal werken. En er is uitzicht op veel meer, al zullen de consumenten, de samenlevingen en hun politici dan wel mee een zetje in die richting moeten geven. Hoe men landbouwmarkten op het regionale vlak – in de grootteorde van Europa of Zuid-Amerika – kan reduceren tot zogenaamde irrelevante kleinschaligheid is me een raadsel. Dat doet men ook met krachtige coöperatieve bewegingen met een groot economisch gewicht, met leefbare prijzen voor 1,35 miljard boeren, met voedselreserves voor alle mensen, met het breken van monopolies en met een korte keten die voedsel voorziet tot in de grootste steden van onze wereld en bij al wie honger lijdt.

En ja, natuurlijk zit daar ook een aanzienlijk deel *small is beautiful* in omdat decentralisatie en *selfreliance* wel degelijk mee antwoorden bieden op grote en zelfs mondiale problemen. Net daarom is *small* vaak *beautiful*. Men moet een boek soms wel eens lezen om de titel goed te begrijpen.* Of (en wanneer) de alternatieven van de korte keten en de voedselsoevereiniteit ooit volop doorbreken, zal moeten blijken.

In een prachtige heuvelachtige omgeving zien we onder ons de reusachtige kippenstal liggen die ons eraan herinnert dat zelfs hier de agro-industrie haar tentakels uitsteekt. Als Altemir Tortelli, de Braziliaanse boerenleider, naar de toekomst kijkt, tekent hij terecht een heel breed perspectief: 'Wanneer het andere model wordt opgedoekt, is niet te voorspellen. We dromen van een andere landbouw en die droom zet ons tot actie aan. Elke dag komen we dichter bij een nieuw model. Dat gaat makkelijker met goede regeringen. Maar zij maken niet het volledige verschil uit. We moeten zelf ons werk blijven doen en leren uit ervaring. De tekenen van verzadiging van het traditionele economische model zijn heel duidelijk. Er is de opwarming, verontreiniging, ontbossing, honger: dit model heeft dit allemaal aangericht. Dus is er behoefte aan een ander model, en behoefte aan een snelle verandering. Hoe meer wij boeren nadenken over alternatieven en actie voeren, zowel lokaal als mondiaal, hoe beter we het huidige model zullen weerstaan, het zullen bestrijden en op middellange en lange termijn een ander model zullen construeren.'

---

* Overigens beklemtoont Schumacher in zijn boek *Small Is Beautiful* dat de menselijke samenleving zowel kleine als grote structuren nodig heeft. Maar wanneer het grootschalige wordt verafgood, is het nodig om de kwaliteiten van kleinschaligheid te benadrukken – waar dat gepast is (en omgekeerd).

6. De coöperatieve weg (heruitgevonden)

In de eerste plaats moeten de boeren op hun eigen kracht rekenen om hun autonomie en bestaanszekerheid te herwinnen. Nieuwe en ook oude coöperaties kunnen mee een uitweg bieden. Coöperatieve en andere vormen van samenwerking zijn al lang een economische sterkhouder voor de boerenbewegingen.

Het kredietcomité van Méckhé

> 'Waarschijnlijk zal hij geen nieuwe lening krijgen, want hij heeft niet op tijd terugbetaald.'

Zowat overal ter wereld werken landbouwers samen om in hun toekomst te investeren, ook in Senegal. Neem bijvoorbeeld een kijk in de interne keuken van de boerengroep van Méckhé. De voorbereiding van het kredietcomité is volop bezig. Voorzitter Falilou Diagne legt uit: 'De leden geven nu hun aanvragen door. Hier op het bord heb je de lijst met de namen, hun rekeningnummer, het al gespaarde bedrag en de verlangde som.' Er komt iemand binnen. Hij komt zijn lening aflossen en vraagt een nieuw krediet aan. Ik maak de bedenking dat er misschien onvoldoende middelen zijn en ze dus een keuze moeten maken, maar welke criteria hanteren ze dan? 'We verdelen het beschikbare krediet vooral volgens wat er is gespaard door de aanvragers. Maar ook andere afwegingen spelen een rol.' De blik van Falilou Diagne is intussen naar het bord gegaan: 'Kijk, deze aanvraag hier. Waarschijnlijk zal hij nu geen krediet krijgen want hij heeft het vorige niet op tijd terugbetaald.'

Vele coöperaties maken het boerenleven draaglijk

Zo breidt de groeiende boerenbeweging in Brazilië zich uit. Er zijn niet alleen de kleine en grotere coöperaties voor verwerking en vermarkting. Er is er ook een om elektriciteit in afgelegen boerderijen te krijgen. En ze telt Cresol, een kredietcoöperatie, in haar rangen. Haar uithangbord is te zien in vrijwel elke stad. Voor wie een andere economie uit de grond wil stampen, is geld belangrijk. Je moet kunnen investeren om later te kunnen oogsten, in dit geval zowel figuurlijk als letterlijk. Dan is het een geluk dat boeren geld kunnen lenen bij hun kredietcoöperatie.

We hebben afgesproken met de twee broers Balen, Clairton van de ambachtelijke kaas en Paulo van de industriële kippen. Aan het loket blijkt Clairton heel wat geld bij zich te hebben: 'Ik heb het geld van de markt op de rekening gezet want de zaterdagmarkt was goed.' Dat hebben we zelf ook gemerkt. Hij heeft de investeringen in zijn kaasmakerij dus al verteerd. Zijn overstap naar de korte keten is achter de rug en hij plukt er nu al de vruchten van. Ik zie Paulo tijdens zijn onderhoud een getal noteren op zijn hand. De betekenis wordt snel duidelijk tijdens het interview: 'Ik kwam kijken naar de schijf van een lening die ik moet afbetalen, 545 euro, om me voor te bereiden om het geld te vinden.' Ai, dat is de afschrijving van zijn kippeninvesteringen. Zo vastgeklonken zitten aan de exportindustrie kost geld en de inkomsten zijn onzeker. Als Paulo wil breken met de agro-industrie en zoals zijn broer overstappen op de productie voor de Braziliaanse markt, zal hij opnieuw moeten lenen. Gelukkig is dat niet onmogelijk en kan hij terecht bij Cresol. De kantoorhouder in Erechim heet Antenor Pertille. Hij kent de sterke kant van Cresol: 'De kredietcoöperatie is er om de familiale landbouw te steunen met leningen voor bedrijfsinvesteringen of voor woningbouw op het platteland. Wij bieden de boeren ook een bankrekening aan. Dat is een groot verschil want vroeger had een boer geen toegang tot andere banken. En voor onze boeren is dat een bankrekening zonder kosten.'

De economische schaal van coöperaties

De Braziliaanse boeren tonen zich als zovele anderen heel ondernemend. Hun activiteiten zijn heel divers en van klein- tot grootschalig. Het geldt ook – en dat is niet verrassend – voor hun talrijke coöperaties.

In de vijandige omgeving waarin de landbouwers moeten opereren, is het belangrijk over geschikte wapens te beschikken. Hun leven hangt ervan af. Dat weten ze ook in Vlaanderen. In 2002 belanden de boeren die biologische melk produceren in een crisis, de ophaling stopt. Hun antwoord: een coöperatie stichten, Biomelk Vlaanderen. Maar dit garandeert nog geen succes. Lieve Vercauteren schrijft in het boek *Nourishing Networks* over de beginperiode van de coöperatie: 'Te weinig melk raakt verkocht in het beter betaalde biologische circuit en dus is het inkomen voor de landbouwers te laag. De coöperatie is met 25 bedrijven te klein, heeft een zwakke marktpositie en geen onderhandelingsmacht. Alhoewel veel consumenten bereid zouden zijn wat meer te betalen voor melk uit eigen streek, slaagt Biomelk Vlaanderen er niet in om haar streekproduct te onderscheiden van de geïmporteerde biomelk. Ook om de verwerking zelf in handen te nemen, is ze te klein. De boter en Goudakaas die onder eigen merknaam op de markt komen, zijn weinig succesvol. Het lukt niet de verkoop goed te organiseren. De coöperatie wil wel rechtstreeks tot bij de consumenten komen, maar slaagt daar niet in. Een commercieel lichtpuntje is de samenwerking met Oxfam Wereldwinkels die resulteert in een fair trade chocolademelk, qua omzet niet zo belangrijk maar wel mooie promotie.'

Biomelk Vlaanderen is geen mislukking. Denk deze coöperatie weg en het is afgelopen met biologische melk in Vlaanderen. Maar de lessen zijn duidelijk. Het komt er alvast op aan om én groot genoeg te worden, én de goede keuzes te maken inzake producten en verkoopkanalen.

Dat ook de landbouw een snel veranderende economische sector kan zijn, bewijst het vervolg. In Groot-Brittannië is een tekort aan biologische melk ontstaan zodat Biomelk Vlaanderen momenteel zijn volledige productie kan verkopen tegen de beste prijzen. Maar op die Europese exportmarkt is niets zeker. Veel Britse boeren zijn aan het omschakelen op biologische landbouw zodat over enkele jaren de uitvoer opnieuw kan stilvallen.

Milcobel is een grote melkcoöperatie van enkele duizenden melkveehouders gevestigd in het Vlaamse Kallo. Ze koopt hun melk aan en vervoert die. En vooral, ze moet activiteiten ontwikkelen die een duurzame afzet en een faire melkprijs garanderen. Daartoe heeft ze vier werkmaatschappijen en productievestigingen op acht plaatsen in België, Frankrijk en Nederland. Belgomilk produceert kaas, boter, room en melkpoeder. Voor consumptiemelk en verwante producten is er Inza. Nv Jan Dupont houdt zich bezig met de handel, verpakking en versnijding van kaas. En ijsroom is de specialiteit van Ysco. Op de website afficheert Ysco zich als een toonaangevende Europese groep in de productie van ijsproducten. Daar schuilt een interessant verhaal achter. Ysco heeft eigen merken, levert voor keukens en horeca en ontwikkelt producten voor andere merken. Met die laatste productie haalt Ysco twintig procent marktaandeel in Europa, goed voor het Europese marktleiderschap, niet slecht dus. Dat marktleiderschap is niet toevallig, zo leert een gesprek met Dirk Maes, een landbouwer die in de raad van bestuur zit: 'We wilden met Milcobel absoluut de grootste Europeaan zijn in ijsroom om onderhandelingsmacht te verwerven tegen die éne aankoper van Carrefour.'

We stuiten dus op een ons bekende waarheid: *It's the distribution, stupid*. Net als andere verwerkingsbedrijven moet ook de coöperatie Milcobel de confrontatie aangaan met de macht van de grote distributeurs. Die kwamen we op het spoor in het zevende hoofdstuk van deel vier. Als je als coöperatie niet zelf kunt distribueren tot bij de consument moet je groeien om te proberen het onevenwicht aan de onderhandelingstafel weg te werken of minstens niet groter te laten worden. Wat de leden van Milcobel zeker interesseert is de melkprijs die ze ontvangen van hun coöperatie. Een vergelijking met wat bedrijven in andere Europese landen betalen leert dat ze niet zo slecht af zijn. Milcobel scoort tot ruim vijf procent beter dan het gemiddelde.

Van wie zijn de coöperaties?

Enkele hoofdstukken geleden kopten we: 'Wat lukt in Brazilië, kan ook in Europa'. Dat is wat ironisch gesteld, en ook zo bedoeld. Want de Europese boerenbewegingen hebben vanzelfsprekend heel oude en heel grote coöperaties. Vele krijgen echter stille tot felle kritiek te slikken. Een harde criticus is René Louail van de Franse Confédération Paysanne. We hebben net de Bretonse pannenkoeken opgegeten die hij voor ons heeft klaargemaakt wanneer hij de balans opmaakt: 'Trieste vaststelling, de landbouwcoöperaties zijn ontspoord, meer dan de helft zijn multinationals geworden, niet te controleren, alleen op papier nog coöperaties. De boeren in hun raden van bestuur zijn *spookboeren*, de directeuren beslissen alles. Het is tijd om zonder hen te herbeginnen.'

De vraag blijft me bij. Ze valt me meteen op, is indringend. Clairton, de nog jonge Braziliaanse melkveehouder en kaasmaker, stelt haar al vlug wanneer we bij hem filmen: 'Hoe hebben de Europese boeren het aangepakt om hun coöperaties te blijven controleren?' Die eerste keer geef ik hem geen antwoord. Maar het is wel duidelijk dat hij nu al ziet hoe de grotere coöperaties zoals Corlac, de melkophaler en verwerker, of de kredietcoöperatie Cresol hun eigen dynamiek ontwikkelen. Heel nuchter bedenkt hij dat die niet noodzakelijk de belangen blijft weerspiegelen van de boeren, zelfs niet al zijn die de eigenaars. Voor zichzelf heeft hij al de conclusie getrokken dat hij ook van hen niet afhankelijk wil zijn. Hun kleine boerderij, met wat melkkoeien en de productie van kaas die ze zelf verkopen, dát is hem voldoende, dát is zijn vrijheid.'

De eeuwige spanning tussen beweging en economie

> Bewegingen met een economisch project zijn veel sterker en succesrijker in het forceren van de maatschappelijke veranderingen die ze voorstaan.

De vraag van Clairton – de kwestie eigenlijk – duikt een paar dagen later opnieuw op bij een *churrasco*, een feestmaal met bergen vlees. Boeren komen in beweging om daar als boer beter van te worden. Om daar nog beter in te lukken, versterken en verbreden ze hun economische initiatieven. Dat doen ze dan samen met de hulp van de coöperaties waarin ze zich organiseren. Altijd opnieuw zal dan snel de spanning opduiken tussen de beweging en haar economische activiteiten. Bij boeren en hun bewegingen primeert het boerenbestaan en de verdediging daarvan. Ze hanteren een bewegingslogica en de economie is er om de ambities van hun beweging te ondersteunen en te realiseren. De economische coöperaties die ze hebben opgericht zijn daartoe dus noodzakelijke of gewoonweg krachtige instrumenten. Ze hebben echter onontkoombaar hun eigen economische logica en ontwikkelen zich bovendien tot instituten, soms zelfs bureaucratieën, met een eigen bestaan en belangen.

Van Dirk Maes van de coöperatie Milcobel herinner ik me zijn bedenking: 'Het kruipt en zit in het hoofd. Het is bijna of zelfs sterker dan jezelf, die andere logica die zegt dat je hier geen boer bent maar bedrijfsleider.' En dan praten we over een grote coöperatie die niet al te veel kritiek naar het hoofd krijgt geslingerd van haar boeren.

Als Clairton me opnieuw de vraag naar de al oude relatie tussen de Europese boeren en hun coöperaties stelt, antwoord ik uiteindelijk: 'Ze hebben de controle over hun coöperaties soms maar met moeite kunnen behouden en in veel gevallen zelfs aan hen zien ontsnappen. Dat is althans het antwoord dat nogal wat Europese boeren geven als je met hen praat over de grote coöperaties, of het nu productiebedrijven, handelsondernemingen, banken of veilingen zijn.'

Hoe omgaan met het spanningsveld tussen beweging en economie?

Sociale bewegingen zonder een economische poot zijn doorgaans onmachtige bewegingen. Bewegingen met een economisch project zijn veel sterker en succesrijker in het forceren van de maatschappelijke veranderingen die ze voorstaan. Maar altijd opnieuw zullen beweging en economie met elkaar botsen, zullen conflicten opdoemen in de relatie. Hoe ga je om met die spanningen? Hoe slaag je erin om de beweging aan het roer te laten en de koers uit te tekenen?

René Louail kiest voor een tweesporenaanpak: 'Tegenover deze ontspoorde coöperaties moeten we als vakbonden optreden. We moeten eisen dat de boeren behoorlijk worden betaald. Daarnaast moeten we nieuwe coöperatieve structuren in het leven roepen die democratischer zijn. En we moeten beletten dat ze te groot worden, anders zijn we ze niet meer meester. We hebben kleine bedrijven nodig die nog een band met boeren en consumenten bewaren.'

Op dit punt zit René onmiskenbaar met een probleem. Want tegenover de almaar groeiende multinationale macht van Carrefour, Wal-Mart, Unilever of Monsanto kun je geen al te kleine boerencoöperaties in de strijd gooien. Dat gaat ook op als de politici ooit zouden beslissen om die al te grote en al te dominante multinationals op te delen en enkele maatjes kleiner te maken om de concurrentie op de markt wat te herstellen. Altemir Tortelli rekent erop dat de boeren hun coöperaties in de hand kunnen blijven houden, al zal dat inspanningen vergen: 'Wij boeren moeten bewust zijn. Wij moeten ons informeren over de realiteit waarin wij leven en die informatie kritisch analyseren. Het heeft geen zin om nieuwe coöperaties op te richten als ze het model van de agro-industrie gaan kopiëren. Ze moeten er zich van bewust zijn dat er in zo'n model maar plaats is voor weinig boerengezinnen, voor weinig familiale boeren.' Ik ben benieuwd hoe de Braziliaanse boeren de komende jaren gaan omspringen met hun coöperaties. Ze zijn zich in belangrijke mate bewust van de spanningen en de gevaren. Zullen ze nu ook nog goede antwoorden vinden? Dan kan wat lukt in Brazilië, toch ook lukken in Europa en elders in de wereld?

'En', voegt Tortelli er nog aan toe, heel belangrijk voor hem, 'We moeten ook de capaciteit hebben om in dialoog te gaan met de hele samenleving'.

7. Wat bindt boeren en consumenten?

Net zoals bij de lange keten, bevinden zich aan het einde van de korte(re) keten degenen die eten of verbruiken wat de landbouw voortbrengt. Meestal spreken we nu van de consumenten. Zij verdringen de 'klanten'. Boeren die rechtstreeks verkopen, zullen het toch nog over hun klanten hebben. We zijn de eindverbruikers of consumenten van hun aanbod onder andere al tegengekomen op de boerenmarkt in Erechim, aan de melkstalletjes in Dakar, op de markt nabij Tivaouane, in de boerenwinkel Brin d'Herbe nabij Rennes of in de hoevewinkel in Onoz. Altijd doen die boeren hun best om hun aanbod van goede en eerlijk geprijsde producten zo goed mogelijk bekend te maken en bij hun potentiële klanten te krijgen. De actieve rol van de klanten beperkt er zich toe naar de markt, boerderij of winkel te gaan, uit het assortiment te kiezen, te betalen en, het liefst tevreden, te consumeren. Maar soms is er een grotere rol weggelegd voor de consumenten, soms is hun rol in het tot stand komen van een korte keten met de landbouwers essentieel, soms nemen zij zelfs het initiatief.

Nossa Terra: landbouwers en consumenten samen in een coöperatie

> De strijd woedt evenzeer in de hoofden van de consumenten. Ook zij moeten keuzes maken.

Op de boerenmarkt in Erechim is er tijd om de coöperatieve winkel te bezoeken. Stel je maar geen klein winkeltje voor, eerder een kleinere supermarkt. Ik zou niet weten wat er niet te vinden is. En in elk geval is er te veel om op te sommen. We ontdekken al snel de kaas van Clairton, een grote slagerij waar je niet naast kunt kijken, en er zijn de wijnen van Marino Slongo die we aan het werk zagen in zijn reusachtige wijntonnen. Zijn vrouw Marlene Pasquale is de verantwoordelijke van de coöperatie

en geeft een welkom woordje uitleg: 'Onze coöperatie van familiale landbouwers en consumenten *Nossa terra* is opgericht in 2001. Voor sommige
familiale verwerkingsbedrijven is dit het belangrijkste verkoopspunt. De
coöperatie telt ongeveer 240 leden. Dat zijn dus zowel producenten als
consumenten. We hebben deze relatie gelegd zodat de consumenten uit
de stad hun mening kunnen geven over de kwaliteit van wat de landbouwers aanbieden en hun voorkeuren kunnen uitdrukken.' Altemir Tortelli
is ook de winkel binnengekomen. Nu de zon al hoger staat, is het hier
frisser dan op de markt. De consumenten nemen in zijn visie en in die van
de boerenbeweging Fetraf een belangrijke plaats in: 'De strijd tussen de
twee modellen kan nog jaren duren. Maar naarmate de bevolking, de consumenten overal in de wereld, zich ervan bewust worden dat de ziektes,
de catastrofes en de vergiftiging die opduiken in de voedingsketen het
gevolg zijn van het agro-industriële landbouwmodel – en dat zien we elk
jaar duidelijker – zullen ze ervan overtuigd raken dat er een ander model
moet komen. Deze steun van de stedelijke bevolking zal doorslaggevend
zijn.' Als we vandaag een strijd beleven tussen een industrieel landbouwmodel, waarin de grootdistributie het hoogste woord voert, en de familiale landbouw, speelt die strijd zich niet alleen af in de landbouwsector. Die
woedt evenzeer in de hoofden van de consumenten. Zij moeten beslissen
voor welke landbouw ze kiezen: zij moeten hun keuzes maken over wat
ze eten en waar ze dat voedsel vandaan halen. Tortelli rekent op de kritische zin van de consumenten: 'Als de consumenten kritischer worden
over hun eten, over wat er op tafel komt, zullen ze ook kritischer zijn wat
het landbouwmodel betreft. De samenleving, de consumenten, de mensen in de kleine en grote steden moeten weten dat er achter elke kilo kippenvlees en achter elke doos melk families zitten, mannen en vrouwen,
en dat er bij hen dromen leven.'

Omdat consumenten het verschil kunnen maken

'De belangrijkste ontwikkeling zal het werk zijn van de consumenten
die hun aankopen doen. Dat is een politieke daad, niet iedereen is zich
daarvan bewust.' (Maryse Templier, Franse landbouwster)

De landbouwers in de ruime omtrek van het Bretonse dorp Tredaniel
zijn in de weer. Pierre-Yves Aignel moet je niet langer overtuigen van

de meerwaarde die schuilt in de verwerking van landbouwproducten: 'Verwerken doe ik niet zelf, daar ontbreekt me de tijd voor. Maar liever dan mijn melk te verkopen, verwerk ik haar in eigen beheer tot beter betaalde producten zoals yoghurt.' Als we met hem tussen zijn koeien staan, situeert hij die economische keuze in een veel breder verhaal: 'Wij zijn boeren die de duurzame landbouw verdedigen. Wij houden altijd het evenwicht voor ogen tussen de drie dimensies, het economische – daar kun je niet buiten – het ecologische als permanente bekommernis, en de sociale functie in de mate dat we de productiemiddelen willen delen in plaats van ze te concentreren, en dat we zo veel mogelijk boeren op het platteland fatsoenlijk van hun werk willen laten leven.'

Er mankeert nog iets. Die producten moeten door klanten worden afgenomen. Dat besef zit diep bij de boeren, ook bij Pierre-Yves, net als bij zijn collega uit dezelfde streek, Joseph Templier. De zon is laag gezakt wanneer Joseph de duidelijke analyse maakt: 'De biologische landbouw of duurzame landbouw heeft toekomst in de mate dat de producenten toenadering vinden tot de consumenten.' Tijdens het avondmaal ontmoeten we zijn vrouw Maryse Templier. Zij is bestuurder bij Biolait, een groep van ruim tweehonderd landbouwers die hun melk samen verkopen. Na het eten zal ze zich bezighouden met de boekhouding. Maar eerst gunt ze ons een kijkje in de financiële huishouding van hun boerderij: 'Dit zal het beste jaar in vier jaar worden, want we hebben moeilijke jaren gehad. Dat was te wijten aan de slechte verkoop en de prijs van de melk. En ook aan de twaalf hectare grond die we vier jaar geleden hebben overgenomen. De omschakeling ervan op biologische landbouw duurt drie jaar en in die periode heb je wel kosten maar geen inkomsten. Dit jaar dus voor het eerst wel. ' De toekomst ziet ze tamelijk rooskleurig in, maar ook zij kijkt richting consumenten: 'Biolait krijgt meer erkenning en ik hoop dat dit zo verder evolueert. Maar de belangrijkste evolutie zal moeten komen van de consumenten die hun aankopen doen. Dat is een politieke daad. Niet iedereen is zich daarvan bewust.'

Voisins de Paniers

> 'De burger moet de zaken in handen nemen en dit alternatief voor de supermarkten mee ontwikkelen want de politiek zorgt niet voor evenwicht tussen beide systemen.' (Anne Héry, lid Voisins de Paniers)

De zon loopt rood aan wanneer we bij Joseph in de auto stappen. Er
wacht hem heel ander werk nu: 'We rijden naar een vergadering van
een consumentenvereniging. Ze hebben de vereniging *Voisins de Paniers*
opgericht om gezamenlijk hun aankopen van kwaliteitsproducten uit
de biologische en duurzame landbouw te doen.'

Vanuit de verte lijkt *Voisins de Paniers* onder de kerktoren van Tredaniel te liggen. In werkelijkheid ligt het wat verder. De overkant van de
straat is al een met hoge bomen omzoomd veld, dit is het platteland. De
boeren delibereren over de kandidatuur van een landbouwer. Ze vragen zich af hoe zijn producten aansluiten op het bestaande assortiment
en of hij voldoende kwaliteitsinspanningen wil leveren. Ze horen van
een andere landbouwer die binnenkort met groenten wil starten, ze
krijgen administratieve problemen te verwerken alsook de verrekening
van arbeidsprestaties… allemaal heel noodzakelijk.

Maar de volgende dag wordt het toch interessanter. Dat is het wekelijkse moment waarop het aanbod van de boeren de klanten bereikt. Bij
onze aankomst is ook Pierre-Yves Aignel daar, de boer die zijn melk
laat verwerken. Ook hij verkoopt via *Voisins de Paniers*. De camera volgt
hem tot in de grote koelruimte: 'Hier zijn mijn producten. In ons aanbod hebben we acht producten. Er is een natuuryoghurt, dat is de basis.
Bij die natuuryoghurt voegen we ook echte confituur, aardbeien, cassis,
peren, rabarber; verder nog nagerechten met chocolade en met vanille.
Alle producten die boeren leveren aan *Voisins de Paniers* hebben een
technische fiche zodat de consumenten precies weten hoe we tewerk
gaan.'

Er lopen mensen af en aan, de bestellingen worden klaargemaakt.
Een grote wand is bijna helemaal bezet met rekken waarop de gevulde
manden en bakken belanden. Vlees, yoghurt, alles wat koele bewaring
vereist, gaat naar de koelruimte, en komt daar ook terecht in de bakken
van de diverse leden, volgens hun bestelling.

De verantwoordelijke Julie Dupetitpré heeft voor ons de feiten en cijfers van *Voisins de Paniers*, maar ze start bij het begin: 'Hier in de streek
zijn geen markten of grotere steden maar wel veel landbouwers. Enkele
mensen namen het initiatief om zich als consumenten te verenigen met
die lokale boeren. Hier komen al hun producten aan en worden ze verdeeld. Dit is het hoofddepot van waaruit ook de manden vertrekken
naar vier kleinere depots. Na twee jaar zijn er nu tweehonderd leden

en we leveren ongeveer tachtig manden per week. Zo'n vijftig producenten werken met ons samen. We garanderen hen een correct inkomen voor hun werk. Dat gaat goed. Er komen nieuwe depots bij en we
groeien nog. De leden bestellen wekelijks, en dat kan via de website.'
'*C'est la viande qui arrive.*' Er komt een vrouw binnen met vlees en
charcuterie, erg gehaast, weinig tijd voor vragen, ze moet nog elders
zijn. Meer mensen dagen op, ze halen hun wekelijkse portie levensmiddelen uit de rekken en de koelruimte. Zij blijven wel voor een praatje,
het is al goed vrijdagnamiddag en het sociale leven heeft ook zijn rechten. Pierre-Yves overloopt met ons de namen op de manden. Hij kent
de meeste mensen persoonlijk: 'Voor ons is dit maar een klein deel van
onze omzet maar we zien die graag toenemen. De consument vaart er
wel bij en de boer levert direct aan zijn buur, en heeft zin om nog beter
te werken. Het is ook aan de consumenten om de verantwoordelijkheid op zich te nemen, zoals wij dat moeten doen. We moeten elkaar
verstaan, dat is essentieel. Dat heeft tijd nodig, het is moeilijk tegen de
stroom in te roeien, maar deze ervaringen zullen vrucht dragen, daar
ben ik zeker van. En ik hoop het ook heel erg.'

Aan de consumenten die lid zijn van *Voisins de Paniers* zal het niet liggen. Die zijn gemotiveerd, zoals Luc Baillaigeau bijvoorbeeld: 'Ik ben
tegen supermarkten. Hier vind ik alles van mijn gading want hier ken
je de producenten, je weet hoe ze telen of kweken, het is lekker eten en
het is niet duurder. Zo'n product is goedkoper in de supermarkt maar
dan krijg je niet dezelfde kwaliteit. Hier krijg je goede kwaliteit en een
eerlijke prijs. En je weet waar het geld naartoe gaat, in elk geval belandt
het niet in de zakken van een CEO van een groot bedrijf.' Iemand voert
nog een extra argument aan: 'Met deze streeklandbouw vermijden we
transport door heel Frankrijk of heel Europa.' Een extra goedgemutste
vrouw inspecteert tevreden haar mand: 'Super. Excellente thee, heel
goede thee... prima yoghurt… hier, boter en worsten. Zulke goede producten vind je niet in de supermarkt.' Anne Héry is lerares. Ze kent de
landbouwers en weet dat hun werkwijze wordt opgevolgd. 'Zo stimu-
leer je de lokale producten. Ik verkies werk te geven aan de mensen om
me heen. En er is de traceerbaarheid van wat ze leveren. Dit voedsel is
veiliger.' Haar overtuiging is ook politiek: 'De burger moet de zaken
in handen nemen en dit alternatief voor de supermarkten mee helpen

ontwikkelen want de politiek zorgt niet voor evenwicht tussen beide systemen. *Voisins de Paniers* werkt veel democratischer. De boeren zorgen voor goede producten en met ons geld belonen we rechtstreeks hun werk.'

Voedselteams

> Het is prachtig nazomerweer als enkelen van ons voedselteam de Appelfabriek bezoeken in Neerijse en een rondleiding krijgen van 'hun' fruitboer.

In Vlaanderen zullen nogal wat mensen in *Voisins de Paniers* de werking van hun eigen voedselteams herkennen, *Voisins* is dan ook ontstaan uit een uitwisseling met Voedselteams. Aan de oorsprong van dit initiatief om duurzame landbouw te bevorderen door relaties te leggen tussen boeren en consumenten lagen de organisaties Vredeseilanden, Wervel en Elcker-Ik Leuven (opgegaan in Vormingplus). Sinds 1996 vormen consumenten groepen of teams van tien tot twintig leden, meestal zijn dat gezinnen. Samen bestellen zij hun voedingsmiddelen waarbij ze kunnen kiezen uit een gevarieerd aanbod van groenten, fruit, zuivelproducten, dikwijls ook vlees, brood of andere graanproducten, of ook Wereldwinkelproducten. Behalve voor die laatste komt dat aanbod van lokale boeren. Versta daaronder niet dat die allemaal om de hoek wonen, wel in de ruimere streek van het voedselteam. De producenten leveren de bestelde waar wekelijks af op een centraal punt, meestal thuis bij een van de leden. Het team organiseert van daaruit de distributie. Wie die week aan de beurt is zorgt voor de verdeling over de bakken van alle leden die ze dan komen ophalen. Voedselteams moeten kunnen rekenen op redelijk wat inzet van de aangesloten leden voor bestellingen, verdelingen en betalingen. Niet iedereen heeft daar tijd voor of kan het blijven opbrengen. Dat veroorzaakt wel wat verloop. Ook het vinden én behouden van een geschikte plaats blijkt niet altijd vanzelfsprekend. Opvallend is dat vele teams nog andere activiteiten ontplooien, recepten uitwisselen, een etentje of een drink organiseren, een bezoek aan een van de boeren brengen en elkaar op de hoogte houden van interessante initiatieven… Intussen omvat de kleine beweging van voedselteams ongeveer honderd groepen met in totaal 1.600 gezinnen.

Maar de regionale verschillen zijn groot. In Oost-Brabant, vooral in de streek van Leuven, en in Limburg zijn ze het grootst in aantal. In de andere provincies zijn er heel wat minder. En in West-Brabant is het een totaal onbekend verschijnsel. Daar zijn dan weer meer boerenmarkten en hoevewinkels. Of het een volwaardig alternatief is? Het is nog te vroeg om te oordelen hoe groot het potentieel van voedselteams kan zijn. Maar het is duidelijk niet voor iedereen weggelegd. De inzet die het vergt en de praktische beslommeringen vragen meer moeite dan wanneer je alles in de supermarkt haalt.

Consumenten en boeren, geen gewonnen zaak

Vraag mensen of zij met hun aankopen van eetwaar de duurzame landbouw willen steunen en een voor de boeren leefbare prijs willen betalen? Velen zullen volmondig *ja* zeggen. Maar bekijk dan eens het echte aankoopgedrag van diezelfde mensen. Heel veel kans dat zij dan, als consumenten, voor het goedkoopste discountproduct kiezen, resultaat van een bijna onmenselijke druk op de prijzen die de voedingsbedrijven en de landbouwers krijgen. De realiteit is dat er tussen de menselijke intenties en het consumentengedrag van een en dezelfde persoon dikwijls een kloof gaapt. De realiteit is dat de meeste mensen als consumenten handelen en kiezen voor het goedkoopste product in de supermarkt, wat nu net een product is waar de boeren het minst aan verdienen en waar we op tal van vlakken een niet-duurzame landbouw aan overhouden. Consumenten houden er ook vaak een *industriële* levensstijl op na. Groenten, fruit, aardappelen, vlees, brood, beleg en wat nog meer kopen om dan thuis te eten is zeker niet de regel. Zelf koken is al evenmin evident. Als consument kiezen velen voor fastfood, diepvriesmaaltijden of kant-en-klaarmaaltijden, die allerminst het terrein van de korte keten en de familiale, duurzame landbouw zijn. Vele anderen eten wat de pot schaft in grootkeukens van bedrijven, scholen, administraties, ziekenhuizen of rusthuizen. Dit zijn evenveel – en snel groeiende – circuits die door de korte keten en de familiale landbouw nog bijna helemaal veroverd moeten worden.

8. Hefboomeffect voor verduurzaming langere keten

Geen simpele tweedeling

> Het is iets te simpel om wat zich in de wereldlandbouw afspeelt te zien als een scherp afgebakende tweestrijd tussen een boerenlandbouw die de weg naar de consumenten weet te vinden en een agro-industrie die helemaal verstrengeld geraakt met de grootdistributie.

> We zullen in de nabije toekomst voortdurende maar onvoorspelbare grensverschuivingen beleven tussen beide modellen.

Boeren die zich organiseren in verwerkingscoöperaties zoals Corlac in Brazilië of Milcobel in België hijsen zich naast klassieke verwerkingsbedrijven die dikwijls tot multinationals zijn uitgegroeid. Dan realiseren ze nog niet echt een korte keten, wel een ingekorte keten. Maar ze halen daaruit alvast een grotere meerwaarde en dus inkomsten voor zichzelf en ze verwerven een betere onderhandelingspositie tegenover de *zware jongens* van de supermarktketens.

Boeren die leveren aan Voisins de Paniers of aan voedselteams, die verkopen op de eigen boerderij, op boerenmarkten, in boerenwinkels of eigen kiosken, weten op die manier rechtstreeks de consumenten te bereiken. Wat dat betreft, boeken ze succes in het opzetten van een korte keten. Maar diezelfde boeren raken heel dikwijls niet hun volledige omzet kwijt via die korte keten. Met een deel, soms een heel groot deel, van hun productie hangen ze nog vast aan de klassieke lange keten en leveren ze aan voedingsbedrijven en supermarkten waar ze niets in de melk te brokken hebben.

De tweestrijd tussen beide modellen heeft dus soms op het veld voor gevolg dat er een scherpe tweedeling ontstaat, dat er soms stukken van de lange keten ingekort raken en vooral dat de activiteiten van vele landbouwers deels thuishoren in de langere, deels in de kortere keten.

Complexiteit troef dus en geen zekerheden over welke richting het echt uitgaat. Toch is het duidelijk dat in die chaotische situatie het industriële model nog stevig overeind en grotendeels onaangetast blijft of zelfs nog terrein wint, maar ook dat de familiale landbouw zich niet gewonnen geeft en zijn vitaliteit toont. We zullen in de nabije toekomst voortdurende maar onvoorspelbare grensverschuivingen zien tussen beide: de agro-industrie wint hier terrein op de familielandbouw en moet daar invloed prijsgeven; de grootdistributie laat haar economische macht overal doordringen maar moet tolereren dat boeren en consumenten zich soms onttrekken aan haar greep. En de keuze van de consumenten is diffuus. De ene keer winnen de eerlijke intenties van de mens, de andere keer krijgen de pure prijsafwegingen van de consument de bovenhand.

Signaalfunctie en oproep tot verantwoordelijkheid

> De korte keten vervult op dit ogenblik een dubbele signaalfunctie.

Zij signaleert de consumenten dat de boeren niet echt van een voorkeursbehandeling genieten in de huidige landbouw, dat zij integendeel wereldwijd de leeg geperste citroenen zijn die niet langer van hun werk kunnen leven. En zo wijst zij de consumenten erop dat zij een keuze kunnen maken: zij kunnen de familiale landbouwers ondersteunen door hun een beter inkomen en meer zekerheid te verschaffen. Hun keuze om rechtstreeks bij landbouwers in te kopen maakt een groot verschil en is dus belangrijk. De korte keten roept met andere woorden de consumenten op om hun verantwoordelijkheid te nemen.

Die signaalfunctie van de korte keten speelt ook in de richting van de traditionele lange keten. Zij herinnert er de agro-industrie, de voedingsindustrie en de grootdistributie aan hoezeer zij de landbouwers in een wurggreep houden. Zij kunnen niet doen alsof ze van niets weten en zij hebben de plicht om een antwoord te geven op de gerechtvaardigde vraag naar een leefbaar inkomen van hun klanten of leveranciers. Zoveel te meer geldt dit voor de bedrijven die beweren te varen onder de vlag van een maatschappelijk verantwoord ondernemen. Het is tijd om te tonen hoe verantwoord zij dan wel te werk gaan.

Hefboomeffect voor verduurzaming langere keten

Succesvolle korte ketens signaleren niet alleen problemen, zij kunnen ook economische druk uitoefenen op de voedingsindustrie en de grootdistributie. Wanneer ze meer consumenten weten te bereiken en dus aan kracht winnen, profileren korte ketens zich als een levensvatbaar alternatief en zijn ze concurrentie voor de grootdistributie. Dit is zelfs het geval indien ze maar bij relatief kleine niches van interessante consumenten doorbreken. Geconfronteerd met die economische druk zien supermarktketens zich verplicht om te reageren en hun eigen lange keten te verduurzamen.

Dit lijkt een correcte en overtuigende redenering. Maar klopt ze ook? Is dit meer dan *wishful thinking*? Kijken naar wat zich op het terrein afspeelt, kan hier veel leren. Al een eerste snelle blik maakt duidelijk dat de supermarktketens een rijk palet ontwikkelen van wat ze 'groene', 'bio' of 'duurzame' initiatieven noemen. De een doet dat al sneller dan de ander, ze doen het in verschillende mate en je krijgt de meest verscheiden invulling van het begrip duurzaamheid.

Het is bovendien niet met zekerheid uit te maken wat hen het meest in beweging brengt. Is het de korte keten? Of de kritische consument? Of de samenleving die meer verantwoording eist? Of de opkomende beweging voor maatschappelijk verantwoord ondernemen? Speelt stilaan de druk van aandeelhouders die 'ethisch' willen investeren een rol? Altijd is het een samenspel van enkele of van al deze factoren, waarbij het van bedrijf tot bedrijf sterk kan verschillen wat doorslaggevend is.

Maar hoe dan ook, er beweegt wat.

Verandering in de supermarktrekken, bio komt eraan

Kijk bijvoorbeeld maar naar het opduiken van biologische voedselproducten in de supermarkten. Vroeger was de biosector een economisch randverschijnsel, buiten het beeld van de grootdistributie. Op een bepaald moment ziet een grote distributieketen daar toch brood in. Bij succes breidt het assortiment zich uit. Andere supermarkten volgen. In Nederland biedt bijvoorbeeld Albert Heijn AH Biologisch aan, het huismerk met biologische producten. In België begint Delhaize als eerste met bioproducten in 1985 en creëert zijn eigen biomerk al in 1989.

Deze supermarktketen heeft nu het grootste assortiment, een aanbod van 650 producten, waaronder ook niet-voedingsproducten, goed voor een derde van de Belgische bio-omzet. Delhaize wijst op zijn samenwerking met de producenten. Het bedrijf vermeldt uitdrukkelijk dat het dikwijls om kleine, lokale producenten gaat. Blijkbaar loont de aanpak en spreekt hij nogal wat consumenten aan want de keten blijft haar aanbod uitbreiden. Colruyt start met bio in 1991, in het kader van zijn milieuprogramma Green Line. De eigen bioproducten belanden ook daar onder een nieuw merk, Bio-time. Deze supermarktketen beklemtoont het ecologische 'groene' voordeel van bio. Ze speelt sterk haar laagste prijzen uit en maakt daarbij geen uitzondering voor bio. Het marktpotentieel van biologische producten is voor Colruyt zelfs een reden om een afzonderlijke winkelketen op te richten, de biosupermarkt Bio-Planet. Die telt nu drie winkels in België en één in Nederland en biedt naar eigen zeggen meer dan 3.500 biologische en ecologische producten aan.

De opkomst van bio is alvast in ecologisch opzicht een goede zaak. De biologische landbouw is milieuvriendelijk en draagt zeker bij aan een ecologisch duurzame landbouw. Hij kan ook een opstap zijn naar het duurzamer maken van de distributie, namelijk door de productie te herlokaliseren. Want meer dan in de traditionele voedselketen zijn biologische producten afkomstig van landbouwers die kortbij of toch dichterbij boeren. Of dit zo blijft, is niet zeker. Als de biosector groeit en economisch aantrekkelijk wordt, is ook de agro-industrie geïnteresseerd. Als supermarktketens een grote bio-omzet realiseren, gaat ook daar de industriële logica van de grote hoeveelheden spelen. Ze willen een grote, uniforme en verzekerde aanvoer. En zo zie je grote en sterkere biologische bedrijven uit binnen- en buitenland de kleinere biologische boeren zware concurrentie aandoen. Het is dus niet omdat het om een biologisch product gaat, dat de agro-industrie en de grootdistributie niet aan zet zouden zijn. Dat is een misvatting, het bioproduct in uw supermarkt kan heel goed van de agro-industrie komen.

Nog een andere mogelijke misvatting verdient aandacht. Het is niet doordat supermarkten biologische producten verkopen, dat de biologische boeren financieel beter af zouden zijn dan hun traditionele collega's. Want evengoed profiteren de inkopers van de grootdistributie van hun aankoopmacht om op de prijzen te drukken. Soms zijn bioboeren bij hen zelfs slechter af. Ze hebben namelijk hogere kosten om biologisch te produceren, maar krijgen die niet altijd doorverrekend in de prijzen die ze ontvangen.

Streekproducten in grootwarenhuizen

Distributeurs proberen nog wel meer de tijdgeest te vatten. Wanneer ze daar consumenten door kunnen overtuigen of verleiden, zullen ze uitpakken met streekproducten, een assortiment in volle opgang. Ze krijgen een speciale plek op de supermarktvloer en specifieke promotie. Dat leidt tot een bepaalde vorm van duurzaamheid. Voor het bewaren van een gastronomisch of cultureel erfgoed is dat mooi meegenomen. Ecologisch zal het dikwijls ook beter uitvallen. En natuurlijk hoeft het geen slechte zaak te zijn voor de producenten, of voor de lokale economie. Maar met een korte keten waarin de boeren meer zeggenschap verwerven, heeft dit weinig te maken. De machtsverhoudingen blijven dezelfde, de macht blijft ook in dit geval bij de distributeurs. Vooral zij beslissen over wat in hun winkels komt te liggen en wat niet, vooral zij dicteren de prijsvorming.

Fair trade dringt binnen in supermarkt

> Fairtradebananen zijn in Nederland onder andere te vinden bij Albert Heijn en Spar, in België bij Colruyt en Delhaize.

Dezelfde evolutie als bij biologische producten is te merken bij fair trade, de eerlijke handel in producten uit ontwikkelingslanden. Ook zij vinden meer en meer hun weg naar de klassieke supermarkt, een gamma dat van heel beperkt tot vrij uitgebreid is. Koffie en bananen zijn daarvan misschien wel de bekendste, ze behoren niet toevallig tot de producten met het grootste marktaandeel. Eerlijke handelsproducten zijn dikwijls ook ecologisch duurzaam. Dat is echter niet altijd zo. Maar het financiële plaatje ziet er bij fair trade alvast beter uit voor de betrokken boeren. Zoals we al weten uit hoofdstuk vijf in het vorige deel garandeert eerlijke handel de producenten een prijs waar behoorlijk van te leven valt. En dat principe blijft overeind in de supermarkt. Wanneer hun producten dus buiten het eerder beperkte klassieke fairtradecircuit raken van vooral wereldwinkels, doen boeren een goede zaak. De hogere omzet vertaalt zich gegarandeerd in een hoger inkomen.

Maar wat met de lengte van deze keten? Fair trade tracht de economische keten zo kort mogelijk te houden door zo rechtstreeks mogelijk aan te kopen en de tussenhandelaars uit te schakelen. Het verkopen via de supermarkt maakt die keten natuurlijk wel opnieuw langer. Dat is zeker verdedigbaar vanwege de aanzienlijke omzetverhoging die ermee gepaard gaat. Maar er is natuurlijk het risico dat de *eerlijke handelaars* op termijn ook te afhankelijk worden van de grootdistributie. Dan is het maar de vraag of de lonende minimumprijzen voor de boeren standhouden. De eerlijke handel staat voor een moeilijke evenwichtsoefening tussen groeien via de grootdistributie en de autonome groei van zijn eigen distributiekanalen, vooral de wereldwinkels. Want dat eigen distributiekanaal vormt een noodzakelijk tegenwicht voor de te grote macht van de distributeurs.

Eerlijke handel op een kruispunt

Fair trade is een snelgroeiende markt waarvan de jaarlijkse groei sinds 2000 meer dan twintig procent bedraagt. En dus treedt er opnieuw een herkenbaar mechanisme in werking. De gevestigde voedingssector onderkent een nieuw potentieel en zorgt voor een fairtrademarkt in volle evolutie. Er komen nieuwe initiatieven die onder de noemer fair trade gebracht worden of onder iets wat er nauw bij zou aanleunen: Utz Kapeh, Rainforest Alliance, Efico of Coffee Alliance. Supermarktketen Colruyt start met de productlijn Collibri die in het begin nauw bij eerlijke handel wordt gepositioneerd, ook al gaat het om steun voor scholing en vorming in ontwikkelingslanden en is van een gegarandeerde prijs voor de producenten geen sprake. De traditionele bedrijven gooien zich volop in de strijd om de consument, met het argument dat ook zij het goed menen. De traditionele eerlijke handelsorganisaties hebben het er niet altijd makkelijk mee. Die eigen invulling van het concept fair trade door onder andere grote voedingsgroepen en grootdistributeurs is in elk geval een grote uitdaging voor de traditionele eerlijke handelsbeweging.

Evengoed ontstaat er een groeiende discussie over wat allemaal eerlijke handel mag genoemd worden. Gaat het alleen om handel tussen Noord en Zuid, tussen rijke en arme landen? Of is eerlijke handel ook mogelijk in het Zuiden en zelfs in het Noorden? Heel concreet, kunnen bv. Europese boeren geen fair trade label verdienen? Een van de zwakke kanten van de fairtradebeweging is dat ze tot nu toe vooral focust op de handelsrelaties tussen rijke en arme landen, gemakshalve aangeduid als Noord en Zuid. Er is wel een evolutie naar ecologische duurzaamheid en dus ontdekt deze beweging het belang van een lokale korteketenproductie. Voor een goed begrip, lokaal kan variëren van werkelijk heel dichtbij tot zelfs een bijna continentale markt. Zeker in het Zuiden lijkt de eerlijke handelsbeweging die lokale handel als fair trade te omarmen. Maar als het in het Noorden om korte keten gaat, wil men daar niet meteen de term fair trade op kleven. Toch is er geen fundamenteel verschil. De fairtradebeweging zal goed haar huiswerk moeten maken.

Boeren en fairtradebeweging bondgenoten?

'Tachtig procent van de eerlijke handel vindt plaats in supermarkten. Dat is een aberratie, maar het is wel de realiteit. Ik ben ervan overtuigd dat we de eerlijke handel buiten de supermarkten maar kunnen doen groeien in samenwerking met de boeren. Het opzetten van nieuwe circuits en verkoopketens kan volgens mij niet zonder de boeren. Want er is een verband tussen voedselsoevereiniteit en eerlijke handel.' (René Louail, boerenleider Confédération Paysanne, op een debatavond over eerlijke handel in Muzillac)

Nu al zie je dat sommige wereldwinkels of andere fair trade-initiatieven zich niet alleen verbonden weten met boeren in het Zuiden. Ze zoeken ook aansluiting bij de lokale, familiale landbouw. Dat doen ze bijvoorbeeld door zich in te schakelen in een zo kort mogelijke keten tussen landbouwers uit de regio en de consumenten, bijvoorbeeld de consumenten die de weg naar de wereldwinkel weten te vinden. Die kunnen bijvoorbeeld afhaalpunt zijn voor groenteabonnementen, of voor de leveringen van een vereniging van boerenproducenten.

Boeren en wereldwinkeliers partners?

Veronderstel even dat wereldwinkels en lokale boeren de handen veelvuldiger in elkaar slaan. Dan zouden de klanten er terechtkunnen voor een veel ruimer aanbod, zowel van fairtradeproducten uit het Zuiden als van heel diverse voedingsproducten van onze familiale landbouw. Dan zouden bijna zeker veel meer mensen goede klanten worden van die winkels. Die samenwerking zou de basis kunnen vormen voor de uitbouw van een sterk distributiekanaal. Dat kan verder uitgroeien tot een winkelnetwerk voor fair trade dichtbij en veraf, een echt alternatief voor de grootdistributie. Het is allemaal lang niet vanzelfsprekend, maar het is evenmin onmogelijk. Een andere wereld is mogelijk, nietwaar? Dat hoeft geen slogan te blijven. En fair trade zou er een betere hefboom aan hebben om economisch van een lichtgewicht te evolueren in de richting van een middengewicht.

De wereld is aan wie hem maakt, ook in dit geval.

Festival der labels

Al te dikwijls is 'groen' of 'sociaal' ondernemen een marketingtruc.

Intussen rukken in de supermarkten de labels op. Het lijkt er sterk op dat het bedrijfsleven de weg van duurzaam ondernemen opzoekt onder druk van vooral de consumenten en misschien ook wel van de boerenlandbouw die de verkoop zelf in handen neemt. Steeds meer producten in de winkelrekken zijn getooid met almaar nieuwe labels die erop wijzen dat ze duurzaam zijn, groen of milieuvriendelijk, biologisch, sociaal verantwoord voortgebracht, streekproduct, fair trade, dat ze een gecontroleerde oorsprong hebben, enzovoort... aangevuld met bedrijfs- en gedragscodes. Dat festival der labels grijpt nu zodanig om zich heen dat een gewone consument – dat zijn veruit de meeste mensen – er tureluurs van wordt.

Maar laten we het zicht op de hoofdstroom niet verliezen. Het is een meesterspeculant als George Soros die erop wijst dat goedgelovigheid niet aangewezen is als bedrijven spreken. De kern van hun ondernemerschap blijft financiële winst maken. Daarop worden bedrijven, hun managers én hun werknemers afgerekend. Er kan best wat lippendienst af aan duurzaam of maatschappelijk verantwoord ondernemen. Maar in te veel gevallen is 'groen' of 'sociaal' ondernemen een marketingtruc als elke andere. Daarmee is niet gezegd dat er geen andere bedrijven zouden bestaan. Die zijn er gelukkig wel. Sommige bedrijven wijzen ons de weg, ze realiseren hoge sociale normen, reduceren hun activiteiten ecologisch tot een minimale of zelfs nulvervuiling, of betalen merkelijk hogere lonen dan op de lokale arbeidsmarkt in arme landen gangbaar is. Als zij bewijzen dat dit mogelijk is, leggen zij de basis voor wat morgen de norm voor alle bedrijven kan en moet zijn. Ambitieuze sociale en ecologische labels zijn instrumenten die de bedrijven in een vrije marktwerking kunnen stimuleren om duurzamer te ondernemen. Maar dat neemt niet weg dat ook de overheid haar rol moet spelen. Daarover straks meer.

Wat gebeurt er echter als duurzaamheid een wapen wordt in de strijd tussen de voedingsmultinationals en de distributiegiganten?

Ongelooflijk: Wal-Mart gaat voor duurzaamheid

Het is moeilijk voor te stellen en toch waar: zelfs Wal-Mart, de grootste distributeur ter wereld, heeft besloten voor duurzaamheid te kiezen. De verbazing laat zich makkelijk begrijpen voor wie zich van het hoofdstuk *It's the distribution, stupid* in deel IV herinnert hoe erbarmelijk vooral de sociale prestaties van dit reuzenbedrijf zijn.

Maar wat kan eroptegen zijn dat Wal-Mart honderd procent hernieuwbare energie wil, geen afval wil veroorzaken en duurzame, betaalbare producten wil aanbieden? Op zichzelf niets, alleen is er een zware keerzijde aan dat mooie verhaal.

Het is duidelijk dat Wal-Mart vooral of zelfs bijna uitsluitend ecologische duurzaamheid bedoelt. Het bedrijf beweert wel dat het ook zijn sociale werking wil verbeteren, maar daar valt allerminst iets van te merken. En als Wal-Mart een betere economische praktijk beoogt, dan mikt het op kostenbeheersing en meer nog op kostenvermindering om goedkope producten te kunnen aanbieden en vooral om daar hogere financiële winsten uit te puren. Op geen enkele wijze is er aandacht voor leefbare prijzen en inkomens voor de boeren; terwijl die boeren toch aan de basis liggen van een groot deel van de omzet en de winsten. Het lijkt er sterk op dat deze invulling van duurzaamheid een ramp is voor echte duurzaamheid, voor echt maatschappelijk verantwoord ondernemen.

Maatschappelijk verantwoord ondernemen is nog wat anders

Bedrijven moeten niet enkel winstgevend of economisch leefbaar zijn, ze moeten ook de sociale en de ecologische balans van hun activiteiten in rekening brengen. In het Engels spreekt men van de *triple bottom line*, de drie P's – *profit, people and planet* – die elk bedrijf zou moeten respecteren, in onze taal misschien best vertaald met winst, mensen en aarde.

Gewoontegetrouw zal Wal-Mart zijn ecologische ambities – net als zijn financiële doelen – verwezenlijken op de kap van al wie toelevert aan het bedrijf, van piepklein tot reuzengroot. Bij Unilever weten ze al langer hoe laat het is. Met de woorden van een medewerker: 'Wal-Mart en Carrefour jagen ons veel meer op dan regeringen, Wal-Mart bv. door zijn verbintenis van honderd procent hernieuwbare energie.' Het is waar dat deze plotselinge bekering van Wal-Mart de voedingsindustrie verplicht tot een snelle omschakeling naar ecologische duurzaamheid voor bv. verpakkingen. Daar kan niemand tegen zijn. Maar het blijft toch oncomfortabel zakendoen met een bedrijf dat een dusdanig slechte sociale balans voorlegt.

Als het over maatschappelijk verantwoord ondernemen en duurzaamheid gaat, kan bv. Unilever veel betere resultaten voorleggen dan Wal-Mart. Het bedrijf liep ooit voorop met vijfdagenweek, pensioenregeling en toekennen van vakantie. En vandaag scoort Unilever hoog in de duurzaamheidsmetingen. Natuurlijk is het bedrijfsbelang de motor van dit maatschappelijk verantwoord ondernemen. Men beseft dat de geloofwaardigheid van multinationals zware klappen krijgt, men weet hoe belangrijk een goede reputatie is. En men hoopt die te verdienen door ook sociaal en ecologisch goed te presteren. Omdat Unilever het grootste deel van zijn grondstoffen uit de landbouw haalt, staat bij dit bedrijf ook een duurzame landbouw voorop. Initiatieven voor duurzame thee, palmolie of soja getuigen daarvan. Niet dat Unilever al volkomen doordrongen is van maatschappelijk verantwoord ondernemen, maar het bedrijf levert wel degelijk interessante inspanningen.

Enkele jaren geleden speelde het bedrijf zelfs open kaart in verband met zijn activiteiten in Indonesië voor een studie opgezet in samenwerking met de ngo's Oxfam GB en Oxfam Novib Nederland over internationale handel en armoedevermindering. Daarbij werd de hele keten in kaart gebracht, van bevoorrading tot distributie. Niet verwonderlijk is de vaststelling dat wie het verst in de buitenbaan van die keten loopt, de kleine boeren, het minst van al verdienen met hun werk. En ook de oorzaak daarvan is zonneklaar: zij hebben in heel die keten het minste macht doordat de macht van een groot bedrijf als Unilever hun onderhandelingsmacht beperkt.

Opmerkelijk is een project met kleine boeren die een hogere prijs krijgen dan de marktprijs. Unilever heeft daar in dit geval ook goede redenen voor want het bedrijf zit dringend verlegen om meer en betere zwarte sojabonen, een ingrediënt van de succesvolle zoete saus Kecap Bango. Daarom wil het bedrijf rechtstreeks inkopen bij de boeren om de kwaliteit te verbeteren, de productie te verhogen en de aanvoer te verzekeren. Die boeren profiteren mee: doordat de tussenhandelaars wegvallen krijgen ze een prijs die tien à vijftien procent hoger ligt. Maar ze blijven alleen het risico van misoogsten dragen en krijgen geen meerprijs voor de bonen die niet de vereiste kwaliteit halen die ze dan soms met verlies moeten verkopen. Dit is een zeer boeiende kennis en achtergrond voor de vragen en vaststellingen die toch wel blijven. Waarom zou Unilever zijn macht delen met kleine landbouwers? En zelfs al zou het al zijn toeleverende boeren meer betalen dan de marktprijs, zouden ze dan genoeg verdienen? Dan nog is het immers geen gegarandeerde minimumprijs die een leefbaar inkomen oplevert. En wat met de vaststelling dat in de periode 1999-2003 vijfentachtig procent van de dividenden – goed voor bijna veertig procent van de bedrijfswinsten voor belastingen – uit het land wegvloeien, naar de aandeelhouders in het buitenland?

In mei 2007 maakt Unilever, de firma die wereldwijd het meest thee op de markt brengt, bekend dat al die thee duurzaam geproduceerd moet zijn. Rainforest Alliance zal dat garanderen door die thee te certifiëren, te beginnen met de theeplantages in Afrika. In augustus 2007 moet de eerste gecertificeerde thee in Europa verschijnen.

Twee miljoen mensen zullen uiteindelijk hun voordeel doen met deze beslissing. Unilever denkt namelijk dat haar theeprijzen zowat tien tot vijftien procent zullen stijgen. Het bedrijf schat de meerinkomsten voor de boeren en plantagearbeiders op 2 miljoen euro in 2010 en 5 miljoen euro in 2015.

Een telefoontje naar Unilever bevestigt die gegevens. We nemen dan de cijferprognoses voor wat ze zijn. Deel 5 miljoen euro meerinkomsten door 2 miljoen bevoordeelde mensen, dat is gemiddeld 2,5 euro per persoon. De cijfers vertellen dus dat dan in 2015 twee miljoen mensen die afhankelijk zijn van die thee-inkomsten om te leven hun jaarinkomen gemiddeld met twee en een halve euro zullen zien stijgen. Eerlijk gezegd, dat is beter dan niets maar allesbehalve indrukwekkend. En het illustreert dat wie onderaan de keten thee verbouwt en plukt, daar zeer slecht aan verdient.

Daarmee is de discussie over maatschappelijk verantwoord ondernemen opnieuw een stap verder. En kan de discussie met de fairtradebeweging over zo duurzaam mogelijke en volledig eerlijke handel in een hogere versnelling.

Maatschappelijk verantwoord ondernemen als tegenmacht

De verwerkingsindustrie kan ook een maatschappelijk verantwoord ondernemen inzetten in de machtsstrijd met de grootdistributeurs.

Nog een andere evolutie valt op. Het ligt voor de hand dat een bedrijf als Unilever alles uit de kast haalt om weerwerk te bieden aan de grootdistributie. Daarbij kan het bedrijf ook een maatschappelijk verantwoord ondernemen hanteren als een instrument om tegenmacht op te bouwen tegen Wal-Mart en Carrefour. Want als zijn economische activiteiten ook ecologisch en sociaal verantwoord moeten zijn, levert dit extra argumenten op inzake de vraag waarom de prijzen van de Unilever producten echt niet lager kunnen zakken. In de strijd met de distributeurs is duurzaam ondernemen dan een extra wapen. En het kan bovendien ook nog extra bondgenoten als vakbonden en allerlei ngo's opleveren, en sympathie en betrouwbaarheid creëren in de samenleving en bij de consumenten.

Duurzaam ondernemen, niet zonder de overheid

Overheden leggen minimumnormen vast en beletten dat bedrijven onder de lat door lopen.
Labels helpen om de duurzaamheidslat steeds hoger te leggen.

Maatschappelijk verantwoord ondernemen gaat niet alleen het bedrijfsleven aan en kan niet de vervanging zijn van de sociale, ecologische en ook economische normen die de samenleving via haar politici oplegt aan het bedrijfsleven en de economie in het algemeen.

Er waart een mythe rond, namelijk dat overheid en samenleving geen hogere sociale en ecologische normen mogen opleggen, dat die zogenaamde dwang niet de beste stimulans zou zijn om duurzaam te ondernemen. Nee, de markt zelf zou de bedrijven stuwen in die richting en de duurzame ondernemers zouden de toekomst mee hebben wat zich o. a. vertaalt in tal van labels. Zal de samenleving de bedrijven dan vrij laten om het verbod op kinderarbeid, de vrijheid van vereniging, het recht op vakbondsvrijheid, het verbod op dwangarbeid en op discriminatie al dan niet na te leven? Moeten producten die het milieu vernietigen of de gezondheid aantasten dan in de handel kunnen blijven? Dat klinkt velen absurd in de oren. Toch is dat de ware betekenis van al die labels indien ze niet gepaard gaan met minimale wettelijke regels voor alle bedrijven. De bedrijven kunnen dan immers zelf uitmaken of ze voor een label opteren. Maar als ze daarvoor niet kiezen, betekent dat dus ook dat we ze de vrijheid geven om die normen aan hun laars te lappen. Dit is onaanvaardbaar omdat het eigenlijk de privatisering betekent van grote delen van het recht en de politiek. Naleving van de mensenrechten in het algemeen, uitwerken van sociale normen en arbeidswetgeving, van ecologische normen en milieuwetgeving, dat zijn maatschappelijke opdrachten die niet uitsluitend aan de zorgen van het bedrijfsleven en de markt mogen worden overgelaten. Daar is maar één remedie tegen. Het is de taak van de samenleving en dus van de overheden om minimale normen in wetten te gieten en op te leggen aan het volledige bedrijfsleven. Uiteindelijk is het een maatschappelijke opdracht om via regelgeving de economische productie socialer, ecologischer en democratischer te maken.

Zeggen we daarmee nee tegen labels of bedrijfscodes? Nee, we hebben de labels en codes die stoelen op vrijwilligheid en de dwingende wetgeving allebei hun plaats gegeven in de dringende zoektocht naar meer duurzaamheid. Wetten bepalen de hoogte van de sociale en ecologische lat waar geen enkel bedrijf onderdoor mag lopen. Labels stimuleren bedrijven tot almaar grotere duurzaamheidambities. Hun betere prestaties maken het mogelijk om vervolgens de lat voor iedereen hoger te leggen. Dat is hard nodig om de komende jaren een trendbreuk naar een leefbare wereld te maken. Daarbij is er behoefte aan wisselwerking met het bedrijfsleven want zijn expertise is nuttig voor het uitwerken van de beste regelgeving. Zo creëert men ook meer steun voor die regelgeving en voor het naleven ervan, zij het met een stok achter de deur. Wie ze niet naleeft, kan sancties verwachten.

Voor alle weifelende ondernemers nog volgende bedenking: zonder stok achter de deur krijgen malafide ondernemers die op de meest vervuilende en grof uitbuitende wijze produceren eigenlijk een premie. Duidelijke sociale en ecologische wettelijke normen waarbij de overheden nauwlettend toekijken of ze nageleefd worden, zijn het beste wapen tegen concurrentievervalsing waarvan bonafide ondernemers én met hen de hele samenleving anders het slachtoffer dreigen te worden. Een sterke overheid is hier zeker geen schrikbeeld maar een echte steun.

Van de korte naar de lange keten, een proces

Hoe werkt de korte keten nu als een hefboom om de lange keten duurzamer te maken? Jan Vannoppen, vroeger werkzaam bij Vredeseilanden en nu directeur van VELT, helpt ons om dat in kaart te brengen. Altijd begint het, zo vertelt hij, bij landbouwers die zeggen: 'Wij doen het anders' en bij consumenten die het ook anders willen. En in plaats van hun eten in de supermarkt te kopen, kloppen mensen aan bij de boeren in hun omgeving. Samen vormen zij een korte voedselketen op het huishoudelijke niveau. Ze kennen elkaar en hun samenwerking is gebaseerd op onderling vertrouwen. Maar de wereld staat niet stil. En niet iedereen kent landbouwers. Mensen die het anders willen, kopen dus niet uitsluitend bij de boer naast de deur. Ze kopen ook op boerenmarkten, als lid van een voedselteam, of in een boerenwinkel. Wanneer de alternatieven zo verder uitgroeien, neemt ook de noodzaak toe om regels en principes vast te leggen. Want men kent elkaar niet meer zo goed en dus heeft het vertrouwen ook een andere basis nodig. We zijn dan aanbeland op het niveau van de civiele samenleving die zich organiseert om die taak te vervullen. Dat uit zich bijvoorbeeld in het verschijnen van labels, van coöperatieve markten of van biowinkels. Zij vullen de directe relaties van de spontane en kortste keten tussen boeren en consumenten die elkaar persoonlijk kennen aan; ze gaan die zelfs in toenemende mate vervangen. Als deze dynamiek aanhoudt, zal de korte keten zich ook ontwikkelen en doordringen tot op het verwerkingniveau. Zo bezitten boeren in Brazilië en elders hun eigen melkfabrieken, zo versnijdt het Waalse Coprosain vlees en fabriceert het charcuterie. Ook hier verschijnen labels. De bestaande voedingsindustrie zal van haar kant elementen uit de succesvolle korte keten overnemen en integreren, zal bijvoorbeeld uitpakken met wat ze artisanale of natuurlijke producten noemt, of ze zal ook producten onder een labelvlag aanbieden. Ditzelfde fenomeen zal te merken zijn op het niveau van de markt. De korte keten ziet zich verplicht of kiest er bewust voor om ook haar verkoop nog meer in handen te nemen door bijvoorbeeld eigen winkels te gaan uitbaten. En de gevestigde grootdistributie zal net als de voedingsindustrie leentjebuur spelen bij die nieuwe speler, sommige alternatieven incorporeren – denk aan het oprukken van biologische en streekproducten in de supermarkten – en zich inspireren op de korte keten om zo sterk mogelijk te blijven.

Van de korte en de lange termijn

De lezer zou zich kunnen afvragen: wat is het nu? Vervult de korte keten vooral een signaal- en hefboomfunctie? Of is het echt een economisch alternatief voor de lange keten dat economisch terrein wil heroveren, zelfs een model dat de strijd met de landbouwindustrie zou kunnen winnen? Is het eerste pragmatisme of reformisme tegenover de radicale houding van wie zijn alternatief wil zien zegevieren? Een beetje wel. Maar het onderscheid tussen wie (eerder) de signaal- en hefboomfuncties van de korte keten en wie (meer) de strijd tussen beide modellen beklemtoont is minder groot dan het lijkt. Want een groot deel van het verschil ligt in de tijdhorizon die men hanteert. Dit is vooral het onderscheid tussen de korte en middellange versus de lange termijn. Het is een zeer rationele visie om de lange keten boervriendelijker te willen en tegelijkertijd het uiteindelijke doel van een radicale doorbraak van de boerenlandbouw en haar korte of halfkorte keten te beogen.

9. Boeren in beweging

De zaal veert overeind, scandeert slogans, vlaggen zwaaien heen en weer. Op het podium spreekt Altemir Tortelli: 'We mogen niet aanvaarden dat onderwijs een gift zou zijn, of een gunst. De overheid moet kwaliteitsonderwijs garanderen voor iedereen.'
Luid applaus weerklinkt in de bomvolle zaal waar de Braziliaanse boerenbeweging jong en oud heeft verzameld. Ook op het podium zitten de regionale Braziliaanse politici. De boodschappen van de sprekers zijn in de eerste plaats voor hen bedoeld: 'U krijgt nu een petitie aangeboden, dat is onze manier van vechten voor een universiteit in onze regio.'

Op de achtergrond scanderen een paar duizend Zuid-Koreaanse boeren onvermoeibaar hun verzet tegen de Wereldhandelsorganisatie. Elke dag opnieuw komen ze in Hongkong met verrassende acties aanzetten. René Louail van de Franse Confédération Paysanne bindt zijn sjaaltje om wanneer de camera al opneemt: 'De boerenbeweging is de grootste sociale beweging in de wereld, dat mogen we niet vergeten. We gaan onze macht uitspelen. We zijn hier om onze woede uit te spreken over de slechte landbouwpolitiek maar vooral om voorstellen te doen. We willen dat de zaken veranderen, we willen een andere politiek.'

Mobiliseren voor een andere politiek

Overal ter wereld zorgen vele landbouwers zo goed mogelijk voor zichzelf. Ze proberen ook greep te krijgen op hun economische lot door hun landbouwproducten zelf te verwerken tot producten met meer waarde en door rechtstreeks aan klanten te verkopen. Om hun belangen beter te beschermen verenigen ze zich in boerenorganisaties – dat zijn hun vakorganisaties – en creëren ze coöperaties of andere samenwerkingsvormen. Altijd is er het besef bij vele landbouwers dat ze makkelijk in de marge van de samenleving belanden. Ze weten dat ze in beweging moeten komen om de samenleving en de politici te overtuigen van hun rechtmatige belangen, van hun recht om van hun werk te kunnen leven en van het algemeen belang van een verzekerde voedselvoorziening.

> Een sterke boerenbeweging kijkt verder dan enkel naar de landbouw en het economische. Ze wil zoals bv. Fetraf in Brazilië een betere samenleving met bijvoorbeeld ook hoger onderwijs in eigen streek.

De landbouwers komen niet alleen in beweging voor een andere landbouw en voedselvoorziening maar ook voor een welvarend platteland met goede voorzieningen inzake waterdistributie, energie, onderwijs, gezondheidszorg en al wat goede samenlevingen mogen wensen.

Van syndicaat tot beweging

> Fetraf verdedigt als vakbond de boeren, werkt met zijn coöperaties economische alternatieven uit en strijdt als beweging voor een betere overheidspolitiek. (Eloir Grizelli, boerenleider van Fetraf)

Laten we nog eens goed kijken naar de Braziliaanse familiale boerenbeweging, met het risico dat we soms iets herhalen. Maar het verhaal van de wisselwerking die deze beweging nastreeft met de politiek, de samenleving en de economie is te boeiend om eraan voorbij te gaan.

Fetraf – voluit de federatie van arbeiders in de familiale landbouw – ziet zich allereerst als een syndicale organisatie om de belangen van haar leden te verdedigen en is trouwens geïntegreerd in de grootste Braziliaanse vakbondscentrale CUT.

Ze heeft ook een economische visie op de lange termijn uitgewerkt die haar nu inspireert om zelf alternatieven uit te werken voor de verwoestende agro-industrie en grootdistributie. Die familiale landbouwers kiezen voor zo veel mogelijk zelfvoorziening en productie voor de lokale en Braziliaanse markt. Ze willen daarenboven niet alleen produceren maar ook zelf verkopen en daarvoor zoeken ze rechtstreeks contact met de consumenten, hun klanten. En tussendoor willen ze hun landbouwproducten zo mogelijk ook verwerken tot producten die meer waard zijn, zeg maar kaas en wijn in plaats van melk en druiven. Het is hun ambitie economisch onafhankelijk te zijn en de hele keten zelf in handen te nemen. Voor die economische activiteiten organiseren ze zich in coöperaties, van kleine coöperaties die in de stad een boerenmarkt en -winkel uit de grond stampen tot grote coöperaties die het platteland van elektriciteit voorzien of zelfs een failliete staatsmelkerij overnemen, daarbij een multinational het nakijken geven en nu melk leveren aan supermarkten. Alomtegenwoordig in Brazilië maar vooral sterk in de zuidelijke en noordoostelijke staten is ook de kredietcoöperatie, ontzettend belangrijk voor boeren die geld nodig hebben om te investeren.

Maar de visie en werking van Fetraf gaan nog verder. Zij wil een duurzaam alternatief, ook ecologisch. En dus kiest ze voor de agro-ecologische landbouw, zonder pesticiden.

En ten derde wil Fetraf voluit wegen op de politieke vertegenwoordigers en een overheidsbeleid afdwingen dat de belangen van de familiale landbouwers op het oog heeft en hun economische alternatieven kansen geeft en steunt. Ze wil niet alleen op het vlak van de landbouw wegen, ze streeft ook een goede overheidspolitiek na op andere maatschappelijke terreinen zoals onderwijs. Dat doet ze zowel via manifestaties 'op straat' als via onderhandelingen op basis van onderbouwde voorstellen en tegenvoorstellen.

Te mooi om waar te zijn?

Het is bijna te mooi om waar te zijn, een boerenbeweging die tegelijkertijd vakbond is én milieubeweging én sociale beweging én gestalte geeft aan een nieuw economisch model dat zich wil meten met het agro-industriële model. We weten het wel, ook dit verhaal heeft zijn schaduwkanten, wat bureaucratie hier, wat inefficiëntie daar, de politieke en syndicale rechtlijnigheid die botst met het marktdenken dat de economische poot van de beweging – de coöperaties – binnensluipt, groeiende moeilijkheid om daar de gebalde maatschappelijke kracht van één beweging uit te blijven puren. Toch zijn het dit soort bewegingen waar de wereld een geweldige behoefte aan heeft, bewegingen die de weg van leefbare economische alternatieven bewandelen, die mensen belangrijk vinden en meteen ook ecologisch verantwoorde alternatieven zijn. De familiale landbouw die vooral voedsel produceert voor zichzelf en voor de Brazilianen is echt op al die terreinen beter dan de

vernietigende exportlandbouw die vastzit aan de mondiale voedingsindustrie en grootdistributie.

Zo verbetert de wereld

> In Leuven vergaderen op 10 oktober 2002 boerenleiders uit Vietnam,
> de Filippijnen, Senegal (een zekere Ndiogou Fall), Guinee, Benin, Ke-
> nia, Brazilië (een zekere Altemir Tortelli), Uruguay, Nederland, België,
> Frankrijk, Portugal en Zweden. Ze discussiëren over hoe om te gaan met
> de voortschrijdende globalisering, over armoede, handelsonderhande-
> lingen en landbouw.

Wie herkent hierin niet een groot deel van de geschiedenis van de Europese bewegingen, van onze boerenbonden, vakbonden en coöperaties
allerhande?

Het is diezelfde sociale beweging die zich nog altijd voortplant in het
Europa van vandaag zoals we ze vooral in Frankrijk ontdekten, en in
mindere mate ook in België en Nederland.

Het is deze beweging die we zien opduiken in West-Afrika, ook
daarvan waren we getuige. En twijfel er niet aan, ze leeft ook elders in
Europa, in India, de Verenigde Staten, Zuid-Korea, Honduras, ze leeft
op alle continenten. Het zijn bewegingen zoals die welke de wereld
veranderen en het samenleven verbeteren, bewegingen die opkomen
voor het recht van mensen om van hun arbeid te kunnen leven, bewegingen die beseffen dat er alleen een toekomst is wanneer we het
milieu respecteren. En het is met die bewegingen dat onze sociale
bewegingen het best contacten kunnen leggen en morgen allianties
kunnen aangaan. Want een welvarende en sociale samenleving be-
vechten, dat kan niet langer alleen in eigen land, zelfs niet in Europa
of Brazilië. Maar dat hebben de boerenbewegingen al lang begrepen.
Ze kennen elkaar al vele jaren. Ze hebben hun Europese, West-Afrikaanse en andere koepels, en hun twee wereldkoepels. Ze treffen
elkaar in Leuven, Dakar, Chapeco of Hongkong. Ze vormen steeds
meer een mondiale sociale beweging die heel goed weet wat ze wil,
namelijk grotendeels het realiseren van de ambities die deel V en VI
van dit boek stofferen. En ze zoeken als wereldwijde boerenbeweging
de aansluiting met de samenleving, met andere sociale bewegingen

en met het beleid, ook mondiaal, hoe krakkemikkig dat laatste ook tot stand komt.

Waar blijven de maatschappelijke bewegingen?

Consumentenbeweging, milieubeweging, Noord-Zuidbeweging, arbeidersbeweging, allemaal hebben ze min of meer belang bij een landbouw die inkomen verschaft, voor voedselzekerheid zorgt, waakt over veiligheid en kwaliteit van wat we eten, het milieu respecteert en het platteland goed laat leven. In die zo verscheiden functies van de landbouw vinden ze de redenen om aansluiting te zoeken bij die duurzame landbouw. Consumentenorganisaties hameren op het belang van veilig en gezond voedsel, en ze eisen terecht kwaliteit. Daarin zijn de landbouwers eerder hun medestanders dan hun tegenstanders. Dat besef groeit te langzaam. Gert Engelen van Vredeseilanden wijst op de al te eenzijdige prijskwaliteit benadering die te weinig oog heeft voor de context waarin boeren moeten werken. Zo komt het dat vele consumentenorganisaties geen expliciete steun uitspreken voor een kwaliteitsvolle en leefbare landbouw. Nog minder zoeken ze allianties met boeren die wel degelijk veilig en gezond voedsel kunnen garanderen.

Milieu- en boerenorganisaties zijn dikwijls als kat en hond, allebei op het terrein, maar zonder elkaar te vinden. Toch was en is dit niet altijd zo. En vooral zien we een evolutie waarbij ze hun tegenstellingen overbruggen. De milieubeweging krijgt meer oog voor het sociale, voor de aspiraties van mensen die behoorlijk willen leven van wat de natuur kan leveren. Sommige milieubewegingen begrijpen drommels goed dat milieubehoud en sociale oogmerken hand in hand gaan. En ze krijgen zelfs oog voor het rechtmatige economische belang dat daarmee gepaard gaat. Boerenorganisaties, van hun kant, gaan niet langer het milieuvraagstuk uit de weg. Hun vroegere defensieve opstelling laten ze varen. Ze aanvaarden dat de natuur haar rechten heeft en dat zich milieubeperkingen kunnen opdringen. Maar ze willen economisch wel kunnen overleven. Overgangssteun en vergoedingen voor hun milieu-inspanningen, daar kunnen ze mee leven. Nogal wat boeren en boerenorganisaties gaan nog verder en kiezen resoluut voor een agroecologische of biologische landbouw.

De Noord-Zuidbeweging bepleit mondiale verhoudingen die de mensen en samenlevingen van de arme landen uit het verdomhoekje halen. Zij komt dus op voor de arme boeren in het Zuiden. Maar bij een aantal ontwikkelingsorganisaties, en dan nog wel enkele van de allergrootste, schiet de analyse tekort. Schaf de exportsubsidies af, open de markten van de rijke landen en klaar is Kees. Daar komt hun motto op neer. Ze willen of kunnen maar niet begrijpen dat de boeren daar helemaal niet mee geholpen zijn, niet in het Noorden maar evenmin in het Zuiden, en al helemaal niet de armste boeren. Natuurlijk zijn er ontwikkelingsorganisaties die al lang de voedselsoevereiniteit verdedigen en de boerenorganisaties daarin steunen. Zij krijgen nu gezelschap van meer en meer zusterorganisaties die eindelijk hun huiswerk hebben gemaakt en nu in dezelfde richting bewegen. Dat opent perspectieven voor allianties.

De vakbonden dan. Boerenorganisaties in ontwikkelingslanden, die zichzelf in de eerste plaats als vakbond zien – omdat ook boeren en landarbeiders van hun arbeid moeten leven –, vergaderen daar wel eens met de ons meer vertrouwde werknemersvakbonden in hetzelfde syndicale huis. Dan is het al makkelijker om vertrouwd te raken met de wederzijdse problemen, opvattingen en visies. Ook andere vakbonden en boerenorganisaties hebben met elkaar contact, al te sporadisch echter. Vele vakbonden begrijpen nog onvoldoende wat de verwaarlozing van de landbouw en de economische en maatschappelijk ineenstorting die daaruit voortvloeien, ook voor hen met zich meebrengt. De verarmde en failliete boeren zijn bijna wanhopig op zoek naar werk, naar iets wat van ver op een beetje inkomen lijkt. Dat jaagt hen massaal naar de steden – de bekende plattelandsvlucht – waar ze een immens arbeidsreservoir vormen. Ze zijn met zovelen dat ze genoegen (moeten) nemen met het minste. Dat veroorzaakt, zoals we al weten, een neerwaartse druk op de lonen en de inkomens, nog slechtere arbeidsvoorwaarden. Dit betekent vooral dat vakbonden en boerenbonden meer gelijklopende dan tegengestelde belangen hebben. Al te lang hebben vakbondsmensen geloofd – en sommige geloven het nog altijd – dat ze baat hebben bij slecht betaalde boeren en lage voedselprijzen. Maar dan hebben ze geen oog voor de negatieve loondruk én evenmin voor de verdwijnende markt op het platteland. Want ook dat is waar: als de werknemers in de fabrieken van de stad producten voortbrengen, waarmee zouden doodarme boeren die producten dan kunnen kopen? De werkelijkheid in vele landen is dat wanneer de boeren verliezen, de andere werknemers tweemaal riskeren te verliezen.

Waar blijft het beleid?

Ja, waar blijven de overheden? Die blijven voorlopig afwezig. Dat is wel zeker, zo diep als vele politici nog altijd in de ban zijn van het vrij-maken van de wereldmarkt. Ze willen nog altijd de mythe geloven dat die dan als vanzelf de best mogelijke wereldsamenleving te voorschijn zal toveren, ook voor de landbouw.

Natuurlijk zijn er uitzonderingen onder de politici, maar op dit ogen-blik zijn zij het niet die bepalen uit welke richting de politieke wind waait. Er zal nog veel overreding en nog meer maatschappelijke druk van onder andere de boerenorganisaties aan te pas moeten komen, wil-len hun talrijke collega's tot beter begrip komen. Het is moeilijk opbok-sen tegen hun ideologische waandenkbeelden, of tegen hun onverschil-ligheid of tegen de lobby en financiële macht van de multinationals die zo dikwijls het pad van de landbouwers doorkruisen, bij zowat alles wat ze ondernemen. Moeilijk te zeggen trouwens wat het ergst is – en soms is het opboksen tegen dat alles tegelijk.

Waar blijft de grotere welvaartsmachine?

'Op lange termijn willen wij voorrang geven aan de modernisering van de familiale landbouw en aan de ontwikkeling van activiteiten buiten de landbouw.' (Boerenleider Samba Gueye van CNCR spreekt dertigdui-zend landbouwers toe in het grote stadion van Dakar)

De huidige mondiale economie is niet lief voor de landbouwers, dat is zowat de centrale analyse van dit boek. En ze is evenmin lief voor de arme landen. Maar het blijft ook dan merkwaardig dat zovele landen in de wereld de landbouwers niet respecteren en veel te weinig investeren in hun landbouw, zie tabel 13 uit hoofdstuk V.4. En dus zijn die landen niet bij machte om in de eigen behoeften aan voedsel en andere agra-rische producten te voorzien. Al even merkwaardig is dat vele landen het resultaat van hun harde labeur op het land zomaar exporteren en amper een poging ondernemen om daaraan te ontsnappen. Ze houden de meerwaarde niet in eigen land. Hun economieën verwerken de landbouwproducten niet zelf, ze bevoorraden er niet hun eigen fabrieken mee. Nee, hun landbouwers blijven tot vandaag slecht betaalde grondstoffen leveren voor de wereldeconomie.

Het zou anders kunnen. West-Afrikanen zouden zelf hun katoen kunnen verwerken in hun textiel- en confectiefabrieken. De landbouw in vele landen en regio's van Midden- en Zuid-Amerika, de Caraïben, Afrika en Azië zou vooral kunnen samenhangen met een voedings- en verwerkingsnijverheid die werkt voor de lokale of regionale markt. Een productief platteland zou er een krachtige motor kunnen zijn voor een duurzame economische ontwikkeling. En dus blijft het een jammerlijke zaak dat die samenlevingen op één mank landbouwbeen blijven lopen en niet investeren in industriële ontwikkeling en in de ontwikkeling van diensten die voor meer welvaart kunnen zorgen in eigen land. En als ze dat toch willen, zijn ze het slachtoffer van het dogma dat zelfs arme landen hun opkomende industrie niet mogen beschermen. Nee, ze moeten meteen opereren in een ongeremde vrije wereldmarkt wat het ze extra moeilijk en eigenlijk onmogelijk maakt om een volwaardige welvaartsmachine op te bouwen. Het is duizendmaal jammer dat degenen die het voor het zeggen hebben – vooral de economisch sterke landen en onze toonaangevende mondiale beheersinstrumenten zoals de Wereldhandelsorganisatie – niet willen of kunnen inzien hoe dramatisch dat is.

Besluit – Landbouw, eeuwige pijler onder welvarende staten en gemeenschappen

Wie een welvarende toekomst wil, zal een toekomst moeten uittekenen voor een duurzame landbouw.

Leveren we ons over aan de grillen en grollen van financieel kapitaal? Of heroveren en democratiseren we de economie?

Koe 80 heeft een probleem vertelt het verhaal van de strijd tussen twee landbouwmodellen. We denken misschien dat we toeschouwer zijn, of we kunnen ons dat proberen wijs te maken. Maar eigenlijk weten we wel beter. Al wie eet, al wie voedsel koopt, speelt mee in dit verhaal, ook al lijkt dat een onbeduidende rol. En zeker is dat zo voor al wie voedsel of landbouwproducten verhandelt, verwerkt of vermarkt.

We moeten allemaal kiezen. Laten we vrij spel aan een mondiale industriële landbouw die de machtsgreep ondergaat van de grootdistributie? Of geven we voorrang aan een familiale landbouw die vooral lokaal en regionaal is en die een paar miljard mensen opnieuw levenskansen geeft doordat ze een eerlijke prijs krijgen voor hun werk, en doordat ze de productie, verwerking en distributie meer zelf in handen nemen of er minstens meer greep op krijgen.

Diepgaander nog, verkiezen we een wereld waarin de meeste mensen voor hun overleven, hun welvaart en hun toekomst overgeleverd zijn aan financieel kapitaal dat overal de economische dans mag leiden en de winsten opstrijken vrijwel zonder verantwoording te hoeven afleggen? Of leren we dat *kapitaal* geen vies woord is maar er is voor de mens, en dat we daarom naast de samenleving ook de economie moeten democratiseren? Mensen horen in de hele wereld toegang te hebben tot natuurlijk kapitaal zoals grond en water, tot geld, industriële uitrusting en ander kapitaal om goederen en diensten voort te brengen, voor zichzelf, voor hun familie en gemeenschap of voor de markt. Dit recht op kapitaal en het eruit voortvloeiende recht om welvaart te creëren – of om te ondernemen – is maar voor heel weinig mensen gerealiseerd. We moeten onze economie, onze markten inbedden en insnoeren, niet alleen in een mondiale sociale en ecologische regelgeving, maar ook in een economische democratie die gestalte krijgt in inspraak, mede-beheer, mede-eigendom, zelfbeheer, coöperatieve samenwerking en andere democratische organisatievormen.

Herinneren we nog een laatste keer aan de nefaste sojadriehoek die het milieu en de landbouwsamenlevingen teistert van Brazilië over West-Europa tot in West-Afrika. We weten nu hoe landbouwers in al die lan-den werken aan verandering. Dat is moeilijk maar het lukt hen stilaan om een andere landbouw en economie uit de grond te stampen, van productie tot distributie. De sleutel ligt echter ook elders. Zullen we vooral in de rijke wereld nu eindelijk en snel leren dat we economische welvaart niet kunnen bouwen op de kap van anderen, en evenmin op de kap van de natuur? Want de wereld is niet groot genoeg meer om oneconomisch tewerk te gaan. Zelfs het immense Brazilië is te klein om vooral exportlandbouw te bedrijven. We hebben geen echte keuze: we moeten de aardse rijkdommen zo inzetten dat iedereen in staat is er goed van te leven en we moeten ze met ongeschonden natuurlijke productiecapaciteit doorgeven aan de volgende generaties.

Tussen landbouw en milieu zijn er spanningsvelden, net zoals tussen de landbouw en de wereld van de werknemers of de consumenten. Die spanningen zijn reëel, daar hoeven we niet flauw over te doen. Maar er zijn vooral raakvlakken. De landbouwers, de andere mensen die van hun werk moeten leven, het milieu, de consumenten, allemaal zijn ze vandaag het slachtoffer van de slechte globalisering die we in dit boek hebben ontrafeld. En de uitwegen die we vonden, voedselsoevereini-teit, een duurzame landbouw, zelfverwerking en het in handen nemen van de eigen distributie, bieden hun allemaal betere alternatieven.

Ik ben ervan overtuigd dat zich een wereldwijde alliantie kan vor-men tussen boerenbewegingen, vakbonden, milieubewegingen, Noord-Zuidbewegingen, consumenten, fairtradebewegingen en ja, ook met bedrijven die echt maatschappelijk verantwoord willen ondernemen. Die alliantie kan de macht en slagkracht verwerven om een economie af te dwingen waar we allemaal beter van worden, een economie die productief, leefbaar, ecologisch duurzaam, sociaal rechtvaardig en democratisch is. Samen kunnen ze de overgang in die richting forceren en in handen nemen.

Zo kan de landbouw en de hele voedseleconomie een pijler blijven onder de bestaande welvaartsstaten. Zo kan de landbouw vanaf morgen ook de pijler zijn onder nieuwe welvaartsstaten in Afrika, Latijns-Amerika en Azië.

Dirk Barrez

Bijlagen

Lijst van afkortingen

Acdic	Association Citoyenne de Défense des Intérêts Collectifs (Kameroen)
ACS-landen	landen uit Afrika, Caraïben en Stille Oceaan
ADM	Archer Daniels Midland Company
Agrisain	Agriculture Saine (België)
BBC	British Broadcasting Company
bnp	Bruto Nationaal Product
BSE	Boviene Spongiforme Encyfalopathie
btw	Belasting op de Toegevoegde Waarde
CIA	Central Intelligence Agency (VS)
CNCR	Conseil National de Concertation et de Coopération des Ruraux (Senegal)
CNTC	Central Nacional de Trabajadores del Campo (Honduras)
Coprosain	Coopérative de Produits Sains (België)
Corlac	Cooperativa Riograndense de Laticínios e Correlatos (Brazilië)
Cresol	Cooperativas de Crédito Rural com Interação Solidária (Brazilië)
CUT	Central Única dos Trabalhadores (Brazilië)
EPA's	Economic Partnership Agreements
FAO	Food and Agricultural Organisation/Voedsel- en landbouworganisatie
Fetraf	Federação dos Trabalhadores na Agricultura Familiar (Brazilië)
GGO's	Genetisch Gewijzigde Organismen
IAO	Internationale Arbeidsorganisatie
ICO	International Coffee Organisation/Internationale Koffie Organisatie
IFAP	International Federation of Agricultural Producers/ Internationale Federatie van Landbouwproducenten
IMF	Internationaal Monetair Fonds
MST	Movimento dos Trabalhadores Rurais Sem Terra (MST)/ Beweging van Landloze Landarbeiders (Brazilië)

ngo's   Niet-Gouvernementele Ontwikkelingsorganisaties
pcb   Polychloorbifenyl
Roppa   Réseau des Organisations Paysannes et des Producteurs
           Agricoles de l'Afrique de l'Ouest
Sitrap   Sindicato de Trabajadores de Plantaciones agricolas (Costa Rica)
SOMO   Stichting Onderzoek Multinationale Ondernemingen
Unctad   United Nations Conference on Trade and Development
VELT   Vereniging voor Ecologische Leef- en Teeltwijze (België/
           Nederland)
VN   Verenigde Naties
Wervel   Werkgroep voor een Rechtvaardige en Verantwoorde
           Landbouw (België)
WTO   World Trade Organisation/Wereldhandelsorganisatie

Lijst van tabellen

Lijst van figuren

Lectuurlijst

Dit boek is gebaseerd op tal van interviews en gesprekken, op onderzoek van studies, documenten en websites, op lectuur van boeken en tijdschriften, op eigen televisiereportages en documentaires, op ervaring en zelfstandig denkwerk.

Wat volgt is een greep uit de meest boeiende lectuur. En daarna verkennen we de meest interessante websites.

Aertsen Jan, Demblon Daniel e. a. , *100 jaar boeren*, EPO, Berchem, 1990

Agarwal, Anil & Narain, Sunita, *Towards green villages. A strategy for environmentally-sound and participatory rural development*, Centre for Science and Environment, New Delhi, 1989

Altieri Miguel en Nicholls Clara, *Agroecology And The Search For A Truly Sustainable Agriculture*, University of California, Berkeley, 2005 (2000 Spaanse versie)

Barrez Dirk, *Ik wil niet sterven aan de XX^{ste} eeuw. Over leven in de 21ste eeuw*, Globe, Gent, 1999

Barrez Dirk, *De antwoorden van het antiglobalisme. Van Seattle tot Porto Alegre*, Globe/Mets & Schilt, Leuven/Amsterdam, 2001 (heruitgave Academia Press/ Global Society, Gent/Mechelen, 2004)

Bode Bart, Vannoppen Jan en Vervliet Emiel (red.), *Dagelijks brood. Mondiale markt en voedselzekerheid*, MO* noordzuidCAHIER, Wereldmediahuis, Brussel, 2006

Boutsen Saartje en Vannoppen Jan, *Helpt onze hulp tegen honger? Voedselzekerheid en duurzame landbouw in de Belgische ontwikkelingssamenwerking*, Wereldmediahuis, Brussel, 2007

Braudel, Fernand, *Civilisation matérielle, économie et capitalisme, xve-xviiie Siècle* (drie delen), Armand Colin, Parijs, 1979

Clay Jason e.a., *Exploring The Links Between International Business And Poverty Reduction: A Case Study Of Unilever In Indonesia*, Oxfam GB, Novib Oxfam Netherlands & Unilever, 2005

Debomy Daniel, *The Europeans And Sustainable Food. Qualitative Study in 15 European Countries. Pan-European Report*, Koning Boudewijn Stichting, Brussel, 2005

Engelen Gert, *Naar een duurzame handelsrelatie tussen boeren en supermarkten*, Ik ben verkocht, Leuven, 2007

Engelen Gert en Stassart Pierre, *Van de grond tot in je mond. 101 pistes voor een kwaliteitsvoeding*, Vredeseilanden-Coopibo/Fondation Universitaire Luxembourgeoise, Leuven, 1999

Galeano, Eduardo, *De aderlating van een continent. Vier eeuwen economische exploitatie van Latijns-Amerika*, Van Gennep, Amsterdam, 1976

Jones Peter Tom & Jacobs Roger, *Terra Incognita, Globalisering, ecologie en rechtvaardige duurzaamheid*, Academia Press, Gent, 2006

Landes, David S. , *Arm en rijk. Waarom sommige landen erg rijk zijn en andere erg arm*, Het Spectrum, Utrecht, 1998

MacMillan Tom, *Power in the food system. Understanding trends and improving accountability*, Food Ethics Council, 2005

Quaghebeur Patricia, Schokkaert Luc en Van Molle Leen, *100 jaar Boerenbond in beeld 1890-1990*, Boerenbond, Leuven, 1990

Robberecht Freddy en Van Bossuyt Peter (red.), *2016 Inzetten op de toekomst*, Boerenbond, Leuven, 2006

Roep Dirk en Wiskerke Han (red.), *Nourishing Networks. Fourteen Lessons About Creating Sustainable Food Supply Chains*, Wageningen University, Wageningen, 2006

Rosset Peter M. , *Food Is Different. Why We Must Get The WTO Out Of Agriculture*, Zed Books, Londen, 2006

Schoonheydt Robert en Waelkens Siska (red.), *Voedsel voor 9 miljard mensen. Perspectieven op landbouw en wereldvoedselvoorziening*, LannooCampus, Leuven, 2004

Sen, Amartya, *The Amartya Sen and Jean Drèze Omnibus, Comprising Poverty and Famines, Hunger and Public Action, India: Economic Development and Social Opportunities*, Oxford University Press, 1999

SOS Faim, *Dynamiques Paysannes. Lait, une production dans la mondialisation*, Bruxelles, 2006

Stiglitz Joseph, *Perverse globalisering*, Spectrum, Utrecht, 2002

Stiglitz Joseph, *Eerlijke globalisering*, Spectrum, Utrecht, 2006

Vandaele John, *Het recht van de rijkste. Hebben andersglobalisten gelijk?*, Houtekiet, 2005

Vander Stichele Myriam en van der Wal Sanne, *The Profit Behind Your Plate: Critical Issues In The Processed Food Industry*, SOMO, Amsterdam, 2006

Vander Stichele Myriam, van der Wal Sanne en Oldenziel Joris, *Who Reaps The Fruit? Critical Issues in the Fresh Fruit and Vegetable Chain*, SOMO, Amsterdam, 2006

Vankrunkelsven Luc, *Kruisende schepen in de nacht. Soja over de oceaan*, Dabar-Luyten/Wervel, Heeswijk/Brussel, 2005

Vannoppen Jan, Van Huylenbroeck Guido en Verbeke Wim, *Economic Conventions And Consumer Valuation In Specific Quality Food Supply Networks*, Shaker Verlag, Aachen, 2004

Websites

Boerenorganisaties en samenleving
Agribusiness Accountability Initiative – www.agribusinessaccountability.org
Agricord – www.agricord.org
Agriterra – www.agriterra.org
Algemeen Boerensyndicaat – www.absvzw.be
Bioforum – www.bioforum.be
Boeregoed-Côté Soleil – www.boeregoed-brussel.com
Boerenbond – www.boerenbond.be
Both ENDS – www.bothends.org
Broederlijk Delen – www.broederlijkdelen.be
CNCR Conseil National de Concertation et de Coopération des Ruraux
    – www.cncr.org
Collectif Stratégies Alimentaires – www.csa-be.org
Confédération Paysanne – www.confederationpaysanne.fr
Coordination Paysanne – Européenne www.cpefarmers.org
Copa-Cogeca – www.copa-cogeca.be
Coprosain – www.coprosain.be
De Tijd Loopt – www.detijdloopt.be
11.11.11 – www.11.be
ETC Group – www.etcgroup.org
Fetraf-Sul – www.fetrafsul.org.br
Fian International – www.fian.org
Global Society, website over onze globaliserende wereld – www.globalsociety.be
GRAIN – www.grain.org
Ieder Voor Allen – www.iedervoorallen.be
IFAP International Federation of Agricultural Producers – www.ifap.org
Ifoam – www.ifoam.org
Ik ben verkocht – www.ikbenverkocht.be
Land- en Tuinbouw Organisatie Nederland – www.lto.nl
Max Havelaar – www.maxhavelaar.com
Milcobel – www.milcobel.com
Oxfam België – www.oxfam.org
Oxfam Wereldwinkels – www.oww.be
PALA.be nieuwsbrief over onze globaliserende wereld www.pala.be
Réseau Agriculture Durable – www.agriculture-durable.org
Réseau Semences Paysannes – www.semencespaysannes.org
Roppa Réseau des Organisations Paysannes et des Producteurs Agricoles de
    l'Afrique de l'Ouest – www.roppa.info
Sem Terra – www.mst.org.br
SOMO – www.somo.nl
Stichting WereldDelen – www.werelddelen.nl

Trias – www.triasngo.be
VELT Vereniging voor ecologische leef- en teeltwijze – www.velt.be
Via Campesina – www.viacampesina.org
Vlaams Agrarisch Centrum – www.vacvzw.be
Vlaamse Vereniging van Biologische Boeren – www.belbior.be
Voedselteams – www.voedselteams.be
Vredeseilanden – www.vredeseilanden.be
Wervel – www.wervel.be

Economie
ADM Archer Daniels Midland Company – www.admworld.com
AH-Albert Heijn – www.ah.nl
Bunge – www.bunge.com
Cargill – www.cargill.com
Colruyt – www.colruyt.be
Delhaize – www.delhaize.be
Monsanto – www.monsanto.com
Sadia – www.sadia.com
Unilever – www.unilever.com
Wal-Mart – www.walmart.com

Overheid
Cairns Groep – www.cairnsgroup.org
Europese Commissie – www.ec.europa.eu/agriculture
Internationaal Monetair Fonds – www.imf.org
Internationale Arbeidsorganisatie – www.ilo.org
International Fund for Agricultural Development – www.ifad.org
Unctad – www.unctad.com
Voedsel- en Landbouworganisatie van de Verenigde Naties – www.fao.org
Wereldbank – www.worldbank.org
Wereldhandelsorganisatie – www.wto.org

Index

Vlaams Agrarisch Centrum 244
Vlaanderen 35, 45, 184-185, 194, 200, 210-211,
    230, 241-242, 244, 251
vlees 20, 31-32, 50, 51, 54, 56, 57, 61, 74, 97, 111,
    120, 138, 160, 179-180, 184-186, 194, 202, 208-
    211, 226, 240, 253
Vlinder van Lorenz 5, 17, 18
VN – zie Verenigde Naties 155, 240
voedingsindustrie 113, 193, 213-214, 221, 226,
    230, 234
Voedsel- en landbouworganisatie van de Verenigde
    Naties FAO 29, 47, 49-54, 56-57, 78, 149, 152,
    155, 170, 239
voedselhulp 73, 112, 135
voedselketen - zie keten
voedselsoevereiniteit 8, 125, 166, 168-171, 173-
    174, 191, 194, 197, 218, 232, 236
Voedselteams 9, 185, 210-212, 244
voedselzekerheid 8, 36, 69, 110, 114, 157, 169-
    170, 189, 231, 241
Voisins de Paniers 9, 123, 207-210, 212
Vormingplus 210
Vredeseilanden 4, 14, 210, 225, 231, 242, 244, 254
vrijhandel 6, 46, 65, 114-115, 138, 141, 154

W
Wallonië 9, 137, 182-184, 205
Wal-Mart 7, 10, 103, 107-109, 174, 203, 220-221,
    223, 244
weiden 7, 23, 73, 76-77, 99, 145, 157, 160, 162
Wereldbank 2, 27, 58, 89, 136, 148, 149, 244
Wereldhandelsorganisatie WTO 19, 27, 65, 88-89,
    91, 110, 114-117, 122, 123, 140-141, 154, 166,
    167, 169, 174, 227, 234, 240, 242, 244, 254
wereldmarkt 6, 12, 15, 26, 28-29, 31, 34, 36, 55-
    56, 66-70, 73-74, 89, 91, 97, 99, 111, 113-115,
    122, 131, 135, 137, 140, 142-144, 154, 156-157,
    173, 178-179, 233-234, 254
wereldproductie 36, 50-53, 58, 240
Wereld Sociaal Forum 62
wereldwinkels 10, 158, 200, 210, 216-218, 243,
    253
Wervel 210, 240, 242, 244, 254
West-Afrika 18, 38-39, 87-88, 125-126, 141, 153,
    168, 191, 230, 234, 236
wijn 178-179, 186, 193, 228
wortelen 51, 128
WTO – zie Wereldhandelsorganisatie 19, 65, 89,
    110, 114, 140-141, 166, 240, 242, 254

Y
Ysco 201

Z
zaad 8, 14, 62, 67-68, 93, 96, 99, 100-101, 104,
    128, 135, 143, 147, 150-152, 163, 174, 195, 253
zelfvoorziening 8, 84, 127, 129, 131-132, 173, 228
Zuid-Afrika 90, 115
Zuid-Amerika 19, 22, 35, 63, 90, 92, 110, 126,
    141, 143, 145-146, 148-149, 196, 234, 237,
    240, 242
Zuid-Azië 90, 126
Zuid-Korea 43-44, 65, 88, 146, 149, 227, 230
Zuidoost-Azië 143, 164

Andere boeken van Dirk Barrez
www. dirkbarrez. be / www. globalsociety. be

Barrez Dirk en De Vlieger Evelien, *De wereld, een gebruiksaanwijzing.*
Globalisering voor beginners, Globe/Jeugd & Vrede, 2004, 96 p. (Nederlands
en Frans, nog verkrijgbaar)
Barrez Dirk, *De antwoorden van het antiglobalisme. Van Seattle tot Porto Alegre,*
Globe/Mets en Schilt i. s. m. 11.11.11, 2001, 264 p, in 2004 heruitgegeven
door Academia Press en Global Society (Nederlands en Frans, nog
verkrijgbaar)
Barrez Dirk, *Ik wil niet sterven aan de XXste eeuw. Over leven in de 21ste*
eeuw, Globe, 1999, 238 p. (uitverkocht, geactualiseerde heruitgave in
voorbereiding)
Barrez Dirk, *Het land van de 1000 schandalen. Encyclopedie van een kwarteeuw*
Belgische affaires, Globe, 1997, 384 p. (Nederlands en Frans)
Barrez Dirk, *Het onderzoek: een bende. Over het onderzoek naar de Bende van*
Nijvel, Standaard Uitgeverij, 1996, 48 p.
Barrez Dirk, *De val der engelen. Waarom ontwikkelingsorganisaties falen,* 1991,
79 p. , verschenen in *Het orkest van de Titanic. Werken aan andere Noord-Zuid*
verhoudingen, VUBpress & Student Aid, 1993.
Barrez Dirk, *Super Club. Scenario van een kaskraker,* Kritak, 1991, 159 p.
Barrez Dirk e. a. , *Nicaragua. De ondermijnde revolutie,* NCOS, 1985, 128 p.
Barrez Dirk en Rutgeerts Jan, *Stop de Bom. Twee jaar actie tegen de kernbewape-*
ning, IOT, 1982, 108 p.

DVD's van Dirk Barrez

DVD *Koe nummer 80 heeft een probleem. Boer tegen landbouwindustrie*
(52' – 2007) – 10 euro
DVD met twee films *Het gezicht van de honger* (42' – 2001) & de opvolger
Nieuwe gezichten (35' – 2004) – 10 euro
DVD *Een geschiedenis van de toekomst. Waar zullen onze kinderen werken?* Het
verhaal van Philips Hasselt (40' – 2005) – 7 euro

Bestellen van deze boeken en DVD's kan bij Global Society vzw –
tel. +32 (0)15 43 56 96 – via mail naar info@globalsociety. be – online op
www. globalsociety. be

PALA.be
gratis e-brief over globalisering

In PALA zoomt Dirk Barrez regelmatig in op de problemen van onze globaliserende wereld, op de mogelijke alternatieven en op hoe de wereld werk maakt van verbetering. Voor iedereen die een meer duurzame, sociale en democratische wereld wil.
Abonneer je gratis via **www.pala.be/palabrief. php**

Op www. pala. be zijn alle PALA brieven en artikels te vinden, elke dag nieuwsberichten over onze globaliserende wereld, een groeiend aantal web-tv-reportages, een woordenboek, het e-boek *Ik wil niet sterven aan globalisering* en een link naar de zustersite www.globalisering.org, educatieve web-tv over globalisering.

2015
DE TIJD LOOPT

Voor een leefbare en milieuvriendelijke landbouw in Noord en Zuid slaan milieu-, natuur-, landbouw-, consumenten- en Noord-Zuidbeweging de handen in elkaar. Want tegen 2015 moet honger de wereld uit!

www.detijdloopt.be

Samen op weg naar 2015

191 landen ondertekenden een akkoord om tegen 2015 de armoede en de honger in de wereld te halveren. Acht millenniumdoelstellingen moeten ervoor zorgen dat de wereld er in 2015 een stukje beter uitziet.

Intussen zitten we halfweg. Halfweg in de tijd, maar niet in de resultaten. 850 miljoen mensen lijden nog altijd honger. 70 procent van hen zijn boeren. Niet zo vreemd, als je weet dat ze weinig toegang hebben tot vruchtbare gronden, water, kredieten en zaden. Bovendien kunnen ze niet opboksen tegen de goedkoop ingevoerde producten die hun markten overspoelen. Ook het milieu heeft te lijden onder de moderne landbouwmethodes.

Maar het kan ook anders. Duurzame landbouw kan de wereld voeden zonder een aanslag te plegen op de draagkracht van de aarde. Daarom bundelen we onder de noemer 2015 De Tijd Loopt vanuit de Noord-Zuidbeweging, de milieu-, natuur-, boeren- en consumentenorganisaties onze krachten. Onze tien eisen omvatten niet alleen steun aan duurzame landbouw, maar ook aandacht voor betere handelsregels. En zelf kunnen we er ook iets aan doen.

Consumenten beschikken immers over een behoorlijke portie macht. Door producten te kopen bij een Wereldwinkel, die op een duurzame manier zijn voortgebracht, die in eigen streek geproduceerd zijn, door je aan te sluiten bij een voedselteam of door wat minder vlees te eten, toon je dat je een bewuste consument bent. Zo steunen we de boeren en het milieu in het Zuiden én het Noorden.

www.detijdloopt.be

Koe nummer 80 heeft een probleem – DVD

Boeren over heel de wereld voeren strijd voor een andere landbouw, Altemir in Brazilië, Ndiogou en Awa in Senegal, René in Frankrijk. Samen met vele anderen ijveren ze in hun bewegingen, op markten en manifestaties, tot op de top van de Wereldhandelsorganisatie, voor een duurzame landbouw die mens en milieu respecteert.

Wil je weten waarom Afrikanen de boot nemen naar Europa? Kijk hoe de sojateelt in Brazilië het oerwoud vernietigt en geen plaats voor mensen laat. Veel van die soja belandt in Europa. De agro-industrie voedert er haar koeien mee en produceert melk- en graanoverschotten. Die worden gedumpt in Afrika. Je zal maar boerin zijn in de Sahel en jouw melk en gierst niet verkocht krijgen. Het gevolg? nog minder inkomen, nog meer werkloosheid, armoede en migratie.

Dit is het verhaal van de mensen die zorgen voor ons voedsel. Ze aanvaarden niet dat de welvaart van een paar miljard mensen op het platteland kapot gaat en 850 miljoen mensen honger hebben waarvan 600 miljoen zelf boer zijn.

Dit is het verhaal van de strijd tussen een mondiale industriële landbouw en een familiale landbouw die vooral lokaal en regionaal is en die vele honderden miljoenen mensen opnieuw levenskansen geeft.

Een film van Dirk Barrez / Global Society – de DVD bevat een versie van 52′ en een ingekorte versie van 28′ voor educatief gebruik
i.s.m. Vredeseilanden, CSA, Oxfam Solidariteit, Wervel, RAD, CPE, Acord, Global Society en PALAtv, met steun van de Europese Commissie

> 'Op een aansprekende manier schetst de film de samenhang tussen deals in WTO-verband, importsoja uit Brazilië voor de Europese veehouderij, EU-export tot en met dumping op de wereldmarkt. Het sterke van de film is dat niet alleen het internationale probleem wordt aangekaart, maar dat door alles heen de solidariteit tussen boeren uit Brazilië, Europa en Afrika blijkt.' (Alma De Walsche in MO*)

DVD te bestellen bij **www.pala.be** € 10 | Boek + DVD: € 25